VOYAGE
D'UN GOURMET
À PARIS

JEAN-CLAUDE RIBAUT

VOYAGE
D'UN GOURMET
À PARIS

calmann-lévy

COUVERTURE
Photographie : © Gilles Rigoulet/Plainpicture

ISBN 978-2-7021-4309-4

In memoriam
† Jacques Manière,
† Jean-Pierre Quelin

Pour
Michèle Champenois

Balade gourmande dans Paris

Cette histoire commence à l'automne 1970 alors que j'achevais mes études d'architecture. Un de mes amis m'entraîna au *Pactole*, chez Jacques Manière, 44, boulevard Saint-Germain à Paris dans le Vᵉ arrondissement. Sa cuisine fut une révélation, un choc. Le soir même j'y prenais place à nouveau en ayant sollicité l'autorisation d'apporter une bouteille de la-tâche 1966, offerte par un ami bourguignon qui avait ses entrées au domaine de la Romanée-Conti. Je n'avais aucune expérience gastronomique préalable, sinon celle d'une table familiale profuse où le poulet rôti du dimanche était quelquefois suivi d'un civet de garenne lors d'une grande occasion.

Dix ans plus tard, le *Moniteur des travaux publics et du bâtiment* me confiait une rubrique gourmande pour égayer les pages magazine de cet hebdomadaire économique. Je signais chaque semaine un billet sous le pseudonyme Acratos, découvert à la lecture du *Festin en paroles* de Jean-François Revel, qui – traduit du grec – signifie «celui qui ne met pas d'eau dans son vin». Commençait alors une quête des bonnes petites adresses à Paris et en région, au gré de mes activités et déplacements professionnels. En 1989, Jean-Pierre Quélin, qui dirigeait *Le Monde sans visa*, me sollicita pour assurer l'intérim de La Reynière, le chroniqueur gastronomique du journal *Le Monde*, qui était souffrant. Les choses s'organisèrent ; Quélin me confia une rubrique intermittente, « Entre-Mets », jusqu'au jour où Jacques Lesourne, directeur du journal, annonça dans *Le Monde* du 8 octobre 1993 la création d'un nouveau supplément, *Le Monde temps libre*, dont la rubrique gastronomie « sera confiée à Jean-Claude Ribaut, qui succède à La Reynière ». N'ayant jamais rien demandé, et poursuivant mes activités d'architecte au sein d'un magazine dont j'assumais la direction de la rédaction, je pris cette charge « avec un souci maintenu d'indépendance, de qualité et de rigueur », selon les termes mêmes employés par le patron du journal.

Voilà comment j'ai découvert Paris, ses tables, ses chefs, petits et grands, et partagé avec beaucoup le sentiment que cette ville est un trésor. Tous ceux qui aiment Paris, son architecture, ses circuits, ses passages, dont les chemins ne se recoupent qu'aux lieux de l'amitié et de l'amour de la capitale, n'ont de cesse de courir d'un restaurant à l'autre. Le restaurant est le bon prétexte pour découvrir d'autres villes dans la ville, et pérégriner de quartier en quartier à la recherche tout à la fois d'une bouffée de vie que le centre réifié nous refuse, d'une société qui sait se coopter, d'une table aimable et familière, ou bien, les jours d'orgueil, de quelque maison grandiose. On laisse le temps s'y prélasser, les rêveries ou les conversations s'établir. À table, nos compatriotes parlent volontiers de cuisine. C'est à eux que s'adresse cet itinéraire gourmand, passé et présent, commencé avec la nouvelle cuisine à l'acmé des Trente Glorieuses, qui s'achève avec les derniers soubresauts de la cuisine moléculaire.

Solliciter la curiosité du lecteur en renouvelant les approches – culturelles, littéraires, historiques, sociales – sans jamais perdre de vue l'indispensable gourmandise, c'est choisir de considérer la caillette de l'Ardèche sur un pied d'égalité avec la cuisine minimaliste d'une nouvelle génération de cuisiniers. Il fallait dans le même temps rappeler que Paris a donné naissance aux restaurants, et esquisser par petites touches une histoire de la gastronomie parisienne. J'ai choisi de rapporter cet itinéraire gourmand dans le Paris d'hier et d'aujourd'hui en procédant par groupement de quartiers, afin d'enjamber les bornages administratifs et porter le regard sur une dizaine d'ensembles urbains cohérents. Après tout, la loi de 1795 qui créa les arrondissements municipaux n'en comptait pas plus de douze à Paris. Cela m'a permis de construire mon intrigue comme autrefois le poète Pierre Béarn dans son *Paris Gourmand*, sans les contraintes d'un guide, sans hiérarchie culinaire ni chronologie imposée. Ce parti de raconter la table parisienne en discontinu explique mon choix, certes discutable, de mêler recettes, concepts, anecdotes, portraits de cuisiniers de différentes époques, tout à la fois fragments d'un discours gastronomique et chronique du temps qui passe.

La cuisine réconcilie la permanence et le changement par un simple réagencement de ce qui existait auparavant. Avec un nombre limité de produits, les cuisiniers savent créer, comme le kaléidoscope, un nombre infini de plats différents. C'est à ce décryptage qu'invite ce recueil. Le grand Alain Chapel avait coutume de dire : «La cuisine, c'est plus que des recettes.» En effet, elle offre la sécurité, le plaisir de retrouver ses racines, de manger la cuisine de grand-mère, d'être libéré de peurs secrètes ou de découvrir d'autres univers de saveurs. Est-on assuré que cela continue ? Assurément, la cuisine aura toujours un regard sur le passé et une ouverture sur le monde, car le passé et les recettes anciennes sont toujours réinventés. La sécurité, c'est vouloir se souvenir ; mais l'on peut aussi s'amuser à table, faire fi du souvenir, et s'approprier les goûts d'ailleurs. Longtemps, l'approche de la nourriture s'est bornée à l'analyse des saveurs, des recettes, à la composition des plats. Cela va continuer, mais de plus en plus, nous serons conduits à porter un jugement différent sur ce qui se passe le temps d'un repas, sur les conversations et les échanges.

La quête du gourmet parisien est faite d'une succession de rencontres personnelles, intimes, avec de plus ou moins bons restaurants. Les uns se contentent de quelques lieux, des deux ou trois tables qui figurent autant l'empyrée de leur attente gastronomique qu'un refuge social. D'autres sont soumis au désir alimentaire, parfois avec frénésie. Mille villes se dissimulent dans la ville, qu'il convient de débusquer. Certains disent de les inventer. Il convient de réinvestir Paris au bon moment, au juste endroit. Au fil de chaque arrondissement, mêlant l'espace et le temps, l'histoire et notre quotidien, notre pérégrination se veut vivante et colorée afin de rassembler dans une même image sensible à la fois le décor, le chromatisme, la table et l'ambiance de restaurants modestes ou prestigieux. La gastronomie aujourd'hui semble avoir oublié son passé et ne guère se soucier de son avenir, préoccupée du seul moment présent. Elle devrait au contraire élargir le champ de vision de chacun, l'inciter à comprendre les errances d'un Nerval, les intuitions d'un Baudelaire, la soif inextinguible d'un Joseph Roth. Elle met en question l'idée que, à table, le passé est inaccessible et le futur imprévisible. Le temps, vieux Saturne farceur, fait tourner lentement et précautionneusement la marmite perpétuelle pour la surprise gourmande des bons enfants. Quelles seront demain les tendances qui s'imposeront, entre la crispation sur les goûts d'antan et la mondialisation ? En observant la cuisine parisienne dans la durée, nous tenterons d'en déceler les permanences, les dérives ou les avancées en situant ses principaux acteurs dans leur contexte, sans toutefois omettre l'anecdote, le trait d'esprit, qui sont la raison d'être de toute littérature gourmande. Et ne jamais oublier le propos de Spinoza : «Nous n'aimons pas les choses parce qu'elles sont bonnes. Elles sont bonnes parce que nous les aimons.»

Le théâtre de la gourmandise,
du Palais-Cardinal au Palais-Royal

Le restaurant est une invention parisienne de la seconde moitié du XVIIIe siècle, qui a pris son essor au Palais-Royal grâce à la Révolution. Le mot « restaurant » n'est traduit dans aucune autre langue ; il est devenu universel. « Tout ce qu'il est possible de trouver à Paris est au Palais-Royal », écrit l'historien russe Nikolaï Karamzine en 1790, car si « Paris est la capitale de la France, le Palais-Royal est la capitale de Paris », renchérit l'écrivain Étienne-Léon de Lamothe-Langon quelques années plus tard. La Révolution a laissé au Palais-Royal un héritage inattendu, une nouvelle forme de cuisine dans un espace visible depuis la rue, accessible à tous, créant une nouvelle sociabilité égalitaire au bénéfice d'une bourgeoisie avide de s'arroger les privilèges de l'aristocratie déchue. À côté du cœur de Paris qui bat encore au Palais-Royal, le quartier des Halles fut aussi son ventre, tandis que la rue de Rivoli, le plus beau cadeau du Premier consul à Paris, relie le Marais à la place Vendôme, en longeant le palais du Louvre.

Il était une fois le Palais-Royal

Au XVIIIe siècle et jusqu'à la Restauration, le cœur de Paris bat au Palais-Royal. C'est Richelieu qui fit construire pour sa résidence privée, proche du Louvre, un hôtel bientôt appelé le Palais-Cardinal qu'il légua au roi à sa mort en 1642. Ce palais ne devint le Palais-Royal que lorsque le jeune Louis XIV y séjourna pendant la Fronde (1648-1653). Donné en apanage à Monsieur, frère du roi, en 1692, le Palais-Royal devint la résidence de la famille d'Orléans. À la mort de Louis XIV, Philippe, duc d'Orléans, en fait le siège de la Régence (1715-1723). Fêtes officielles et soupers galants s'y succèdent, et même pendant l'hiver, trois fois par semaine, des bals publics où le Régent, masqué, se montre « souvent en un état peu convenable », écrit Saint-Simon.

Plus tard, sous le règne de Louis XV, le Palais-Royal est lieu de rencontre des élites éclairées, de Diderot et du neveu de Rameau, des amateurs de jeu et de jolies femmes. Les héritiers du Régent, très modernes, afferment leur bien foncier et, en 1780, son arrière-petit-fils Louis Philippe Joseph d'Orléans, duc de Chartres – futur Philippe Égalité –, demande au bâtisseur du Grand Théâtre de Bordeaux, l'architecte Victor Louis, de concevoir une vaste opération immobilière sur le pourtour du jardin. Il fait édifier, sur trois côtés, des immeubles uniformes avec boutiques marchandes au rez-de-chaussée, précédés d'un portique de cent quatre-vingts arcades séparées par des pilastres corinthiens, surmontés d'un étage noble, d'un second plus restreint et de combles destinés aux domestiques. Ces boutiques donnèrent une vie étincelante au quartier, de même que les galeries de bois – provisoires – qui fermaient le quatrième côté de la cour d'honneur et que l'on baptisa le Camp des Tartares. En 1786, c'est le «rendez-vous de tous les crocs, escrocs, filous, mauvais sujets dont abondait la capitale». On y trouvait des attractions : Mlle Lapierre, une géante prussienne de 19 ans, haute de 2,20 mètres, une odalisque de cire, nue, «plus vraie que nature», dit Jacques Hillairet dans *Connaissance du vieux Paris*. Les jeux sont en sous-sol, et ceux du demi-jour et de l'alcôve, à l'étage. «Le Palais-Royal est un beau quartier / Toutes les jeunes filles sont à marier», dit la comptine. L'écrivain Restif de La Bretonne (1734-1806) raconte la vie de quelques-unes de ces jeunes pensionnaires dans *Les Filles du Palais-Royal* (1790). Les rues bordant l'ensemble prirent le nom des trois fils de Philippe d'Orléans, les ducs de Valois, futur Louis-Philippe Ier, de Montpensier et de Beaujolais.

Aux premiers moments de la Révolution, le Palais-Royal est une sorte de salon en plein air qui tient de l'emporium, du souk et surtout du cercle politique, car il est interdit d'entrée à la police, donc l'expression y est libre. Le 12 juillet 1789, le jeune avocat Camille Desmoulins, debout sur une table du *Café de Foy* au 60, rue de Montpensier, surmonte son bégaiement et harangue la foule : «Citoyens, le renvoi de Necker est le tocsin d'une Saint-Barthélemy des patriotes. Notre seule ressource est de courir aux armes !» Pendant la Révolution, le Palais-Royal fut l'asile de toute une foule d'indignés, pour reprendre une expression d'aujourd'hui.

Toutes les plumes acérées, trempées dans le vitriol, de Chateaubriand à Balzac dans *Les Illusions perdues*, ont constaté la relation symbolique entre ces lieux et les événements de 1789. Les cafés, les restaurants fleurissent alors sous les belles arcades. Ils figurent pour un temps l'espace de la liberté. Les restaurants s'installent sous les nouvelles galeries de Victor Louis, qui cernent l'espace libre du jardin. Car, nous dit Grimod de La Reynière, une fois la paix civile revenue, «la Révolution a changé l'estomac de la France. La Révolution, en mettant à la diète tous les anciens propriétaires, a mis sur le pavé tous ces bons cuisiniers. Dès lors, pour utiliser leurs talents, ils se sont faits marchands de bonne chère sous le nom de restaurateurs». Ayant établi le constat, il en mesure les conséquences : «Le cœur de la plupart des Parisiens opulents s'est tout à coup métamorphosé en gésier ; leurs sentiments ne sont plus que des sensations et leurs désirs que des appétits.»

Grimod de La Reynière (1758-1838) fut le véritable fondateur de la critique gastronomique moderne. La première édition intégrale de son *Almanach des gourmands* en 2012 rassemble des textes qu'on ne connaissait que par des fascicules annuels parus entre 1803 et 1812. Cette édition met en lumière l'approche singulière et le style inclassable de son auteur, en même temps qu'une histoire sociale de la table. Elle fait de Grimod de La Reynière, par ailleurs amphitryon remarquable, un précurseur méconnu et inattendu de l'École des annales pour sa précieuse contribution à une «histoire totale».

Né le 20 novembre 1758, Il était affligé d'une infirmité de la main qu'il cachait par des gants. Fils d'un riche fermier général et neveu de Malesherbes, botaniste, magistrat et défenseur de Louis XVI à son procès, il se disait aussi petit-fils d'un charcutier dont le rejeton s'était enrichi comme fournisseur de l'armée du maréchal de Soubise, lequel s'entendait mieux en cuisine qu'à la guerre car il se fit battre à Rossbach (1757), mais laissa son nom à la sauce Soubise dont il agrémentait les canetons. L'*Almanach* consiste pour Grimod à «légitimer» les produits des restaurateurs, traiteurs, marchands de comestibles, invités à présenter leurs ouvrages à un jury qui se veut impartial et garantit l'anonymat des «artistes en bonne chère». Pour ce faire, il reçoit dans son hôtel particulier des Champs-Élysées, chaque mercredi, dix-sept convives invités à confronter leurs expériences gustatives afin de faire avancer le savoir culinaire. La gaieté est pour lui inséparable des plaisirs de la table; bons mots, calembours émaillent son récit, mais aussi recettes, anecdotes et précisions sur les prix, la saisonnalité des fruits et légumes, la chasse. Grimod se targue, à juste titre, d'avoir inventé «ce genre d'écrire auquel on a donné le nom de littérature gourmande». Cambacérès, archichancelier de l'Empire et gourmet fameux, participait quelquefois au jury. L'*Almanach* connut dès sa première édition un succès considérable.

Une autre figure méconnue de ce temps est Joseph Berchoux (1760-1838), successivement avocat, magistrat et écrivain. Il est l'auteur de satires et de poèmes didactiques, dont une *Épître contre les Anciens* qui commence par une boutade fameuse: «Qui me délivrera des Grecs et des Romains?» Mais son nom reste surtout attaché à un poème en quatre chants intitulé «Gastronomie ou l'homme des champs à table», de 1801. La gastronomie est d'abord, selon lui, l'art de diriger une maison, c'est-à-dire de s'entourer des personnels compétents : «En formant la maison dont vous avez besoin / Au choix du cuisinier mettez tout votre soin», écrit-il en alexandrins.

«Venez à moi, estomacs affamés, et je vous restaurerai»

Comment se nourrissait-on à Paris avant le bouleversement de 1789 ? Sous l'Ancien Régime, la restauration parisienne était régie par le système des corporations, c'est-à-dire des communautés de métiers, et des monopoles, souvent complexes, qui en découlaient. Les taverniers ne pouvaient délivrer que le vin en pot ; les auberges étaient des tables d'hôtes avec plat unique ; seuls les cabaretiers pouvaient servir quelques plats et des «vins à assiette», tandis que les traiteurs bénéficiaient, avec les charcutiers, du monopole du commerce des chairs cuites, à l'exception des pâtés de viandes hachées dont la fabrication était accordée aux seuls... pâtissiers.

L'un des traiteurs les plus célèbres, au 147, rue Saint-Honoré, est, à cette époque, un magasin de comestibles fondé en 1765 par le sieur de Lavoyepierre, appelé *Hôtel des Américains*, réputé pour sa terrine de Nérac au foie gras. Ses confrères sont alors Corcellet, Chevet, Cathieux. L'usage veut qu'ils n'assurent que la préparation de pièces entières et se refusent à les détailler. Mais il existe aussi des marchands ambulants escortés de crieurs qui vantent les vertus des «bouillons restaurants». N'étant pas traiteurs, ils ne sont pas autorisés, alors, à vendre des ragoûts ou des plats en sauce...

Jusque-là, « restaurant » est synonyme de revigorant pour qualifier un bouillon de viandes cuites, réputé fortifiant. Mais en 1765, un certain Boulanger s'installe au numéro 1 de la rue des Poulies (actuelle rue du Louvre), dans un petit cabaret, sous le nom de « Boulanger débite des restaurants divins ». Il fait suivre cette enseigne d'une phrase en latin de cuisine, inspirée de l'Évangile : *« Venite ad me omnes qui stomacho laboratis et ego vos restaurabo »* – c'est-à-dire : « Venez à moi estomacs affamés et je vous restaurerai. » C'est aussitôt le tollé chez les traiteurs et les charcutiers car Boulanger, outre son bouillon, sert des pieds de mouton à la sauce blanche et bientôt fait aussi cuire trois perdrix, deux chapons en même temps qu'un morceau de mouton et une rouelle de veau et s'avise de les débiter à la demande. Le succès est immédiat et consacre Boulanger comme « restaurateur », mot nouveau relevé par le *Dictionnaire de Trévoux* (1771), dont Brillat-Savarin donnera plus tard une définition précise : « Un restaurateur est celui dont le commerce consiste à offrir au public un festin toujours prêt, et dont les mets se détaillent à prix fixe sur la demande du consommateur. »

Diderot va chez Boulanger et écrit : « On y est bien, mais chèrement traité. » Il précise, dans une lettre à Sophie Volland (1767) : « Si j'ai pris du goût pour le restaurateur ? Vraiment, oui ; un goût infini. On y sert bien, un peu chèrement, mais à l'heure qu'on veut. » Diderot évoque aussi dans sa lettre la beauté de Mme Boulanger. Les traiteurs, mécontents, intentent un procès à Boulanger ; mais un juge du parlement de Paris tranche en sa faveur. Traiteurs

et charcutiers, quelques années avant la disparition définitive des corporations (loi Le Chapelier, 1791), perdent
ainsi leur monopole et, contraints et forcés, laissent prospérer le nouveau venu dont l'enseigne – « restaurant » –,
participe présent devenu substantif par métonymie, fera le
tour du monde.

Quelques années plus tard, en 1782, Antoine
Beauvilliers, ancien chef de cuisine du prince de Condé,
fonde la *Grande Taverne de Londres*, au 26, rue de
Richelieu. C'est le premier véritable restaurant gastronomique – le mot ne sera inventé par Joseph Berchoux qu'en
1801 –, « l'un des premiers à avoir un salon élégant, des
garçons bien mis, un caveau soigné comme une cuisine »,
dira encore Brillat-Savarin. Le succès fut tel qu'il ouvrit,
sous son nom, une seconde enseigne dans la galerie de
Valois du Palais-Royal. Il recevait ses clients, qu'il entendait traiter « comme à Versailles », avec l'épée au côté, en
uniforme d'officier de bouche, fonction qu'il occupa chez
le comte de Provence. Il eut quelques ennuis pendant la
Terreur, car il recevait la Réaction. Une fois l'orage révolutionnaire passé, il retrouva son bien et put se consacrer,
en véritable amphitryon, à l'art de recevoir qu'il transposa,
en 1814, trois ans avant sa mort, dans *L'Art du cuisinier*,
ouvrage de recettes et de conseils pour le choix des produits. Son établissement ferma ses portes en 1825.

Du Café de Chartres au Grand Véfour

Le *Café de Chartres* fut ouvert dès 1784 au 17, rue de
Beaujolais par le sieur Aubertot, limonadier, pour un

loyer de 14 000 livres par an. Trois ans plus tard, le bail, dont le montant avait triplé, est repris par Jean-Baptiste Fontaine. Pendant la Révolution, les Jacobins se réunissent au premier étage, laissant le rez-de-chaussée aux Feuillants et aux amis de Brissot, les futurs Girondins. On y voit Danton, Marat et Camille Desmoulins. Robespierre y dîne le jour où Danton est assigné à sa fin tragique. Après thermidor, Le *Café de Chartres* accueille Bonaparte et Joséphine. «Nulle part on y apprête mieux un sauté, une fricassée de poulet à la Marengo, une mayonnaise de volaille», écrira Grimod de La Reynière. Le peintre Fragonard mourra d'une congestion cérébrale dans son appartement des galeries, en 1806, après y avoir dégusté une glace.

Jean Véfour, ancien cuisinier de Philippe Égalité, en fait l'acquisition en 1820 et lui laissera son nom. Il le cède trois ans plus tard. L'histoire du restaurant a retenu les noms des chefs Louis Boissier, en 1823, puis des frères Hamel, en 1827. Victor Hugo, un habitué, y dîne avec ses amis au soir de la première d'*Hernani* le 25 février 1830. Au menu : vermicelle, poitrine de mouton et haricots blancs. Lamartine, Sainte-Beuve et Thiers y ont leurs habitudes. Bientôt, la concurrence se fait vive. Dans les années 1840, Paris compte environ trois mille enseignes. Balzac, mort en 1850, est contemporain de leur essor. Il cite plus d'une quarantaine de restaurants dans *La Comédie humaine*, parmi lesquels le célèbre *Véry* du Palais-Royal et *Le Rocher de Cancale* aux Halles, mais aussi *Le Cadran Bleu*, *Le Bœuf à la Mode*, *Le Cheval Rouge* ou *Le Veau qui Tette*. C'est l'époque où les gourmets se retrouvent bientôt au Club des Grands Estomacs, dont Alfred Delvau décrira plus tard les pantagruéliques agapes, lors de ses réunions hebdomadaires, chez *Philippe*, rue Montorgueil, où l'on dînait et soupait de «six heures du soir au lendemain midi» sans interruption. On y servait force pâtés, dont Balzac disait qu'ils étaient des créatures animées et donnaient «une âme aux houppes nerveuses de notre palais».

L'histoire du pâté est d'abord celle d'un fastueux plat médiéval. Le pâté est alors une pâtisserie constituée d'un fond, d'un tour et d'un couvercle en pâte feuilletée. C'est une technique de cuisson sèche appliquée à des chairs hachées dont les sucs seront protégés pendant tout le temps de la cuisson. Le pâté est généralement cuit dans un four, mais le *Ménagier de Paris* (1393) décrit une autre façon de cuire un pâté aux herbes. On procède d'abord dans une poêle à la cuisson du fond de pâte, dans lequel on verse la garniture ; puis on met en place le couvercle de pâte sur lequel une seconde poêle remplie de braises viendra achever la cuisson. Pâtés et terrines sont de composition identique ; la seule différence est la croûte. Mais la terrine permet une cuisson dite humide, au bain-marie. Les manuels de cuisine, aujourd'hui, ne distinguent plus pâtés et terrines. Au mot «pâté», la table des matières du *Grand Livre de cuisine* d'Alain Ducasse renvoie à «terrine». C'est ainsi, par métonymie, que son pâté en croûte de volailles de Bresse figure dans la nomenclature des... terrines.

Au Moyen Âge, le pâté peut contenir ou ressembler à une bête entière, fastueuse, réelle ou mythologique. Le chapelain du roi Charles V, Gaces de la Bugne, a gardé mémoire d'une pièce qui contenait cailles, perdreaux et alouettes, tous ensemble. La pâte protégeait la pièce d'un feu trop ardent et réglait la circulation des sucs. Le pâté de connin (nom du lapin au Moyen Âge) est immémorial. La forme en est sculptée jusqu'à ce qu'elle figure un lièvre aux aguets. On a saisi la vie. Il est servi sur un plateau pour l'amateur de voluptés gastronomiques. C'est le lièvre de Pâques. De tout temps les pâtés ont figuré en bonne place sur nos tables et certaines régions de France sont célèbres pour leurs pâtés chauds. En Corse, le pâté de merle est préféré au foie gras. La chasse en est-elle permise ? L'oiseau se nourrit de baies de myrte et d'arbousier du maquis ; son incomparable saveur brave le procès-verbal ! Croûtes exquises où se marient la gourmandise et l'art, l'or fin de la pâte qui cache la chair tendre du veau, du jambon, de la volaille. Cette tradition ne fait que renouer avec un usage de table de la fin du Moyen Âge, tel que nous le décrit Johan Huizinga, avec ses « pâtés gigantesques comprenant orchestre, vaisseaux appareillés, singes et baleines, géants et nains, et toutes les fantaisies de l'allégorie fabuleuse ». Si l'allégorie a déserté les cuisines, l'art des pâtés et terrines est encore partagé par quelques vieux baroudeurs des fourneaux, comme Gérard Cagna. Sa recette ménage l'attention que l'on porte aujourd'hui aux textures : toutes les viandes (épaule, gorge) sont hachées au couteau ; gelée très corsée à base de fumet de volaille ; foies de volailles de Bresse, sel, poivre, œufs, un soupçon de farine de sarrasin. Cuisson en terrine au bain-marie durant quatre heures à basse température. Quelques herbes rehaussent les saveurs délicates des chairs dont on perçoit encore la consistance. Un bel ouvrage qui tient de l'héritage de Dumaine, longtemps à l'honneur chez *Greuze* à Tournus, où Jean Ducloux nous régalait d'un fameux pâté en croûte. Michel Rostang, à Paris, maintient cette haute tradition, comme le charcutier parisien Gilles Vérot, vice-champion de France du pâté en croûte.

La terrine est toujours l'objet d'un subtil mélange. Ainsi le pâté de ris de veau voit alterner filet de veau, salpicon de légumes, ris de veau, herbes, estragon, persil, ciboulette. C'est une recette du Bourbonnais. La terrine de gibier, qui a toute la puissance d'une daube froide, contient une préparation initiale de porc et de veau hachés, puis les cuisses de lièvre, la biche, les râbles entiers désossés. L'ensemble sera cuit dans le parfum du genièvre, car la terrine ne supporte pas la mièvrerie. Le pâté de lamproie est une survivance médiévale dans notre cuisine, qui coûta la vie à George III, roi d'Angleterre. On connaît aussi la mousse de brochet et la terrine d'anguille. C'est le poisson du *Roman de Renart* et alors, amandes, verjus, raisins secs, cannelle, gingembre et safran entrent dans la composition du pâté. À Beaucaire, au temps de Pâques, on trouve encore des petits pastissons qui trahissent leur origine orientale : c'est une pâte additionnée de cassonade, d'eau de fleur d'oranger, de citron et de cédrat confit mêlée à une farce de viande et de graisse de rognons de bœuf. Ce pâté semble une variation du pâté de Pézenas. On ne sait qui, de Pézenas ou de Beaucaire, dont la foire était une étape obligée de la route des épices, détient la primauté de cette singulière préparation. Du pâté, nous voulons retenir plus que le faste imité de l'Antique, la simplicité rusée des tables modestes ou familiales. Ainsi en est-il de l'art de la table, qui est ostentation, c'est-à-dire magnificence étalée, mais souvent partagée par les humbles. L'on songe à ceux qui réinventent les saveurs des enfances paysannes dans les recettes des nombreux pâtés. La minutieuse recension des goûts donne la clé des champs à la cuisine. C'est ainsi que se fixe la mémoire des usages de table, pour de nouvelles générations.

Une comédie en un acte et trois personnages

La fête est interrompue en 1836 lorsque Louis-Philippe ordonne la fermeture des salles de jeu et des tripots du Palais-Royal. Une fiche de police atteste cependant qu'en 1852, c'était toujours l'un des quartiers de Paris le plus fourni en bordels. Sous le Second Empire, les Grands Boulevards prendront le relais et *Le Grand Véfour* connaîtra un déclin rapide jusqu'à devenir, vers 1900, un bistrot pour joueurs d'échecs. En 1905, il est racheté par la chambre des huissiers. Cinq ans après, Louis-Ferdinand Céline, se promenant sous les arcades, constate : « C'était plein de branleuses... toutes des traînardes à vingt ronds... Et même encore moins... Une tous les trois ou quatre piliers avec un ou deux clients... »

L'établissement connaît une longue éclipse jusqu'en 1945 : « Je m'y suis attablé dans une atmosphère de pipe éteinte, écrit Héron de Villefosse, historien de Paris, en 1948. Les peintures étaient jaunies. Tout portait la trace de générations de mouches qui y avaient vécu en paix. Les banquettes, à demi crevées, gardaient le moule des fesses d'antan : George Sand ou Joseph Prudhomme ? » Cocteau confirme : « Il est impossible d'aimer Paris sans se rendre en pèlerinage à cette exquise épave des grandes tempêtes.» Louis Vaudable, propriétaire de *Maxim's*, en fait l'acquisition cette même année 1948. Commence alors une comédie en un acte et trois personnages : Jean Cocteau, en poète résident, Louis Vaudable, l'inquiet propriétaire des murs, et le pétaradant cuisinier, Raymond Oliver (1909-1990), qui arrive de son Sud-Ouest natal pour une éblouissante carrière d'après-guerre. Le Tout-Paris de la IVe République retrouve le chemin du Palais-Royal. «C'est toi, Oliver, qui vient habiter notre village ? Nous serons heureux de t'accueillir !» s'exclame Jean Cocteau, selon les Mémoires du cuisinier. «Ce Palais-Royal dont les habitants, c'est Cocteau qui l'écrit, lorsqu'ils gravissent les quelques marches conduisant rue de Richelieu, disent "je monte à Paris…", s'étaient choisi Mme Colette comme présidente.»

Colette aimait les animaux comme on sait, mais ne s'embarrassait pas de sensiblerie lorsqu'il s'agissait d'ortolans. «Combien en ai-je désossé pour elle, et des becfigues et des alouettes et des cailles et des grives. Le petit pâté de grives avait peut-être sa préférence, à cause de l'amertume de ce gibier lorsqu'il est gavé de graines de sureau», raconte Raymond Oliver.

Raymond Oliver vient prendre possession des lieux par un bel après-midi d'août 1948, une de ces journées où le Palais-Royal semble aussi assoupi qu'une place de village à l'heure de la sieste. Il offre à ses invités asperges vertes aux œufs mollets, ortolans, poulet fermière. Salade. Glace à la vanille. Vin de Champagne. L'ortolan est un petit passereau d'Europe, le bruant des jardins. «Le petit-fils de

Cadette portait au malade les premiers cèpes, le distrayait avec des ortolans capturés au petit jour. Il les engraissait dans le noir et les servait à Moussu Jean, après les avoir noyés vivants dans un vieil armagnac», écrit Mauriac dans *Le Baiser au lépreux*. Et Jean Cocteau de laisser sur le livre d'or du *Grand Véfour* cette puissante litote ferroviaire : «Un chef-d'œuvre ne peut être autre chose qu'une catastrophe sur la ligne où l'heureuse médiocrité circule librement.»

En 1953, Raymond Oliver inaugure avec Catherine Langeais, une présentatrice de la télévision, une émission hebdomadaire, «Art et magie de la cuisine». La complicité d'une femme sympathique, dans un rôle de maîtresse de maison, est bien utile pour faire désirer au téléspectateur ce qui n'a ni saveur ni odeur ni même couleur, à l'époque du noir et blanc. Raymond Oliver est la star dissidente des fourneaux de l'immédiat après-guerre, avec un accent sympathique et rocailleux, dans le style Vincent Auriol. Le succès est immédiat. Quand il présente une recette de lapin, de ris de veau ou de steak au poivre, la France entière se précipite chez le boucher. Jean Cocteau dira encore : «Raymond Oliver, l'homme qui a fait reculer l'ouvre-boîte.» En 1953 également, le *Guide Michelin* accorde une troisième étoile au *Grand Véfour*. C'est l'époque du pigeon Prince Rainier III, farci d'un dé de foie gras et de truffes, de l'œuf au plat Louis Oliver, qui ne nécessite rien moins que la confection d'un velouté de volaille et d'une sauce Périgueux, c'est-à-dire un fond brun lié et truffes. Figure majeure de la gastronomie de l'époque, Curnonsky, prince élu des gastronomes, dira de Raymond Oliver : «C'est un monsieur qui, lorsqu'il casse trois œufs, signe une omelette. » Il restera pendant trente-sept années à la tête du *Grand Véfour*; son show télévisé sera programmé pendant quatorze ans !

Jalousé par la corporation car sa notoriété fut immense, il est passablement oublié aujourd'hui. Grâce à Jacques Manière, j'ai rencontré Raymond Oliver, homme affable et cultivé, érudit, dont la bibliothèque était considérable. Il fut véritablement le premier chef reconnu, glorifié même, à sortir de sa cuisine – et de quelle façon ! –, mais sans esprit de clocher. Ses pairs n'auront pas tous cette délicatesse, car, s'il parlait volontiers du métier, il ne s'attardait guère sur la profession. Son apport de recettes régionales dans la haute gastronomie parisienne sera un modèle pour la nouvelle cuisine des années 1970.

Bonnes tables d'aujourd'hui

Depuis 1991, le Savoyard Guy Martin, d'abord chef puis directeur du *Grand Véfour*, conserve sur sa carte quelques plats fameux de son prédécesseur, Raymond Oliver – le parmentier de queue de bœuf aux truffes, le pigeon Prince Rainier III –, et s'ingénie à varier les plaisirs, avec un foie de canard mitonné d'ananas et fruit de la passion ou bien un dessert de mangue à la coriandre. J'ai souvenir aussi d'un fameux lièvre à la royale, mais également d'un simple repas régionaliste composé d'un fromage de tête « comme le faisait ma grand-mère », précisait Guy Martin, suivi d'une féra du lac d'Annecy et d'un gâteau de Savoie. Inoubliable repas. Au déjeuner, en suggestion, le chef propose parfois une tête de veau pochée entière, cuite sur l'os, servie avec des légumes croquants, cervelle en beignet et vinaigrette relevée à la moutarde. En 2010, Guy Martin est devenu propriétaire du *Grand Véfour*. Signe de continuité, le salon de l'étage, rénové, présente dorénavant une série de dessins originaux de Jean Cocteau, dont le souvenir hante l'établissement. Dans la salle à manger, Christian David, premier maître d'hôtel, est maître de ballet. Il enseigne les manières de table, par l'exemple, à une clientèle bigarrée et riche. Il convient que le maître d'hôtel sache bien dire et énoncer, non pas d'une manière mécanique comme souvent aujourd'hui, le repas qu'envisage le client. Il doit savoir le faire rêver, sinon saliver et susciter le sourire de sa compagne. Il appartient alors au chef sommelier, Patrick Tamisier, et à ses adjoints de dénicher le vin qui laissera aux convives un souvenir mémorable, en digne successeur du légendaire sommelier Hénoch qui avait servi Jean Cocteau, Louis-Ferdinand Céline et le shah d'Iran.

Désormais seul maître à bord, Guy Martin sait que le partage, la convivialité et le plaisir sont aujourd'hui les premiers critères de satisfaction de la clientèle, sans omettre toutefois de faire sienne la réflexion d'Alain Chapel, toujours actuelle : « Le plaisir ne naît pas de l'habitude ; pour convaincre, une recette doit réaliser l'équilibre entre une tradition relative et une apparente nouveauté. » C'est ce que traduisait récemment un menu d'été : d'abord, un jus d'ananas et de concombre à la coriandre, « sorte de consommé à cru, obtenu grâce à la centrifugeuse », avait précisé Guy Martin, servi avec un fromage de chèvre frais aux pistaches de Sicile, ayant la forme et la couleur d'un cube de nougat. Mise en bouche insolite mais délicate, qui se jouait du contraste entre l'acidité de l'agrume et la note de douceur fromagère. Plus classique, le homard breton était servi tiède sur une salade croquante et légumes à l'huile de basilic, d'abord rôti au four puis hydraté à la vapeur – texture singulière, soulignée par la fraîcheur du basilic. Venait ensuite une poitrine de volaille de Bresse, cuite longtemps et en douceur, sans l'artifice du sous-vide, accompagnée d'artichauts camus et violets, et d'un jus parfumé au thym citron. Plat délicat, moelleux, destiné à mettre en valeur un chardonnay bourguignon. Le dessert, construction géométrique impeccable, était un cube de chocolat manjari de Madagascar, serti de fruits rouges, pamplemousse et avocat, meringue parfumée à l'ylang-ylang, accompagné d'un sorbet au citron vert.

La cuisine de Guy Martin se veut aujourd'hui légère, délicate, transparente dans son rendu. Cette cuisine moderne s'inscrit toutefois dans un processus de transmission, inhérent à la gastronomie, au prix d'un travail qui se veut caché au seul profit des qualités gustatives.

À la fin de l'année 2012, *Le Bœuf à la Mode*, restaurant créé en 1792 au 6, rue de Valois, qui avait sombré dans les années 1930, est rouvert sous le nom de *Balm*, acronyme du précédent, comme si le Palais-Royal, tel Phénix, n'en finissait pas de renaître de ses cendres. Sous le Directoire, ce restaurant était décoré en «Merveilleuse» à l'image des créatures qui hantaient le jardin, lieu de tous les plaisirs après la Terreur, pour la grande joie des «Incroyables». Aujourd'hui, les murs présentent quelques photos artistiques et néanmoins suggestives de l'Anversois Marc Lagrange. Pierrick Mathon, esthète, maître des lieux, a dessiné les tables qui s'emboîtent comme des poupées russes. Le décor épuré et le mobilier évoquent le style nordique des années 1960. Matériaux bruts, éclairages sophistiqués, à l'évidence l'endroit se veut élégant, sinon branché. La cuisine reste classique avec une pointe d'orientalisme. L'enseigne historique est gravée dans la pierre, au-dessus de l'entrée. Sur la place de Valois, désormais piétonnière, un bistrot à l'ancienne, entièrement rénové par Laurent Chainel, avec comptoir en zinc, terrasse et petit salon à l'arrière, fait revivre les classiques de la cuisine bourgeoise et des vins nature, sous l'enseigne du *Bistrot Valois*.

À l'intersection des galeries nord-est du palais – rue de Beaujolais et rue de Valois –, le *Restaurant du Palais-Royal* dispose d'une vue exceptionnelle sur les galeries et, l'été, sur le jardin depuis la vaste terrasse. En janvier 2014, Éric Fontanini, jeune cuisinier de cet établissement élégant et raffiné, a été proclamé «Grand Chef de demain» par un jury de journalistes et de critiques gastronomiques. Il ose, en ce temps de minimalisme culinaire, servir une généreuse «sole façon Richelieu», entière, désarêtée, farcie d'un beurre maître d'hôtel et panée délicatement à la mie de pain, véritable délice, ainsi qu'une tête de veau en tortue, recette classique bien oubliée de nos jours. Cette bonne table propose pour l'ordinaire une cuisine de saison, et l'hiver, par exemple, un séduisant lièvre «à la Palais-Royal», au cerfeuil tubéreux et foie gras en entrée, puis un tartare de veau et langoustines ou bien un ris de veau pané, garniture grenobloise. Thomas, le sommelier, sait trouver les vins singuliers capables de mettre en valeur cette cuisine à la fois enracinée et contemporaine.

Chauds lapins

Le quartier du Palais-Royal, et alentour ceux des Halles, du Mail et Vivienne, étaient autrefois réputés pour leurs établissements plus ou moins bien famés. Entre la rue Thérèse, qui maintient avec *Les Chandelles* une tradition galante, et la rue des Petits-Champs, la fameuse rue des Moulins connut une grande célébrité entre 1860 et 1946, dates de l'ouverture et de la fermeture d'une maison close fréquentée notamment par Toulouse-Lautrec, peintre et illustrateur de la bohème à la fin du XIXe siècle, noceur priapique et fils de l'une des plus anciennes familles aristocratiques de France, qui y avait pris pension afin d'avoir ses modèles – filles et clients – sous la main. Au numéro 6 de la rue, ce bordel s'est appelé successivement *La Fleur blanche*, *Le Grand 6*, *Aux Belles Poules* ou, plus discrètement, *La Rue des Moulins*.

Atavisme aristocratique peut-être, l'attrait de Toulouse-Lautrec pour la chair allait de pair avec un intérêt tout aussi affiché pour la bonne chère qu'il partageait avec ses nombreux amis. Les raffinements de la table pour cette génération d'artistes et d'écrivains étaient un moyen d'échapper au «grand dégoût collecteur», c'est-à-dire au climat délétère d'une époque marquée par l'humiliation de la guerre franco-prussienne de 1870 et l'ordre moral qui s'ensuivit, et bientôt minée par les scandales: trafic des «décorations», escroquerie de Panama, tandis que le boulangisme et l'Église conspiraient contre la République, créant un terrain propice au fanatisme avec l'assassinat du président Carnot, et au déclenchement de l'affaire

Dreyfus. Mais, pour cet artiste, la peinture ne pouvait être dissociée d'un certain art de vivre car il adorait manger. On lui doit même quelques recettes authentiques : le bœuf à la Malromé, du nom de son domaine familial, la sauce « à la poulette », et aussi quelques élucubrations comme le « saint sur le gril » que l'on ne peut se procurer que « si l'on a des relations au Vatican », ou bien le « chou-fleur à la m… », recette antique, mystérieuse, « destinée, écrit-il, à rester inconnue des mortels ».

En cette fin de siècle – ouvert avec Antonin Carême (1784-1833), qui s'achève avec Auguste Escoffier (1846-1935) –, un grand débat culinaire agite le milieu lorsque Aristide Couteaux, sénateur de la Vienne, publie dans sa chronique du journal *Le Temps* une recette de lièvre à la royale qu'il disait tenir de ses parents poitevins. « Il l'exécuta lui-même chez *Spuller*, rue de Richelieu, après avoir emprunté une daubière chez un restaurateur voisin, *La Grande Taverne de Londres*, et on raconte que le « quartier tout entier de l'Opéra-Comique fut mis en émoi par le fumet de ce plat fameux », précise Jean Vitaux, historien de la table et éminent gastronome. La recette du sénateur Couteaux, homme de gauche proche de Gambetta, de Jules Ferry et ami d'Eugène Spuller, suscita les ricanements de ceux pour qui seule la recette de Carême, inspirée de la tradition périgourdine, méritait le qualificatif de « royale ». Selon ce dernier, en effet, le lièvre, entièrement désossé et reconstitué autour d'une farce de foie gras et de truffes, doit être accompagné d'une sauce à base de réduction de gibier et d'un vin rouge puissant, soigneusement lissée avec un peu de foie gras et liée au sang. La recette poitevine, au contraire, relève d'une tradition paysanne, dans laquelle le gibier, cuisiné avec force échalotes et gousses d'ail, est dilacéré et mêlé d'une purée de foie gras afin d'être dégusté «à la cuillère». Ali-Bab, alias Henri Babinski, ingénieur et gastronome, auteur de *La Gastronomie pratique* en 1907, estimait que lièvre royal de Carême «laisse loin derrière lui les préparations sans finesse dites "à la royale", tombant en purée, dans lesquelles il est fait une véritable débauche d'échalotes, d'oignons et d'ail».

Escoffier, quant à lui, s'était bien gardé de trancher la querelle, ignorant la recette du sénateur Couteaux, ne retenant que celle du lièvre farci à la périgourdine. Plus tard, Prosper Montagné (1865-1948), célèbre cuisinier auteur du premier *Larousse gastronomique* (1938), ira même jusqu'à qualifier de «pseudo-gastronomes» ceux qui font grand cas de ce qui n'est à ses yeux qu'une «médiocre capilotade de lièvre.» Le lièvre à la royale de Carême, comme le drapeau blanc auquel le comte d'Artois refusa de renoncer, alors que la Chambre élue après la défaite de 1870 était en majorité monarchiste, devint pour certains le symbole expiatoire de l'Ancien Régime, contre le lièvre démocratique et paysan du sénateur poitevin. Aujourd'hui la question n'est toujours pas tranchée, Joël Robuchon ayant pris fait et cause pour la recette poitevine. La gastronomie se nourrit de ces querelles homériques et, pour tout dire, réjouissantes.

Les folles nuits de la rue Sainte-Anne

À proximité du Palais-Royal, la vieille et calme rue Sainte-Anne, ouverte en 1633, devint subitement dans les années 1970 un des lieux parisiens de la nuit. Elle avait abrité sous l'Occupation de nombreuses boîtes discrètes : *La Vie parisienne*, cabaret pour femmes au numéro 12, où Suzy Solidor chantait Lily Marlène, ainsi que Lucienne Boyer.

Changement de décor à vue dans la foulée de Mai 68, les mêmes bouis-bouis qui végétaient péniblement dans l'incognito affichèrent les plaisirs de Sodome, tolérés, et déjà presque légalisés par le Parlement, avec des boîtes de nuit super chics : d'abord *Le Sept* et *Le Colony*, puis *The Bronx*, dont les restaurants étaient dirigés par le célèbre Fabrice Emaer et le non moins illustre Gérald Nanty, venu de Saint-Germain-des-Prés. Succès certes, mais aussi scandaleuse affluence de curieux venant regarder de près les nouveaux Incroyables, les Merveilleuses et autres Gazolines libérées, qui piaillaient en sortant du taxi et se précipitaient vers l'abîme interdit des marais Phlégréens, le sous-sol de ces boîtes disco.

Cette saga infernale ne dura que quelques saisons. Le bal des invertis du *Magic-City* des années 1930 n'avait eu aussi qu'une existence éphémère. L'on retiendra la boîte historique, celle de Suzy Solidor, que tenait la belle Isolde Chrétien, la doyenne des hôtesses d'Air France du temps des caravelles, munie de son éternel fume-cigarette. Elle recevait en son *Piano Bar* les bons bourgeois encanaillés qui n'osaient pas franchir le dernier cercle de l'enfer du trottoir d'en face. Vers 2 heures du matin, Jacques Chazot, danseur classique, y préparait les spaghettis pour son amie Françoise Sagan et quelques autres... Alice Sapritch, Thierry Le Luron, Yves Mourousi.

Un peu plus loin dans la rue, c'était pour les initiés
«Chez la comtesse», à l'enseigne du *Zanzi Bar*, animé
par une amie de Mme Billy, tenancière d'un hôtel
accueillant, rue Paul-Valéry. La veuve Carbone, alias
Manouche, y égrenait la légende des petites pépées et
des tractions avant, entourée des hommages de l'inef-
fable Roger Peyrefitte, écrivain, qui fut aussi son bio-
graphe. Manouche, d'humeur variable, sortait parfois,
après une confidence, un bouquet de thym de son sac
et s'exclamait : «C'est tout le parfum du maquis!»
Ne manquait que la douceur du climat de Bastia, et les
figures absentes de son fameux bar, le *Brise de Mer*. La
spécialité de la maison était une nourriture agréable
et une engueulade que la patronne, très Grande Zoa,
servait en même temps à ses clients de nuit de toute
espèce. Grand succès jusqu'au jour où l'on trouva derrière le frigidaire un quidam refroidi. Fin définitive du
spectacle. Seule subsiste de cette époque héroïque *Les
Chandelles*, rue Thérèse, une boîte échangiste où l'on
dîne.

La rue Sainte-Anne est aujourd'hui une enclave nip-
pone jusqu'à la rue des Petits-Champs, où la *Maison
Paul Corcellet*, descendante du marchand de comestibles
établi au Palais-Royal sous l'Empire, est devenue *Kioko*,
une boutique de produits bio japonais. Paul Corcellet,
figure incontournable de la gastronomie entre 1970
et 1990, initia les Parisiens aux épices, aux plats surgelés,
au poivre vert et aux moutardes aromatisées. À l'étage
de son magasin, dans une atmosphère balzacienne, des
petites mains épluchaient soigneusement une à une les
feuilles d'estragon utilisées dans ses préparations. Jovial

et débonnaire, Paul Corcellet racontait volontiers que ses recettes lui étaient inspirées par le Ciel. Aujourd'hui, ce rôle, en moins pittoresque, est dévolu à Toshiro Kuroda, ancien journaliste arrivé à Paris en 1971, que la passion culinaire a conduit à ouvrir plusieurs restaurants japonais rue Sainte-Anne – *Bizan*, *Issé* – et une épicerie, le *Workshop Issé*. Toute la partie est de l'avenue de l'Opéra est d'ailleurs vouée au commerce de l'empire du Soleil-Levant : comestibles, restaurants et bureaux de sociétés nippones.

Au-delà de la rue Sainte-Anne, le palais Brongniart, déserté depuis la dématérialisation de la corbeille, n'assure plus les cohortes gourmandes qui emplissaient au déjeuner les brasseries du quartier, *Galopin* et autres. Seule création, au 2, rue du Quatre-Septembre, le restaurant *Bon II*, aménagé par Philippe Starck, a donné de l'espoir à ceux qui pensaient que ce quartier avait encore quelque avenir. C'était la seconde enseigne d'une table dans l'air du temps créée rue de la Pompe, où le designer avait imaginé un décor de tissus et de fanfreluches très prisé par la presse people. De l'assiette, en revanche, je n'ai gardé aucun souvenir. Sauf lorsqu'au hasard d'une présence temporaire en qualité de consultant chez *Bon II*, le Bordelais Jean-Marie Amat fit découvrir aux Parisiens quelques plats débordant d'imagination et de talent. Ce cuisinier voyageur ne resta pas assez longtemps à Paris pour marquer son passage. Du moins aura-t-il rappelé quelques souvenirs gourmands à ceux qui ont connu sa cuisine au *Saint-James*, à Bordeaux et à Bouliac, puis au *Prince Noir* jusqu'à sa retraite, en mars 2014.

Jean-Marie Amat est une grande figure de la seconde vague des cuisiniers issus de la nouvelle cuisine. Comme quelques-uns de ses pairs qui l'avaient approché, il reconnaissait André Guillot (1908-1993), le chef de l'*Auberge du Vieux Marly*, comme son mentor : « Si j'ai pu accéder à une vision de la cuisine, dit-il, c'est grâce à sa patience et à la bienveillance qu'il m'a manifestée quand je ne savais pas que tout ce qu'il m'apprenait en si peu de temps était essentiel, bien au-delà de ce que j'étais alors en mesure de comprendre. » Voilà un témoignage sur la nature de l'art culinaire, son indispensable transmission sans laquelle il n'est point d'art sinon même de cuisine. L'on relèvera, en marge de ce propos, deux des principaux traits de caractère de l'auteur de cet éloge, l'intelligence et la modestie. Mais voilà aussi qui en dit long sur les nouveaux dogmes de la composition éclatée et des dissonances culinaires aujourd'hui dans l'air du temps. Car, poursuit Amat en substance, la cuisine est une discipline où le temps et le travail se conjuguent en une sorte de « pensée ». Mais à la différence de la réflexion intellectuelle, ce sont les sens qui, en cuisine, « attisent, façonnent et guident la pensée », et entraînent le geste du cuisinier.

Le patrimoine culinaire et le goût sont donc pour lui deux valeurs essentielles. Avec son ami Jean-Didier Vincent, neurobiologiste et gourmet avisé, Jean-Marie Amat s'est plié au jeu, savant et jubilatoire, de mettre au goût du jour, cent soixante-quatorze ans après Brillat-Savarin, une *Nouvelle Physiologie du goût* (Éditions Odile Jacob, 2000). Ouvrage érudit et délicieux, formé d'un dialogue entre le savant et le chef et augmenté des recettes de ce dernier. Les deux compères voient une marque de sagesse dans la cuisine traditionnelle du Sud-Ouest au regard de quoi la technologie alimentaire moderne leur paraît une vraie folie. Béarnais, Landais, gens d'Aquitaine ont su, il est vrai, préserver leur harmonie mentale à moindres frais, grâce à leurs jardins, leurs pâtis, leurs forêts et leurs rivières propres et saines. Quels tracas inutiles, quelles peurs millénaristes nous auraient été épargnées si nous avions accepté de reconnaître les conditions naturelles, recensées par la science, de notre expérience acquise dans chaque éco-milieu. Le cuisinier, comme l'oiseau, ne chanterait-il bien que dans son arbre généalogique ? En dressant aux côtés de Jean-Didier Vincent une véritable arborescence de la perception gastronomique, Jean-Marie Amat a trouvé un terrain neuf. Et par une pratique fine et honnête des goûts et des parfums culinaires, il a su accéder à une forme de connaissance, dont certes il ne peut livrer tous les secrets, mais dont il sait expliquer les saveurs. La réflexion, associée à la pratique, éclaire d'une façon tout à fait originale la démarche de ce cuisinier décidément atypique, amateur d'architecture contemporaine, ouvert au monde des arts graphiques, de la photographie et de la beauté en général, également capable d'une réflexion approfondie, non sur la profession – ce qui est banal – mais sur l'essence même du métier de cuisinier, ce qui l'est moins.

Bon a laissé place à l'enseigne *Mori Venice Bar* – dont le décor, à nouveau aménagé par Philippe Starck, est plutôt sobre et réussi –, que le nouvel arrivant, Massimo Mori, a su rendre séduisant pour l'adapter aux charmes de la cuisine vénitienne. Derrière le bar, où sont présentés les *antipasti*, s'affaire la brigade. Il s'agit d'envoyer à la demande les *risotti* et autres plats minute, dont le fameux foie de veau à la vénitienne, finement escalopé, doucement sauté avec des oignons fondus et une polenta crémeuse. À la table de Massimo Mori, c'est la profusion : carpaccio de bœuf, araignée de mer (*ganceola*), morue (*baccala mantecato*), Saint-Jacques (*capesante*), cigales de mer, trévise confite au vinaigre et autres soupes de coquillages, ou *pasta e fagioli*, étonnant brouet aux haricots et pâtes fraîches. Et voici encore les tripes de veau au raifort. Tous les produits viennent du pays par avion. Aux vins vifs de la Vénétie, la carte ajoute les blancs élégants du Frioul et une gamme de rouges éclatants.

Dans l'enceinte même de la Bourse, la seconde enseigne *Terroir Parisien* créée deux ans plus tôt par Yannick Alléno et GL Events, rive gauche, dans la Maison de la Mutualité, a ouvert ses portes en 2013 et en occupe le soubassement. L'architecte Jean-Michel Wilmotte a astucieusement tiré parti des grands espaces disponibles en demi-sous-sol et créé un rillettes-bar, où l'on déguste, de 18 heures à 21 heures, huit sortes de rillettes (de cochon, de volaille… mais aussi de crabe, de maquereau…). Outre le pâté en croûte de volaille de Houdan, le morceau de bravoure est une omelette baptisée « Roger Beudaine » (*sic*), qui rappellera aux anciens celle de Jacques Manière en son *Pactole* dans les années 1970. C'est une omelette extraordinaire, fourrée en portefeuille de homard, de dés de foie gras, de queues d'écrevisses et de truffes, accompagnée d'un cordon de sauce homardine. C'est un plat assez régressif, et surtout transgressif par rapport à la norme nippo-californienne que tentent d'imposer quelques tables à la mode alentour. Cette omelette est emblématique de cette nouvelle adresse. La carte annonce quelques plats de grande brasserie parisienne modernisés par Yannick Alléno et son équipe, et nombre de réinterprétations scrupuleuses de recettes de la cuisine bourgeoise, voire ménagère, d'Île-de-France, tels le bœuf miroton et le navarin d'agneau.

Il est passé par ici, il repassera par là... Le navarin est le furet de la cuisine bourgeoise : « il court, il court », se cache... derrière une autre recette. Son histoire mérite qu'on s'y arrête. « Navarin, vient de "navet" », écrit Lucien Rigaud dans son *Dictionnaire d'argot classique* (1888), et désigne un « ragoût de mouton aux pommes de terre. C'est le vulgaire haricot de mouton appelé pompeusement "navarin" par les restaurateurs des boulevards ». Soit, mais alors que viennent faire là les haricots ? C'est Taillevent (1310-1395) qui donne le premier la recette d'un « *héricot* de mouton ». Elle consiste à faire revenir de menues pièces de viande et des oignons dans du saindoux, à les mouiller d'un bouillon de bœuf puis à les parfumer de diverses épices et d'un trait de verjus. Pas de haricots : ils ne seront découverts par Christophe Colomb qu'au XVIe siècle ! Toute l'ambiguïté réside donc dans le mot « héricot ». Celui-ci vient en fait du vieux verbe « haricoter », c'est-à-dire couper en petits morceaux. Il n'y a jamais eu de haricots dans le haricot de mouton ! Ce ragoût, enraciné dans nos traditions, François de La Varenne puis Menon le reconsidèrent tour à tour, y introduisent le navet, jusqu'à le codifier tel que nous le connaissons. En 1867, Jules Gouffé recommande l'emploi

du haut de carré, «appelé chapelet en terme de boucherie», de préférence à l'épaule. Il ajoute des pommes de
terre à la garniture traditionnelle de navets et d'oignons.
Parmentier, entre-temps, avait su vaincre les réticences à
l'égard du fameux tubercule, mettant en évidence le rôle
nutritif de l'amidon. On s'apercevra bien plus tard qu'il
permet d'éviter de singer (fariner) la viande, pour une
sauce tout aussi onctueuse.

La vogue des bistrots

Le «bistrot»? Mot d'argot ou de russe, on ne sait. Son
étymologie est inconnue. Longtemps a été entretenue
la légende selon laquelle les Cosaques qui occupèrent
Paris après la chute de Napoléon interpellaient les garçons de café d'un vigoureux «*vistro!*» qui, en russe,
signifie «vite». Une manière d'accélérer le service, afin
d'échapper à l'arrivée d'un gradé, car il leur était interdit
de boire. Explication improbable, car le mot n'apparaît,
sous la plume de Huysmans, qu'en 1898, pour désigner
un marchand de vin qui tenait un café, rive gauche, rue
Galande. Son contemporain le poète Jehan-Rictus com-
pare le bistrot à une église. Dans le langage populaire,
«bistrot» désigne alors le patron et non le débit de boissons et encore moins un restaurant. Colette situe cette
saynète chez *Palmyre*, rue Bréda (aujourd'hui rue Henry-
Monnier), avant 1914: «Le client de la table du fond vient
de payer un louis pour son poulet en cocotte. Monsieur
ne voulait pas de mon menu. Monsieur se commande des
plats à part! Monsieur se croit au restaurant!» On va au

bistrot pour «ingurgiter les contenus variés de nombreux verres», par passion du jeu (billard, dominos, jacquet), relève Huysmans, ou bien pour fuir les «maussaderies d'un ménage où le dîner n'est jamais prêt, où la femme bougonne au-dessus d'une enfant qui crie».

Depuis plus d'un siècle, bistrots et restaurants huppés sont au coude-à-coude au cœur de Paris. Le *Louis XIV*, place des Victoires, fut l'un des plus typiques de l'après-guerre, lancé par un groupe d'artistes comme autrefois le *Restaurant Magny*, créé en 1842 rue Mazet, dans le VIe arrondissement, à l'initiative d'un médecin qui soignait les artistes et les écrivains. Chaque mardi, après 1862, Sainte-Beuve, Zola, les frères Goncourt y avaient leurs habitudes. Au *Louis XIV*, la friture, le poulet sauté pour l'ordinaire et la poitrine de veau farcie rappelaient l'origine corrézienne de la cuisinière. Fortifié par son installation dans une des plus belles maisons de la place des Victoires, ce bistrot atteint bientôt à la dignité de restaurant. Il ferma ses portes en 1995, dix ans après son voisin *Le Roy Gourmet*.

Seul subsiste, rue du Mail, dans un décor haussmannien, *Chez Georges*, acquis en 1964 par la famille Brouillet, et vendu en 2010. Ce fut longtemps un sanctuaire où l'on venait – dans les années 1970 – déguster religieusement un la-tâche du domaine de la Romanée-Conti à un prix alors accessible au contribuable ordinaire. Sur la table, hors-d'œuvre riches à volonté, servis dans de grands saladiers, plats mitonnés, gibier en saison et desserts plantureux. Les repreneurs ont conservé le décor de stuc, les grandes glaces, les banquettes de moleskine, le personnel féminin qui materne la clientèle et le même esprit que précédemment. C'est aujourd'hui un conservatoire de la cuisine bourgeoise intemporelle, encore appréciée des vieux Parisiens et dont raffolent les Américains. Une ambiance semblable régnait dans les années 1980 chez *Pierrot*, rue de Turbigo, pendant les interminables travaux de comblement du trou des Halles.

À l'angle de la galerie Vivienne, rue de la Banque, à l'enseigne *Le Bougainville*, survit la modeste ambassade aveyronnaise de Mme Maurel, qui veille encore sur la finesse de la tarte maison et s'assure des arrivages de la charcuterie des environs d'Espalion. Spécialité : les tripes. Le fils de la maison a pris la suite et fait attendre les impatients au bar en leur servant un graves du domaine Massereau escorté d'une épatante andouille au lard. Le petit monde de l'Agence France-Presse, qui autrefois fréquentait *Le Timbre*, y a ses habitudes car les prix sont exemplaires. Prix raisonnables aussi au *Bistrot Vivienne*, avec banquettes, miroirs et salon discret à l'étage, qui encadre l'une des entrées de la galerie Vivienne, édifiée en 1823 pour relier la Bibliothèque nationale et la place des Victoires, alors que le Palais-Royal était encore un haut lieu de la noce parisienne. Sa présence humanise le décor néoclassique et solennel du passage grâce, notamment, à quelques tables disposées dans la galerie, entre lesquelles virevolte un personnel aguerri. Régis Merlin, le propriétaire, veille sur le service et sur la cuisine de Philippe Le Guen. La *Maison Legrand* – juste en face – fournit quelques bonnes bouteilles, en particulier un marsannay rouge du domaine Trappet. À noter un étonnant baba maison baptisé au rhum vénézuélien Diplomático, parfumé et peu sucré.

Rue de Richelieu, *Pierre au Palais-Royal* fut, pendant les Trente Glorieuses, au temps de la famille Nourrigat, une table brillante où deux plats de cuisine ménagère dominaient tout le reste : la saucisse de Morteau au brouilly et l'estofinade rouergate, adaptation occitane du stockfish. Ce plat aux saveurs rustiques, fait avec le poisson des pauvres et le tubercule des disettes royales, plus l'ail et l'huile de noix du pays, avait ses inconditionnels parmi les membres voisins du Conseil d'État. Avec Jean-Paul Arabian, qui annexa la boutique du fleuriste adjacent, *Pierre au Palais-Royal* connut une embellie au début des années 2000. Retour du museau de cochon en terrine et des bons petits plats qui enchantaient la clientèle d'habitués, les copains d'abord – dont l'infatigable Michou – et les sages du Palais-Royal : la soupe de moules, les lentilles à l'échalote, les œufs pochés en meurette. La quenelle de brochet, incontournable vestige de la cuisine bourgeoise, fut ici allégée, comme la crème de potiron servie avec les saint-jacques. Et encore l'entrecôte de Salers, le parmentier de joues de bœuf et le canard de Challans.

Depuis, Éric Sertour, maître sommelier, entouré d'une équipe professionnelle, a rajeuni le décor et, conjuguant bistrot et gastronomie, propose une cuisine bistronomique, néologisme qui qualifie une cuisine soignée, réalisée le plus souvent par des cuisiniers qui ont appris leur métier dans les brigades des grandes maisons. La bistronomie n'est peut-être qu'une mode passagère, mais elle signifie aussi qu'une attention particulière est portée à l'accueil et à la convivialité, à la différence des «néo-bistrots» sans personnalité, au personnel anonyme ou arrogant. Une nouvelle direction veille aujourd'hui au maintien d'un accueil efficace et d'une cuisine de qualité.

À proximité, rue des Petits-Champs, se trouve une enclave britannique sympathique, où l'on pense que les Anglais, comme le prétend l'œnologue Hugh Johnson, ont inventé le goût du vin. Vieux débat qui remonte à l'époque où la famille bordelaise d'Arnaud de Pontac, qui fut propriétaire du Haut-Brion, installait à Londres en 1663 une taverne – la *Pontack's Head* – fréquentée par le philosophe John Locke, les écrivains Daniel Defoe et Jonathan Swift qui raffolaient du «*Ho-Bryan*». Au *Willi's Wine Bar*, Mark Williamson, depuis plus de deux décennies, entend résoudre l'épineux problème des accords gourmands entre les vins et la cuisine.

Le *Willi's*, qu'est-ce au juste ? Un lieu assez anonyme qui ressemble à un café brun d'Amsterdam, belle clientèle de cadres supérieurs et jolies femmes dégustant manzanilla, amontillado et autres jerez. Service climatique, c'est-à-dire soit indifférent, soit savamment empressé, par les sujets de Sa Gracieuse Majesté. Le must de cet établissement est la collection des vins prestigieux des côtes-du-rhône, de Condrieu à Châteauneuf-du-Pape. La syrah d'un bon saint-joseph s'accorde avec un canard aux navets confits. Côtes-rôtie et hermitages rouges, en attendant le gibier, conviennent à une pièce de bœuf au poivre. Les mets régionaux supportent les vins solides, puissants et tanniques. Fromages anglais, bien sûr ; pour finir, l'un des seuls vins qui respecte le chocolat : East India Solera, un sherry d'Emilio Lustau. L'on peut aussi, très simplement, prendre un *fino* au bar, et passer son chemin.

Le quartier Gaillon résiste à l'emprise japonaise grâce à deux établissements fameux, *Drouant*, depuis plus d'un siècle, et *La Fontaine Gaillon*, longtemps appelée *Pierre*, reprise en 2003 par l'acteur Gérard Depardieu. Chez *Drouant* se réunit encore chaque mois, dans son célèbre salon ovale, la Société littéraire qui, depuis 1914, décerne le prix Goncourt. Si l'attribution du prix relève parfois de la cuisine, les réunions du jury – mensuelles – sont depuis l'origine l'occasion de gueuletons soignés dénoncés par Julien Gracq, dans *La Littérature à l'estomac* (1949), qui refusa le prix. Le premier repas de l'académie se déroula le 26 février 1903 non pas chez *Drouant*, mais dans un salon pour noces du *Grand Hôtel*, près de l'Opéra, où le célèbre Auguste Escoffier dirigeait la brigade. C'est cette date qui est retenue comme fondatrice de la plus étrange aventure à la fois littéraire et gastronomique du siècle passé, toujours vivante aujourd'hui. Les humoristes, d'ailleurs, ne s'y trompèrent pas qui brocardaient «l'Académie de la nappe», selon Jean-Louis Forain, et «l'Académiette», pour Émile Faguet.

L'Académie des Goncourt, aujourd'hui présidée par Bernard Pivot, a pour ancêtres fondateurs les convives qui assistaient aux «dîners Magny». Les personnages clés étaient Flaubert, Zola, Alphonse puis Léon Daudet, coutumiers de ces éclats énormes, ces fastes gastronomiques magnifiés dans leurs romans, qui ne sont pas sans rappeler les orgies dénoncées par Martial et Juvénal, les censeurs de la décadence de Rome, comme le fera remarquer

Huysmans dans *À Rebours*. Inséparables, Jules et Edmond de Goncourt, les « Bichons » pour leurs intimes, partageaient ces agapes. Ils n'étaient guère fastueux et même radins, n'ayant qu'une seule maîtresse – une sage-femme complaisante – dont ils se réservaient chacun les faveurs à jours fixes par souci d'économie. Mais ils décidèrent d'assurer leur postérité en dotant chacun des membres de la société admise à porter leur nom d'un viatique annuel de 6 000 francs or, et le lauréat désigné chaque année parmi les jeunes auteurs, d'un prix d'un montant presque équivalent.

Un repas chez *Drouant*, au début des années 2000, était la promesse d'un grand moment de plaisir gourmand lorsque le chef Louis Grondard était aux commandes d'une brigade qui avait formé de nombreux émules, dont le jeune Yannick Alléno. À l'automne, lorsque approchait l'attribution du prix Goncourt, le chef guettait le retour du gibier car il excellait dans sa préparation. Pour les académiciens, le menu relevait d'un rituel établi.

J'eus un jour le privilège de le déguster lors d'une répétition préalable au déjeuner : d'abord le traditionnel caviar sauvage de la Caspienne (il y en avait encore à cette époque, car l'espèce n'était pas protégée), suivi du homard à la nage au meursault, d'un perdreau en feuilles de vigne, qui précédait les fromages et un dessert à l'orange. Point de bécasse, car elle est interdite depuis l'arsenal restrictif de 1978 prohibant son colportage. Les règlements communautaires ont proscrit, également, la vente du gibier en peau. Finis les étalages de perdreaux alignés, la gigue de chevreuil entière, aux devantures de la rue Montorgueil. Quels lobbys ont eu raison de ces usages ? Celui de l'hygiène, il est certes tout-puissant, ou bien plutôt celui des aliments pour le bétail, certainement plus efficace que celui des protecteurs de palombes ? La bécasse « demoiselle au long bec », appelée aussi la « mordorée », assurément le plus beau de tous nos gibiers, et les ortolans étaient la passion de François Mitterrand qu'il dégustait rituellement à l'automne au bord de l'Adour, ou bien à Magescq, non loin de Latche, sa propriété des Landes. Mais il fallut se rendre à l'évidence, le gibier français – tétraonidés, lagopèdes, gélinottes, bécasses – n'était plus à même de fournir le contingent d'émotions gustatives, victime tout à la fois de l'inobservation des plans de chasse, des règlements européens, du Conseil d'État autant que de l'instinct prédateur répréhensible de certains chasseurs.

Résultat, beaucoup de jeunes cuisiniers aujourd'hui n'ont jamais goûté, ni même vu une bécasse, et ignorent tout de sa préparation. À tel point qu'un chef au firmament étoilé prétendait, il y a peu, la servir clandestinement simplement rôtie après trois jours de mortification au frigo ! Hérésie, car moins encore que le gibier lui-même, et sa nature sauvage, c'est le goût faisandé – celui de l'indispensable mortification – qui est oublié. Fin 2005, le chef trois étoiles Antoine Westermann, alsacien comme la famille Drouant à laquelle il est lié, acquiert le restaurant et le transforme profondément. Pas question de toucher à l'escalier classé de Ruhlmann, ni au salon des Goncourt, à l'étage, ni au salon Colette voisin. La nouvelle carte, ouverte sur les saveurs lointaines, s'adresse à une clientèle plus jeune, qui a voyagé et sait aussi bien se régaler d'un pâté en croûte ou d'une bouchée à la reine que d'une salade de pommes de terre avec des maquereaux poêlés. *Drouant*, plus accessible, moins compassé, a sans doute perdu quelques vieux habitués mais a ouvert les papilles de beaucoup, et jalousement conservé les Goncourt.

Place Gaillon encore, Gérard Depardieu décida, en 2003, d'adapter pour lui-même le rôle de l'intendant du prince de Condé, Vatel, qu'il avait incarné à l'écran. Mais revu par notre Gégé national, il n'est plus le traiteur génial, l'ordonnateur du sublime banquet qui devait lui être fatal, en avril 1671 – il s'est mué en amphitryon dans l'ancien restaurant *Pierre*, acquis place Gaillon avec Carole Bouquet et le chef Laurent Audiot, un « vieux copain » avec qui il « buvait des coups » il y a quelques années, à l'époque où sa devise était : « Ôte-toi de là que je m'humecte ! » Paradoxalement, ce nouveau restaurant, sobrement baptisé *La Fontaine Gaillon*, est situé dans l'hôtel particulier édifié l'année suivant la mort de Vatel par Jules Hardouin-Mansart pour le sieur Frémont, ancien laquais devenu gardien du trésor royal. La fontaine sur la place, œuvre de Jean Beausire en 1707, occupe l'une des trois arcades de la façade devant laquelle est aménagée une vaste terrasse.

C'est en 1880 que l'ancien hôtel, transformé, accueillit d'abord le restaurant *Pierre*, de part et d'autre de la fontaine. L'établissement pratiquait alors la formule économique des bouillons créée par Pierre Duval, soit un pot-au-feu accompagné d'un bol de bouillon. Son dernier propriétaire, Roger Boyer, procéda à d'importants travaux d'embellissement, en rénovant la façade à croisillons et en aménageant plusieurs espaces de styles différents : le salon Régence avec de splendides boiseries de chêne et une cheminée en pierre, le bar Charles X, au rez-de-chaussée, où le nouveau maître des lieux reçoit la clientèle. Gérard Depardieu, avant de s'expatrier en Russie, accueillait les clients comme des amis, les gratifiait d'un regard, d'un sourire, et vantait les mérites de sa cave comme de l'admirable noix de « culatello » qu'il allait chercher lui-même à Parme. Si « l'amitié est une religion sans Dieu ni Jugement dernier », Gérard Depardieu mérite d'en être l'un des grands dignitaires, fidèle à ses engagements comme à ses foucades. Il l'avait promis, il y a bien longtemps, à Laurent Audiot, alors chef de cuisine chez *Marius et Jeannette* : « Un jour, mon gars, j'ouvrirai un restaurant avec toi. » Ce qui n'était qu'un propos de comptoir est devenu réalité.

La Cuisine, une pièce d'Arnold Wesker montée par Ariane Mnouchkine, « m'a donné à réfléchir », m'a confié un jour Gérard Depardieu qui justifiait son engagement, pour le « plaisir d'honorer des gens de métier qui ont l'amour du travail bien fait ». Et d'évoquer, pêle-mêle, le souvenir de son père, ancien tôlier-fondeur, compagnon du Tour de France au « sobriquet magnifique de Berry, le "bien décidé" », Jean l'amateur de vins de Loire – c'est-à-dire Jean Carmet –, grâce à qui il devint vigneron au château de Tigné : « J'aime le chenin pour sa franchise ; le 1989, ma première vendange, est aujourd'hui magnifique. » En effet, son acidité naturelle lui confère aujourd'hui une grâce qui lui fut longtemps refusée. Gérard Depardieu est catégorique, il déteste « le bois qui cache les défauts de la vigne ». Ce vin n'est-il pas un peu diurétique ? « C'est un vin de pisse », admet-il dans un éclat de rire. Jean Bardet, l'ami d'antan, a une formule tout aussi rustique, encore plus explicite : « T'en bois un verre, t'en pisses un seau. »

La fascination du travail de cuisine, plus que la cuisine elle-même, anime l'inoubliable interprète de Cyrano. Il s'y est consacré avec persévérance. « J'adore cuisiner le garenne. J'ai mis ce matin cinq grouses à mariner dans du lait. » Il est présent, parfois, le matin, confirme le chef, gérant de l'établissement, à l'heure où les fournisseurs apportent les produits : « Il exige toujours le meilleur. » La carte de *La Fontaine Gaillon* est en harmonie avec le génie du lieu. À l'évidence, la qualité prime sur la rentabilité. Rien de compliqué, d'inutile ; peu de fioritures dans l'assiette, mais des goûts précis et des cuissons justes. Les petits farcis de tomate au tourteau frais n'ont d'autre objet que d'ouvrir l'appétit ; la fricassée de calmars et cèpes à l'ail et au persil joue autant sur le registre des saveurs que du contraste des textures selon les canons de la cuisine bourgeoise. Les filets de rouget, délicatement poêlés, sont associés à une fricassée de cèpes déglacée au vinaigre ; c'est l'accord idéal avec le chenin de Loire. Gérard Depardieu adore la morue poêlée, servie avec des carottes caramélisées parfumées au basilic. Grand moment d'émotion pour les amateurs que la présentation du merlan de ligne de Saint-Gilles-Croix-de-Vie à la Colbert, pané en friture. Poulet sauté chasseur, filet de bœuf grillé sauce béarnaise, côte de veau de lait rôtie, pommes purée, autant de plats assurés de rencontrer le succès auprès de ceux pour qui la cuisine n'est pas un exercice de pyrotechnie. La carte des desserts est de la même veine.

Gérard Depardieu présente une très belle collection de grands bourgognes et de grands crus de Bordeaux, les vins de l'ami Bernard Magrez – château-pape-clément et latour-carnet – ainsi que ceux du château Cos d'Estournel. À noter quelques rarissimes flacons de château-rayas et de fonsalette, «du père Reynaud, un vigneron fascinant», dit encore Gérard Depardieu. *La Fontaine Gaillon* est un remake de restaurant d'avant la *fusion food*, d'un classicisme à la fois rigoureux et décontracté. Ce modèle de convivialité franchouillarde résistera-t-il au changement de nationalité de son propriétaire ?

Un écrin pour quelques bijoux

De la place Vendôme, l'une des grandes places royales avec sa fausse colonne Trajane, ses bijoutiers et l'immarcescible entrée de l'*Hôtel Ritz*, l'on perçoit parfois une envolée de lumière sur le jardin royal des Tuileries. «C'est un jardin extraordinaire», jubile Charles Trenet, tandis que la rue du Faubourg-Saint-Honoré file vers le Palais-Royal. Le Ier arrondissement est le nœud gordien et le cœur du Paris moderne à sa naissance révolutionnaire. Bonne chère et beau paysage, voilà ce que nous offre ce dédale de rues anciennes transpercé par l'avenue de l'Opéra. C'est un quartier historié par l'une des plus belles et plus vastes églises de Paris, Saint-Roch, chef-d'œuvre de style jésuite tardif, bâtie entre 1653 et 1722, avec la magnificence discrète des siècles classiques donnée par sa nef, puis par son chœur fermé, chapelle du soir pour le dernier office dans la lumière douce des cierges. Chapelle suivie d'une seconde chapelle – étrange – où traîne l'Arche d'alliance. Soit une église à tiroirs, qui conserve ses fervents dévots, son clergé, et attire les touristes. C'est la paroisse des artistes. On y célèbre aussi la Saint-Vincent, fête des vignerons. Le presbytère, contigu, n'est rien moins qu'un ancien palais épiscopal du XVIIIe siècle, d'où le doyen actuel surveille son petit monde, façon Clochemerle en Beaujolais, qui hante les cent cafés et restaurants du quartier. Le lacis des rues alentour est fait d'hôtels particuliers aux jardins retaillés, de fragments de couvents préservés ou simplement de bâtisses nobles des siècles classiques, dotées de cours et de passages qui communiquent. Voilà pour le haut de la falaise insulaire, dont le rocher est un édifice de verre et d'acier de l'architecte Bofill, contemporain et hors d'échelle !

Au *Rubis*, bar à vin et restaurant, rue du Marché-Saint-Honoré, plats du jour, tartines et vins choisis, au comptoir, par l'Aveyronnais Albert Prat. C'est, disent de lui ses amis, « le phénix des hôtes de ces bois ». Deux fêtes vinicoles dignes des comices agricoles du second Empire ont fait la réputation de cet établissement, qui est complet les jours ordinaires depuis bientôt trois décennies. Le *Rubis* devient pléthorique chaque troisième jeudi de novembre, lorsque arrive le beaujolais nouveau, ainsi qu'à la Saint-Vincent tournante, fin janvier, fête importée de Bourgogne avec la bénédiction du clergé local. Qui n'a vu le marécage humain envahir la rue, le jour de la sortie du beaujolais nouveau, n'a rien vu. Le service d'ordre est assuré par la police, dont le commissariat, comme fait exprès, occupe l'une des façades du nouveau marché, cette cage transparente construite sur un parking souterrain.

C'est ici qu'intervient une histoire comparable à celle du *Petit Jehan de Saintré* d'Antoine de La Sale, du moins son âme damnée, dans son quartier d'adoption à la fin des années 1990. C'était un petit homme qui en réalité habitait Pantin, au bord du canal. Ancien clerc des ordres mineurs à la basilique de Montmartre, diacre peut-être, il recrutait dans les bistrots pour la paroisse des assoiffés. Il avait ses habitudes aussi au *Petit Vendôme*, rue des Capucines. Il mit son zèle à fédérer l'Amicale des commerçants du quartier contre les promoteurs lors de la construction du nouveau marché. Il y réussit. Il donnait également un coup de main pour les mises en bouteilles et rangement de caves. Un jour, il ne remonta pas de l'un de ces antres médiévaux, aplati comme un soufflé qui refroidit sous le poids des bouteilles qu'il ramenait à la surface. Plus jamais il ne reverrait celle « qui veillait à lui enseigner l'art de l'amour courtois et celui du bon vin de Bourgogne », selon l'écrivain satirique du XVe siècle, Antoine de La Sale. Triste fin, à l'issue d'une remontée de cave, pour celui que le quartier surnommait « le curé ».

Derrière l'*Hôtel Meurice*, rue du Mont-Thabor, un incroyable vestige des années 1950 à l'enseigne *Au Petit Bar*, affiche depuis vingt ans son menu : l'œuf mayonnaise ou l'assiette de crudités ; le faux-filet garni, l'escalope panée et, de temps à autre, le foie de veau purée, avec un dessert maison. Le patron est au bar, sa femme est en cuisine, tandis que le fils de la maison assure le service et la conversation avec les artisans du quartier. Le vin de la maison coûte deux paquets de cigarettes la bouteille ! C'est l'image classique que perpétuent encore quelques citadelles auvergnates avec un service assuré par d'efficaces tribus arvernes.

Changement de décor, rue de la Paix, avec un nouveau palace des années 2000, le *Park Hyatt Paris-Vendôme*, où le chef Jean-François Rouquette propose une cuisine de haute volée dans un décor à l'américaine, tandis qu'à l'*Hôtel Westminster*, rue de la Paix, le chef Christophe Moisand veille sur *Le Céladon* et le bar où se croisent joailliers de la place Vendôme et croqueuses de diamants. L'on peut s'y restaurer à l'anglaise en sirotant des cocktails préparés par Gérard, le barman polyglotte du *Duke's Bar*.

À l'automne 2011, on a fêté le centenaire du *Harry's Bar*, ouvert le 26 novembre 1911 au 5, rue Daunou. Le Tout-New York et le Tout-Paris se sont croisés au «Sank roo doe noo» de 12 heures à 3 heures du matin. «De quoi faire», disait l'ami Jean-Pierre Quélin, et surtout, pour Ernest Hemingway ou Scott Fitzgerald et sa femme Zelda, «de quoi boire». Gershwin, dit-on, y mit la dernière note de son *Américain à Paris*. Sartre, Jacques Prévert, Blondin, évidemment, y dégustaient le fameux bloody mary, créé en 1921, un assemblage de vodka, jus de tomate, jus de citron, Tabasco, sauce Worcestershire, et l'indispensable sel de céleri.

L'établissement a été ouvert sous l'enseigne *New York Bar* par un ancien jockey américain, Tod Sloan, fuyant la Prohibition, qui voulait doter Paris d'un bar à cocktails digne de ce nom. Il demanda à un certain Clancey de démonter les boiseries de son bar new-yorkais pour les réaménager à l'identique à Paris. Harry Mac Elhone, barman le plus célèbre de l'époque, en fit l'acquisition en 1923 et y accola son nom. Ce sont ses descendants qui dirigent encore l'établissement. Rien n'a changé de la douce ambiance feutrée qui s'embrase au piano-bar du sous-sol ou bien les soirs d'élections américaines. Depuis 1924, un mois avant chaque élection présidentielle aux États-Unis, les Américains de Paris sont invités à voter (*straw vote*). Sur vingt-cinq scrutins, les électeurs du *Harry's* ne se sont trompés qu'à deux reprises. «Ce n'est pas un endroit branché, c'est pour cela qu'il ne sera jamais démodé», estime Isabelle Mac Elhone, l'actuelle propriétaire. On peut aussi y déjeuner d'un véritable hot-dog, petite saucisse moutardée dans un pain brioché, d'un club sandwich, d'un chili con carne, d'une salade de pamplemousse ou de brownies. Cent ans après, le *Harry's Bar* reste *the place to be*, surtout pour la troisième mi-temps des matchs de rugby du tournoi des Six Nations.

La rue Saint-Honoré est émaillée de bistrots de quartier, mais aussi de commerçants d'élite comme la *Maison Verlet*, torréfacteur depuis 1880, reprise en 1995 par Éric Duchossoy, d'une famille de torréfacteurs du Havre, qui procure aux amateurs des mélanges aux noms inspirés, «Grand Pavois» ou bien «Haute Mer». La boutique, établie à l'ancienne, présente les produits rangés en sac de jute, qui embaument le magasin comme au temps du *Cousin Pons*. Et aussi la *Maison Chedeville*, fameux charcutier, et le poissonnier *Potron*, lequel, raconte Cocteau, organisait dans sa cave pendant la guerre des courses de petits chevaux de bois – le PMU étant interdit – alors que des bombes tombaient sur Longchamp.

Ces boutiques n'ont pas toutes survécu au bouleversement récent du quartier, la construction d'un parking et du vaste emporium par l'architecte Ricardo Bofill. Seul *Le Coq Saint-Honoré*, créé en 1984 et dirigé depuis 1991 par Jan-Dominique Fröding, hélas récemment disparu, reste le grand fournisseur de volailles des bonnes tables parisiennes après la disparition de la *Maison Piètrement-Lambret*. Gilles Barone, artisan boucher rue du Marché-Saint-Honoré, a succédé à son père, et comme lui ne se contente que du meilleur. De nouveaux restaurants sont apparus ou ont été rénovés sur la place. Ainsi *L'Absinthe* que dirige Caroline, la fille de Michel Rostang, où l'on déguste en été sur la terrasse une escabèche de sardines et royale de tomates blanches, une marinade de maquereaux frais ou bien un poulpe en aigre-doux. Dernier-né de la famille Rostang, le *Café des Abattoirs*, rue Gomboust, en lieu et place du *Bistrot Saint-Honoré*, destiné aux carnassiers. Et encore, le *Louvre Bouteille*, en face du magnifique Oratoire, rue Saint-Honoré, affecté au culte réformé en 1811 par Napoléon.

Rue de Castiglione, au *Carré des Feuillants*, Alain Dutournier, incontournable ambassadeur du Sud-Ouest, a choisi une troisième voie – ni royale, ni poitevine – pour son lièvre à la façon d'Aquitaine. Il bénéficie de ce titre depuis son installation à Paris en 1973 à l'âge de 24 ans, d'abord au *Trou Gascon* dans le XIIe arrondissement, puis, à partir de 1986, au *Carré des Feuillants*, établi sur les vestiges de l'ancien couvent.

Il est vrai qu'Alain Dutournier, enfant des Gaves et de l'Adour, n'a jamais ménagé ses efforts pour valoriser les produits du pays. Le patrimoine culinaire et le goût sont pour lui des valeurs à privilégier. Son style ? C'est celui de l'homme même, avec cette finesse patricienne du visage, ombré d'une barbe légère, comme Guy Savoy ou Alain Ducasse, ses contemporains. Une finesse qui recherche l'essence des choses et du goût, l'épure. Tout cela est exprimé dans un discours appliqué, plein d'humour, avec un léger accent du pays, moins rugueux que celui de Raymond Oliver, qui traduit une parfaite harmonie avec un paysage, une culture, un monde, certes en voie de disparition, mais qu'il sait faire revivre, simplement, pour notre plaisir. La simplicité, où est-elle ? Dans les origines du cuisinier ? Il a été élevé entre l'auberge familiale et la ferme, dans la pureté du produit. Faire simple est pour lui une catégorie de l'imagination, qui tient de la poésie, lorsqu'une saveur savamment rapprochée d'une autre ouvre à des accords parfaits, comme le petit pâté chaud de cèpes associé au jus de persil, les langoustines pimentées confrontées aux nuances d'une nougatine d'ail doux. Qu'importe si la technologie et la connaissance des transformations enzymatiques ont changé le cuisinier en technicien de pointe et si la recette du fameux lièvre à la mode d'Aquitaine n'est pas à la portée du commun des mortels. Déguster ce « plat démoniaque » au *Carré des Feuillants*, c'est prendre conscience que la recette – image d'Épinal – cède la place au cuisinier bon enfant, cultivé, jovial, inspiré.

L'autre grande passion d'Alain Dutournier est celle des vins, dont il est un connaisseur avisé. Il a d'ailleurs parcouru les grands vignobles de la planète. C'est sans sectarisme, pourtant, qu'il vante les mérites d'une bouteille étendard, parce que c'est au jurançon que fut baptisé Henri IV le 12 décembre 1553. Il a choisi cette bouteille de collection pour sa touche d'orange amère, ses épices douces et son nez de sous-bois qui convient à la truffe noire. C'est une bouteille d'exception qui se situe au niveau d'une cuisine capable « d'exprimer la quintessence de produits longuement, impitoyablement sélectionnés ». Avec une terrine de foie gras bien poivrée, le chef fera le choix éclectique d'un coteau-du-layon qui surprend par son étonnante jeunesse et son côté séveux. Le vigoureux cépage chenin fait ici merveille et, dans une grande année, dévoile sa vivacité et son charme. Pour accompagner le lièvre à la façon d'Aquitaine, macéré aux épices douces avant une cuisson lente, son choix s'arrête sur un château-musar, vin du Liban. C'est un vin opulent qui convient aux harmonies gustatives les plus subtiles. En dégustant ces merveilles, on peut aussi bien rêver, en compagnie d'Alain Dutournier, d'un déjeuner sur l'herbe aux côtés de Francis Jammes, le poète d'Hasparren, et de ses belles amies, Clara d'Ellébeuse et Almaïde d'Étremont. Que sont les poètes devenus ? Le txakoli txomin etxaniz, petit vin blanc de soif légèrement pétillant du Pays basque, coule toujours son flot d'or dans les verres.

Le souvenir du petit Marcel

« À quoi rêvent les jeunes filles fortunées ? À la vie d'hôtel.

— Quels sont leurs hôtels préférés ? Elles préfèrent toutes le même : le *Ritz*.

— Qu'est-ce que le *Ritz* ? Paris. Et qu'est-ce que Paris ? Le *Ritz*. »

« On ne saurait mieux dire », avait murmuré Marcel Proust à qui Léon-Paul Fargue relatait ce dialogue qu'il avait eu avec, disait-il, « les plus beaux yeux du Chili ».

L'*Hôtel Ritz* de la place Vendôme a joué un rôle central dans la vie du petit Marcel, ce qui ne l'empêche pas d'avoir la dent dure à l'encontre du personnel qu'il fréquente avec assiduité : « Dans le palace même, il y avait des gens qui ne payaient pas très cher tout en étant estimés du directeur, à condition que celui-ci fût certain qu'ils regardaient à dépenser non par pauvreté mais par avarice. Elle ne saurait en effet rien ôter au prestige puisqu'elle est un vice et peut par conséquent se rencontrer dans toutes les classes sociales. La situation sociale était la seule chose à laquelle le directeur fît attention, la situation sociale, ou plutôt les signes qui lui paraissaient impliquer qu'elle était élevée. »

Il ne connaissait pas à cette époque *L'Espadon*, restaurant de l'hôtel créé en 1956 par Charles Ritz, fils de César, dans un style baroque, désuet et intemporel, façon Louis XVI. Un décor que les Américains ont baptisé « Ritzy ». Longtemps on y cultiva le souvenir d'Escoffier, jusqu'à ce que Guy Legay fasse de *L'Espadon* une table moderne. Michel Charasse a confié que Guy Legay, son ami, le régalait discrètement d'un plat de « couilles de mouton en persillade », dont il raffolait.

Maurice Guilhouet, en 1999, ne réussit guère à imposer son style à la brigade. C'est donc l'ancien second de

Legay, entre-temps parti redorer le blason de *Lasserre*, Michel Roth, que la direction choisit pour reprendre en mains *L'Espadon*. Ce Meilleur ouvrier de France, depuis le début des années 2000, dirige la brigade, colle à la saison – tarte friande aux cèpes confits – et se livre à quelques exercices de style en opposant les chairs du tourteau et jus d'agrumes réduit à une riviera d'avocat aux oignons tiges, ou bien une sole cuite sur l'arête à une soubise de poireaux déglacée au vin jaune. Moments rares, saveurs puissantes, en rupture avec la mièvrerie du décor, voici la côte de veau persillée accompagnée d'une polenta moutardée, servie avec une brochette de cèpes et lomito, en rognonnade au serpolet. Un plat messager, la promesse du retour de *L'Espadon* parmi les très grands, car le *Michelin* ici fut avare de ses macarons. Il faudra attendre un peu car le *Ritz* a fermé ses portes en juin 2012 pour plusieurs années de travaux, le temps de revenir au premier rang des palaces parisiens, alors qu'il fut leur précurseur.

Ce qui distingue un hôtel de luxe d'un palace est dû à César Ritz, dont le nom, de Londres à Paris, Monte-Carlo et New York, est aujourd'hui encore associé à la notion de palace. C'est un mot anglais qui désigne un palais, néologisme qui a fait rêver les foules au tournant du XXe siècle. Né en 1850 dans la vallée de Conches (Haut-Valais, en Suisse) au sein d'une famille de bergers, le jeune César Ritz n'a pas 17 ans lorsqu'il débarque à Paris. Tour à tour cireur de chaussures, serveur, sommelier puis maître d'hôtel chez *Voisin* – sérieuse référence –, il côtoie vite la haute société dont il apprend à deviner les usages puis à devancer les désirs. À 28 ans, il devient directeur du

Grand Hôtel National de Lucerne, puis du *Grand Hôtel* de Monte-Carlo, où évolue l'aristocratie britannique autour du prince de Galles et de quelques financiers puissants. César Ritz décide vers 1880 – à 30 ans – qu'il est temps de mettre certaines de ses idées en pratique en créant un nouveau type d'hôtel de luxe, entièrement tourné vers une clientèle prête à payer un prix élevé, mais à condition de lui offrir ce qu'elle ne pourrait trouver nulle part ailleurs, c'est-à-dire, à l'époque, des salles de bains dans toutes les chambres. Au *Ritz*, hôtel éponyme, place Vendôme à Paris, au *Savoy* de Londres puis au *Carlton*, César Ritz peaufine sa conception du palace, dont il est l'inventeur. Un siècle plus tard les palaces se sont multipliés à Paris grâce aux investissements des Émirats et de puissants groupes asiatiques.

Jouxtant le *Ritz*, la plus belle table républicaine, hors les palais officiels, fut un moment celle du Crédit foncier de France en l'*Hôtel d'Évreux*, sur la place Vendôme. C'est ici que l'ancien chef du *Fouquet's*, James Baron, mitonnait quelque lièvre à la royale, escorté des vins de la propriété, le château de Puligny-Montrachet, que dirigeait avec passion Claude Schneider, préposé aux arts de la table et de la communication réunis. C'était au temps du gouverneur Bonin, avant que le Crédit foncier, doté en 1854 d'un statut analogue à celui la Banque de France, ne frôle la banqueroute, en 1995.

L'ouverture du restaurant du très médiatique Thierry Marx au *Mandarin Oriental*, en 2011, non loin du *Ritz*, dans le quartier Vendôme, a fait l'objet d'un plan média très élaboré, car la concurrence était rude parmi les palaces, ou ceux qui prétendaient au titre. Tous les signes extérieurs d'un luxe ostentatoire sont ici rassemblés, comme l'entrée végétalisée, jusqu'au bar, assez étonnant, au moins par son décor et son barman jovial, incollable sur les apéritifs amers importés d'Italie.

En revanche, l'espace dévolu au *Sur Mesure* – c'est le nom du restaurant gastronomique – tranche avec les lieux qui le précèdent. Zen ? Peut-être, mais surtout glacial : pas une fleur, pas un arbre dans le patio autour duquel se déroule le repas. David Biraud, l'excellent sommelier, tout sourires, joue les maîtres de maison. Le service est discret et anonyme. Les tables sont disposées en partie le long du patio où semble flotter, en apesanteur, un disque semblable à un anneau de Mars ou de Marx. Disons de la planète rouge, pour ne pas inviter Lacan dans la conversation. D'autres tables sont disposées dans des alcôves d'un blanc immaculé, les murs semblant animés par les plis d'un revêtement soudain figé par le décorateur. Certes le pli a toujours existé dans les arts ; l'on doit à Gilles Deleuze d'avoir démontré que dans le baroque tout se plie, se déplie, se replie. La cuisine de Thierry Marx serait-elle baroque ?

Le menu, distribué sous la forme d'un parchemin roulé, est en effet «sur mesure», imposé dans sa logique et son ordonnance, ce qui vaut de s'y attarder un instant : à une seule variante près, le choix est figé en trois menus dégustation de huit plats, de onze plats ou de cinq plats au déjeuner, aux prix en conséquence. Voilà qui devrait en toute logique simplifier le travail en cuisine. Las, il faut compter tout de même trois bonnes heures pour la cérémonie prandiale.

Le *la* est donné, comme à l'orchestre, par le «radis structuré, déstructuré» qui comprend une sphère élaborée par précipitation chimique au goût de navet, une tartine sur laquelle est disposé un radis émincé (sec, qui sent la mise en place matinale) et une raviole aux nuances de poivron. La seconde étape est une sorte d'installation dans l'assiette, appelée «œuf éclaté», accompagnée de fleurs, de feuilles et de petits pois épluchés. Le jaune d'œuf a été cuit longtemps, trop longtemps, à très basse température, ce qui lui donne la consistance d'un jaune cru, entouré d'une gelée chaude de méthylcellulose, gelée blanchâtre sans danger pour la santé mais inassimilable par l'organisme. Un plat baroque, assurément. Dans l'assiette, les petits pois crus sont juxtaposés aux billes d'alginate disposées sur des cosses, comme autant de pois factices, réutilisant la «peau des petits pois épluchés», expliquera le chef. C'est un travail d'orfèvre qui vole la vedette au produit, et illustre ce qui pourrait être aussi bien un slogan de la cuisine moléculaire : «Rien ne se perd, rien ne se crée, tout se remplace», maxime attribuée au chimiste Lavoisier, lequel avait emprunté ce mot à Anaxagore de Clazomènes, philosophe présocratique. Couvert d'une écume («espuma») comme la mer par gros temps, le «semi-pris de coquillages, longuet au caviar» constitue à la suite une pause pélagique aux accents iodés et plutôt reposants. Suivent encore «langoustines, melon rôti sans cuisson», «risotto de soja», autant d'exercices assez complexes et peu lisibles, comme autant de figures de style. Le plat suivant, «foie gras, pêche, verveine» nous conduit sur le chemin de saveurs ambiguës. Il est sauvé par l'excellent choix du sommelier : les cocalières du domaine d'Aupilhac (2010), vin du Languedoc, dont la richesse, équilibrée par la fraîcheur, répond au pain de châtaigne servi avec ce plat. La « sole pamplemousse-gingembre, riz soufflé » intervient alors pour apporter un peu d'acidité avant le « veau de lait, raviole croustillante de girolles », parfaitement rose sur tranche, cuit également à basse température, ce qui en banalise non seulement le goût mais aussi la texture. Notons au passage qu'une raviole croustillante s'appelle une rissole. Les desserts « sweet bento », l'« ylang-ylang », « mister green tea » restent assez mystérieux, à l'unisson de ce repas essentiellement cérébral, à peu près dépourvu de sensualité.

Qu'il est loin le temps où au *Cheval Blanc*, à Nîmes, le jeune Thierry nous régalait d'une fricassée crémeuse d'écrevisses, accompagnée de quenelles de poule faisane moulées à la cuillère, généreusement truffée, et d'un coffre de pigeon farci à la fleur de peau cuit sur ses abattis à la façon d'un alicot et escorté d'un risotto de petit épeautre à la tome fraîche. Une fois passée la mode de la cuisine moléculaire, nous retrouverons, espérons-le, un chef assurément parmi les plus brillants et d'une intelligence percutante.

Stricto sensu, « cuisine moléculaire » ne veut rien dire, c'est une catachrèse, une figure de rhétorique qui consiste à étendre la signification d'un mot au-delà de son sens propre. La formule pourtant fait florès dans les cercles initiés qui associent la chimie, les produits de synthèse et les outils dernier cri de la technologie culinaire au service d'une cuisine d'avant-garde. Elle suggère, plus largement, une cuisine dégagée des recettes habituelles, sans racines et sans références. Cette cuisine revendique cependant une dimension artistique, minimaliste pour le moins, sinon sa place au sein des arts conceptuels. L'on songe à Marcel Duchamp, mais c'est la figure du Catalan Salvador Dalí qui s'impose : «La beauté sera comestible ou ne sera pas», pressentait le peintre des objets mous, dans *Les Cocus du vieil art moderne*, en 1956.

La parution en France de l'enquête *Les Dessous peu appétissants de la cuisine moléculaire* de Jörg Zipprick (Favre, 2009) a relancé la polémique, vive en Espagne après que Santi Santamaria, trois étoiles au *Michelin*, eut accusé Ferran Adrià, figure emblématique de cette tendance, d'«empoisonner ses clients avec des produits chimiques». Puis la question s'est déplacée en Angleterre où le restaurant de Heston Blumenthal, *The Fat Duck*, a dû fermer ses portes pendant quinze jours, victime d'un norovirus diplomatique générateur de diarrhées et de vomissements. Depuis, les incidents se sont multipliés. Les autorités sanitaires du Danemark ont révélé que du 12 au 14 février 2013, soixante-trois clients de René Redzepi, du *Noma* (Copenhague), avaient été incommodés à la suite d'un repas préparé par ce chef, apôtre d'une cuisine nordique qui emploie sans discernement les mêmes produits de synthèse.

Est-ce à dire que l'intérêt pour cette pseudo-cuisine est universel ? Non. Mais l'esprit de lucre, oui, lorsqu'on peut diviser le coût des produits de la nature par huit ou dix, comme l'a montré l'enquête de Jörg Zipprick. Cela n'enlève rien au génie marketing de Ferran Adrià, chef de file de cette mouvance, qui récuse pourtant l'appellation «cuisine moléculaire». Cette querelle sémantique est surtout stratégique, car le magicien d'*El Bulli* n'a jamais reconnu le rôle déterminant du programme Inicon lancé par la Commission européenne en 2003, qui a confié au laboratoire de transfert de technologie TTZ, à Bremerhaven en Allemagne, le soin de rendre utilisables par quelques restaurateurs triés sur le volet les techniques de pointe de l'industrie chimique. Or seuls Ferran Adrià (*El Bulli*), Heston Blumenthal (*The Fat Duck*), Hervé This (Inra) et Émile Jung (*Le Crocodile* à Strasbourg), sous la houlette de Klaus Schwall de la Direction de l'innovation (CE), ont été associés à ces recherches, à partir de 2003. Cette année-là, *El Bulli* expérimentait des produits texturants à base d'alginate (poudre d'algues) et développait une gamme d'additifs sous sa marque, dont certains sont des laxatifs puissants. Au mois d'août de cette même année, le *New York Times* apportait une aide inespérée à l'alchimiste catalan en annonçant le déclin de la cuisine française au profit de l'espagnole, trois mois après le refus de la France, contrairement à l'Espagne, de s'engager auprès des États-Unis dans la guerre d'Irak.

À l'ombre de la colonne Vendôme

Quartier Vendôme toujours, l'*Hôtel Meurice*, aménagé le long de la rue de Rivoli, brille de tous ses feux qui, aujourd'hui, font oublier l'origine modeste et provinciale de son créateur. Augustin Meurice était maître de poste à Calais lorsqu'il eut l'idée de faire visiter Paris aux Anglais après la chute de Napoléon en 1815. Le voyage dure trente-six heures jusqu'à l'hôtel, qu'il aménage d'abord à l'emplacement de l'ancien couvent des

Feuillants. L'établissement est déplacé en 1835 après l'achèvement de la rue de Rivoli, sur laquelle il occupe dix arcades jusqu'à la rue du Mont-Thabor. Il devient alors l'un des premiers hôtels de luxe à Paris, avec des salles de réception dans un décor Louis XVI et une salle à manger aux allures de petit Versailles aménagée dans le salon des Tuileries, auquel Philippe Starck a ajouté une touche baroque. On sait avec Chamfort que «ceux qui ont plus de dîners que d'appétit, c'est le petit nombre; et ceux qui ont plus d'appétit que de dîners, c'est le grand»! Est-ce un trait de mœurs particulier à Paris? La fête parisienne au XIXᵉ siècle, depuis le temps des Incroyables et des Merveilleuses du Directoire jusqu'aux dandys anglomanes du second Empire, est décrite magistralement par Charles Baudelaire dans *Le Peintre de la vie moderne*. Offenbach force le trait quelques années plus tard dans *La Vie parisienne*, en 1866: «Portez la lettre à Métella! rugit le Brésilien de comédie, je veux m'en fourrer jusque-là!»

En 1907, Frédéric Schwenter, grand professionnel de l'hôtellerie, prend la direction du *Meurice*. Entre 1920 et 1940, l'hôtel est fréquenté par la haute société. «Rois et reines du monde entier n'attendaient que le signal de la réouverture du *Meurice* pour inscrire la rue de Rivoli au nombre de leurs résidences», écrit Léon-Paul Fargue dans *Le Piéton de Paris*. Florence Gould y organise un déjeuner littéraire hebdomadaire et reçoit Marcel Jouhandeau, Paul Morand et Paul Léautaud. Faute d'envahir l'Angleterre, les Allemands y installent leur état-major entre 1940 et 1945. Puis Salvador Dalí, dans les années 1970 et jusqu'à sa mort en 1989, réside un mois par an dans une suite au deuxième étage de l'hôtel.

Nommé à la tête de la brigade en 1990, Maurice Marchand, natif du pays de Colette, la Puisaye, renoue avec la tradition gourmande d'une cuisine à la fois simple et sophistiquée. La relève sonne en 2003 avec l'arrivée de Yannick Alléno, qui avait alors 35 ans, jusque-là chef du restaurant *Les Muses* à l'*Hôtel Scribe*. Il connaît la maison car il fut chef saucier auprès de Maurice Marchand. Mais c'est avec Louis Grondard, chez *Drouant*, que Yannick Alléno a appris pendant cinq années l'essentiel de son métier : «L'après-midi, à la pause, il prenait son tablier bleu et nous livrait son savoir-faire.»

Sa première carte fut un enchantement : pinces de tourteau parfumées aux agrumes, homard bleu au vin de château-chalon, filet de rouget à la crème de sardine, ainsi qu'une prodigieuse poularde de Bresse farcie au foie gras ou bien une épaule de cochon de lait confite aux épices. Loin des excès de la scène culinaire, où s'affrontaient défenseurs du terroir et partisans des épices, les délices du goût et du palais reprenaient le dessus. *Michelin* accorde à Yannick un deuxième macaron en 2004, et le troisième en 2007, l'année de ses quarante ans.

Chaque saison est rythmée par une carte renouvelée et quelques coups d'éclat, tel ce pot-au-feu mirobolant, exercice classique depuis la parution de l'ouvrage de Marcel Rouff en 1924, *La Vie et la Passion de Dodin-Bouffant, gourmet*. Chaque génération de cuisinier s'applique à réinterpréter, à sa manière, ce pot-au-feu en quatre épisodes car la recette, suggérée de façon littéraire et poétique par l'auteur, n'est pas détaillée. Ceux de Raymond Oliver et de Jacques Manière sont restés dans les mémoires des personnes qui les ont dégustés. Celui de Yannick Alléno évite tout poncif et mérite d'être gravé dans nos mémoires gustatives. Le premier service est un puissant judru mariné au marc de Bourgogne, accompagné de pommes de terre au beurre de truffe. Le judru est un gros saucisson de ménage, fabriqué dans toute la Bourgogne à l'automne, qui doit sécher plusieurs mois. Le pouilly-fuissé lui confère un premier quartier de noblesse. Vient ensuite un morceau de poitrine de porc gratiné d'une fine purée soubise. La douceur de la soubise – sauce à base d'oignon – est rehaussée d'un trait de moutarde dijonnaise. L'on reste donc en Bourgogne, avec, de surcroît, un fort honnête marsannay. Léger détour vers la Bresse avec le troisième service, composé d'un suprême de volaille à la façon de Lucien Tendret, où l'escalope de foie gras de canard est glissée («contisée», dit-on en langage culinaire) entre la chair et la peau, ce qui appelle la délicatesse d'un volnay. Le dernier service est un pavé de filet de bœuf cuit à la ficelle, piqué à la moelle, et servi avec un musigny, une bouquetière de légumes et une tartine relevée au raifort.

Cette version à la fois légère et sophistiquée signifie que Yannick Alléno a fait sien le point de vue du grand couturier Yves Saint Laurent parlant de la robe Mondrian qui le rendit célèbre : «Toute création n'est qu'une recréation, une façon nouvelle de voir les mêmes choses, de les exprimer différemment, de les préciser, d'en exalter un angle jusque-là inaperçu ou d'en accuser les contours.» Yannick Alléno a quitté le *Meurice* le 31 janvier 2013, laissant la place, six mois plus tard, à Alain Ducasse et sa brigade du *Plaza Athénée*, fermé pour des travaux d'envergure.

Le client est roi

Anne-Sophie Pic, seule femme trois étoiles de la planète Michelin, installée à Valence, s'est résolue à ouvrir *La Dame de Pic*, une antenne parisienne rue du Louvre. La cuisine, ouverte sur la façade vitrée, crée une véritable animation de rue. Singulière évolution depuis l'époque où les féministes américaines de la fin du XIXe siècle obtenaient l'intégration des cuisines dans l'espace à vivre, appelées aujourd'hui encore « cuisine à l'américaine » ! Cette transparence affichée, presque ostentatoire, accentuée par un décor immaculé, n'interdit pas le mystère d'une carte accompagnée d'une palette d'arômes comme chez un parfumeur. Ainsi chacun est-il invité à humer un signet odorant avant de choisir le menu « vanille ambrée » où le thé vert et la feuille de figuier accompagnent le cochon noir de Bigorre, ou bien à s'enivrer de l'ambiance « iode et fleurs » d'une huître au chou-fleur et au jasmin ou d'une volaille de Bresse à la fleur d'oranger. Hésitant entre ces nuances doucereuses, sucrées souvent, j'ai opté pour la fragrance d'une sardine de Méditerranée flanquée d'une émulsion au thé matcha et d'une julienne de poireaux. Un troisième menu de cinq plats « sous-bois, épices » présente une série aromatique plus complexe encore. L'on pourra aussi se contenter du menu servi au déjeuner, dont la volaille fermière aux champignons de Paris est exemplaire d'une cuisine précise et savoureuse, bien inscrite dans l'assiette, sans sophistication ni maniérisme.

Étape obligée autrefois, rue du Coq-Héron, où la tradition du gibier fut maintenue de manière flamboyante pendant une génération par Gérard Besson. C'était un fin saucier et un grand rôtisseur, aussi convaincant avec son lièvre à la royale qu'avec son interprétation de l'«oreiller de la Belle Aurore», une recette de Lucien Tendret en hommage à la mère de Brillat-Savarin. J'ai connu Gérard Besson vers 1975, alors Meilleur ouvrier de France, au *Restaurant Jamin*, où Daniel Hallée était sommelier. Il passa aussi par *La Tour d'Argent*. Son interprétation de ce plat était toujours un moment d'extrême délicatesse, alors que son lièvre à la royale exprimait avant tout la puissance et le raffinement. Est-ce parce que ce grand saucier, disciple de Garin, restaurateur rue Lagrange, parfumait l'oreiller de la Belle Aurore à la vieille chartreuse jaune ? Nous croirons plutôt que c'est à une macération de truffes, appelée par Alexandre Dumas «sauce de petit deuil», que l'on devait ce magnifique équilibre.

Le successeur de Besson depuis 2011 est Keisuke Kobayashi, alias Kei, jeune chef japonais formé à l'art culinaire français dans la brigade d'Alain Ducasse au *Plaza Athénée*. C'est un challenge peu commun pour ce cuisinier qui entend concilier les manières et décor de table du Japon avec les saveurs de la cuisine française. Le menu imposé, comme au Japon dans les restaurants de spécialités, comprend une entrée abondante de fleurs comestibles et de légumes cuits et crus, finement dilacérés ; ils accompagnent un cube de saumon fumé nappé d'une sauce à l'oseille. Peu de mélanges, pas d'amalgame, une simple juxtaposition de couleurs et de consistances, selon l'usage nippon. Le demi-homard, cuit en cocotte, est servi avec des petits pois, des asperges et une sauce homardine retenue, presque fugace. La tradition veut qu'une pointe de cayenne, sous nos latitudes, vienne relever la saveur du crustacé. Ce serait oublier qu'aux quatre saveurs – le sucré, le salé, l'acide, l'amer – qui constituent depuis Brillat-Savarin une convention partagée en Occident, les Japonais en ajoutent une cinquième – sensation plus que saveur –, l'insipide, le neutre, le fade, appelé *umami*.

Depuis quelque temps, la tendance est au menu surprise imposé. «Faites confiance au chef, donnez-lui carte blanche, il s'occupe de tout», susurre le maître d'hôtel, qui s'enquiert à la cantonade : «Avez-vous des allergies?» Voilà ce que l'on entend de plus en plus dans les restaurants à la mode. Infantilisation des consommateurs? Non, se défendent ces restaurateurs, jeunes pour la plupart : «Nous avons des groupies et des fans qui ont envie d'être surpris.» On les appelle *foodies* (fins gourmets) ou *foodistas*, ils sont «accros à la bonne bouffe»; ils surfent de table en table, prennent la photo des plats avec leur smartphone, et les publient sur leur blog ou Instagram. C'est un phénomène comparable à celui des *fashionistas*, les fanatiques de la mode. Le menu unique est évidemment, pour le restaurateur, un bon moyen de vider sa chambre froide chaque soir. L'argument peut se retourner, car c'est aussi la garantie pour le client de consommer des produits frais.

Il faut savoir cependant que dans un restaurant l'affichage des prix est obligatoire, comme l'affichage de l'origine des viandes, de l'interdiction de fumer, de la licence et de la protection des mineurs et la répression de l'ivresse publique. Doivent figurer en particulier, à l'extérieur des établissements, la liste des menus et carte du jour pendant « toute la durée du service et au moins à partir de 11 heures et demie pour le déjeuner et de 18 heures pour le dîner ». À l'intérieur, des « cartes et menus identiques à ceux figurant à l'extérieur » doivent être tenus à la disposition des clients. La Répression des fraudes, amputée de ses moyens par des restrictions d'effectifs, laisse faire, tandis que le *Michelin* cautionne implicitement. C'est à mes yeux une véritable régression, une épate bobo dénoncée déjà par Jean-Paul Aron en 1984 dans *Les Modernes*. Comment composer un repas selon son appétit, saliver déjà à la lecture de la carte, en débattre avec ses commensaux, et surtout choisir le ou les vins du repas ? Ce que l'on admet lorsqu'on dîne chez des amis est intolérable dans un restaurant. C'est un retour aux auberges d'Ancien Régime et à l'unique plat du jour, un véritable déni de civilisation.

Rien de tel au restaurant-terrasse du Centre Pompidou, d'où la vue sur Paris est unique. C'est ici le navire amiral de la flottille des établissements créés par les frères Costes, sans que l'on sache exactement, de Jean-Louis ou de Gilbert, lequel est aux commandes. Chez *Georges*, ainsi nommé en hommage à l'ancien président qui décida la construction du Centre Beaubourg, les deux Aveyronnais entendent offrir l'hospitalité chic à un juste prix. La restauration y est adaptée à une clientèle aisée, peu à peu écartée du centre-ville par la pression immobilière, et qui entend le réinvestir par bravade, c'est cela la découverte des frères Costes.

C'est une réponse à un besoin de convivialité dans une ville où elle est comptée. La langue de Voltaire

est sacrifiée à l'anglomanie : le bar accède au statut de
«lounge»; le mobilier est «design» ou «trendy». Dans
leurs établissements – *Georges*, mais aussi dans leurs nombreux cafés –, la nouveauté, c'est l'accueil du client. La
proximité des lieux forts de la capitale attire les people
et ceux qui veulent leur ressembler. Comme toujours à
Paris, le côté branché de la clientèle fait spectacle. Détail
précieux, les lieux d'aisance et de nécessité sont impeccables. Chez les Costes, il y a comme une élégance du peu,
soulignée par l'ambiance où flottent des créatures légères
ou sveltes. Trié sur le volet, le personnel ressemble à ce
que voudrait être la clientèle. Familier, mais respectant
l'impersonnalité du client, souriant et cependant inaccessible. Un café Costes, c'est le temps ou le rêve de l'éternelle jeunesse. *Maxim's*, en comparaison, ressemble au
musée Grévin. Sur la carte, proposée à toute heure, c'est
le régime minceur qui triomphe. Presque rien dans l'assiette, l'essentiel est que celle-ci soit élégante. Les gloutons
peuvent passer leur chemin : l'en-cas, ici, bien que nour-
rissant, est désespérément pour top models. On parle de
«juste cuit», d'«à peine doré», de «peu épicé». Le vrai,
le mesurable ou bien le moins contestable de l'entreprise,
c'est l'impulsion donnée à la ville, ou plutôt la visibilité
accordée à l'irréductible besoin de sociabilité d'une ville
dure, ingrate bien que sublime, mais dépossédée de son
peuple d'artisans, d'ouvriers et bientôt de sa moyenne
bourgeoisie impécunieuse. Paris est une ville où il ne fait
pas toujours bon vivre. Les niches écologiques des «nouveaux cafés» sont soit une lueur d'espoir, soit un appel à
un nouvel art de vivre.

Pas de menu imposé, non plus, chez *Benoît*, rue Saint-Martin dans le IVᵉ arrondissement, une brasserie créée en 1912, tenue par trois générations de la famille Petit, avant d'être reprise par le groupe Alain Ducasse en avril 2005. *Benoît*, dans un décor précieux préservé depuis l'origine, s'adresse aux amateurs de cuisine traditionnelle : «Chez toi, Benoît, on boit, festoie en rois.» À la réouverture, David Rathgeber (qui depuis a repris *L'Assiette*) proposait au déjeuner un menu du marché composé de poireaux et d'asperges à la vinaigrette grenobloise, ou bien d'une terrine de foie de volaille et céleri rémoulade. Marmite de poisson dieppoise, longe de porc et pommes purée, tête de veau gribiche constituaient le grand ordinaire de ce bouchon d'inspiration lyonnaise et cependant très parisien. C'est aujourd'hui, comme *Aux Lyonnais*, rue Saint-Marc, l'archétype du bistrot à l'ancienne, sans que le poids des ans rende obsolète sa cuisine qui, elle-même, évolue subrepticement par petites touches discrètes.

Au printemps 2013, Alain Ducasse et Éric Azoug, chef exécutif du restaurant *Benoît*, ont choisi quatre recettes de grands cuisiniers (Carême, Escoffier, Dugléré, Point) pour une rétrospective gourmande destinée à honorer leur mémoire. Reprendre une recette du répertoire n'est pas une mince affaire, car chaque geste de chef est codé : son savoir est aussi dans son regard, lorsqu'il est «au passe», c'est-à-dire à l'endroit stratégique où le chef juge si le plat est digne d'être *envoyé* ; le simple fait de saler un produit en début ou en fin de cuisson peut changer la face d'un plat ; aujourd'hui, la maîtrise des densités et des textures à la cuisson est essentielle. Chacune de ces recettes a donc été adaptée. «Ce fut un

exercice passionnant, un véritable devoir de mémoire»,
dit le jeune Éric Azoug, qui, pendant plusieurs mois, s'est
impliqué dans ce travail de retour aux sources. Il ajoute:
«La cuisine est un art qui repose sur la transmission et
nécessite donc un apprentissage.»

La recette du homard ou de la langouste à la parisienne
selon Escoffier est une entrée froide qui relève de la grande
cuisine décorative. Le homard, «fixé sur une planchette,
la queue étendue, est cuit au court-bouillon et refroidi».
Suit, sous la plume d'Escoffier, un long développement
sur la différence entre l'apprêt «à la parisienne» – les escalopes étant simplement glacées à la gelée – et «à la russe»,
où elles sont enrobées de «mayonnaise collée à la gelée
d'aspic fondue» dont il déconseille l'emploi. Sa recette
précise ensuite la manière de décortiquer le homard et
de présenter sa carapace «de façon à lui donner une pose
oblique» dans laquelle sont artistiquement rangées les
«escalopes glacées». Les chairs du coffre et les parties crémeuses du homard sont ajoutées à une «salade de légumes
liés à la mayonnaise» dressée en forme de pyramide dans
des fonds d'artichaut et «lustrée à la gelée». Cette recette
est en fait un homard poché servi avec une macédoine de
légumes dont la complexité n'est que d'exécution et qui,
surtout, ne peut être réalisée à la minute. C'est la raison
pour laquelle le homard à la parisienne est souvent une
recette de traiteur.

Alain Ducasse et Éric Azoug se devaient de procéder
autrement. Ils ont adapté la recette initiale afin de réaliser la cuisson du homard à la demande, en distinguant la
cuisson des grosses pinces (6 minutes) des petites pinces
(4 minutes) et des queues (3 minutes), ce qui permet

d'apprécier plus justement le parfum et la fermeté des chairs. Pour cette même raison, ils ont choisi de remplacer la gelée par un jus de homard nécessairement plus relevé et savoureux. Les têtes de homard, concassées, déglacées au cognac puis mouillées de fond blanc permettent d'obtenir un jus de homard corsé, infusé avec une branche d'estragon. La macédoine est composée d'une julienne de carotte, navet, céleri branche liée à la mayonnaise avec une vinaigrette de homard. Elle est dressée en cercle sur lequel sont disposées les escalopes de homard et les pinces. Artichauts poivrade, feuilles de salade romaine et œufs de caille complètent la décoration de l'assiette, rehaussée d'un cordon de jus de homard, perlé avec un peu d'huile d'olive, fleur de sel et poivre du moulin. Paraphrasant Napoléon qui assurait que « la guerre est avant tout un art d'exécution », on est tenté d'ajouter devant une telle préparation, « à l'instar de la cuisine ».

À l'*Ambassade d'Auvergne*, dans le quartier du Temple, chaque automne est une bonne occasion de retrouver les saveurs découvertes autrefois chez une cuisinière de talent, à Jongues, du côté de Mur-de-Barrez, dont la spécialité était le chou farci. Le décor est aussi authentique que la cuisine, et l'on inclura volontiers l'Aveyron dans cette Auvergne-là ! Du lundi (« loulus ») à « loudimenche », la carte est une aimable variation de la cuisine du pays. Le menu « Balade en Auvergne » nous met dans l'ambiance, avec les cochonnailles de Parlan, l'aligot d'Aubrac, le granité au châteaugay et l'inimitable mourtayrol, le pot-au-feu des fêtes auvergnates. Et puis la salade de cabécous rôtis avant la mousseline à la verveine verte du

Velay, servie avec de la fouasse, comme en Aveyron. Pour accompagner ce repas, on vous proposera l'entraygues blanc, le châteaugay rouge, le vin de Boudes ou bien le marcillac. Cette ambassade gourmande répand ses bienfaits depuis 1967, aujourd'hui sous l'aimable direction de Françoise Moulier, laquelle maintient sur la carte d'hiver cet unique plat de poisson de mer originaire de Decazeville : l'estofinade...

Depuis le début du XIXe siècle, l'estofinade est un plat estimé de cette région minière dont le principal ingrédient est le stockfisch (littéralement « poisson séché sur un bâton »), importé de Norvège – le nom, occitanisé, est devenu « estofi ». Le stockfisch désigne indistinctement des poissons de la famille des gadidés (morue, églefin, lingue, brosme), séchés à l'air libre une fois capturés dans les îles Lofoten. Ils deviennent alors très durs, donc propices au transport lointain. Comment ont-ils échoué à Decazeville ? La question n'est pas tranchée. Certaine, en revanche, est la coutume des bateliers, qui remontaient le Lot depuis Bordeaux en six jours pour les besoins de la cité minière, de laisser traîner le poisson au fil de l'eau afin de le réhydrater. Paul Ramadier, maire de Decazeville devenu président du Conseil, faisait, paraît-il, tremper plusieurs jours l'estofi dans le réservoir d'une chasse d'eau des commodités de l'hôtel Matignon, assuré qu'il était du renouvellement de l'eau à chaque usage ! Le jour de la préparation, on met l'estofi à l'eau froide : « *Far coser à l'aiga, pas far bulir.* » La cuisson, à l'eau frémissante, selon la tradition de Saint-Perdoux (Quercy), dure cinq heures. Et, à côté, *las trufas* (les pommes de terre) sont cuites séparément puis écrasées avec le poisson : « *Ajustar l'estofi desengrunat* [sans arêtes] *à las trufas blancas esclafadas* [écrasées].» On ajoute des œufs – durs et crus –, de la crème parfois, de l'ail et du persil. Puis on passe l'ensemble à la poêle, dans l'huile de noix très chaude. C'est l'*oli de nose*, au robuste parfum de bois musqué, qu'on mélange avec une huile ordinaire pour l'adoucir. Décidément, ce quartier est celui des ambassades gourmandes, au nombre desquelles l'épicerie *À la Ville de Rodez,* rue Vieille-du-Temple, est l'une des plus pittoresques. Mentionnons aussi *Au Bascou,* pour sa cuisine basco-béarnaise dont Bertrand Guenéneron, ancien chef de Lucas-Carton, maintient les plats de référence, boudin, chipiron, axoa et piquillos. Mais aussi, à la saison de la chasse, les palombes et surtout un admirable lièvre à la royale, à prix très raisonnable. Cependant, la meilleure table du quartier est depuis très longtemps *Chez Vong.* Il y a plus de trois décennies, le chef Vong Vai Kuan installait rue de la Grande-Truanderie son auberge campagnarde chinoise inspirée de l'époque de la concession française de Shanghai (1849–1946) dans un bâtiment datant du XVIIIe siècle, occupé précédemment par un mandataire aux Halles. Sa cuisine, classique, sans apport de glutamate, est réalisée avec des produits labellisés ou d'AOC, et des préparations maison, dont le fameux canard pékinois en trois services qui est aujourd'hui le meilleur de Paris. Le secret de ce chef est, tout simplement, l'emploi d'excellents produits, un travail acharné et une équipe – en cuisine et en salle – totalement engagée à ses côtés. Et aussi, le don que possèdent quelques rares chefs chinois de pouvoir passer du monde des saveurs à celui de la « non-saveur » avec une égale précision. Quand la plupart des cuisiniers asiatiques se satisfont de produits médiocres et d'un assemblage de goûts corrigés par le jeu des épices, le cuisinier Vong sait exactement le but à atteindre, par un effet de miroir, entre le symbole du plat et sa réalisation. À l'image des artistes qui ne s'inspirent pas de la nature mais finissent par la rencontrer, il maîtrise la conception abstraite qui restitue à la cuisine chinoise sa dimension symbolique.

Le *Restaurant Cru*, table tendance du Marais, commande un accès au Village Saint-Paul avec un bar, deux salles de restaurant et une cave. *Cru* se distingue d'abord par un mobilier contemporain adapté à un espace historique. Au bar, on sirote la caïpirinha aux fruits de saison en attendant de passer à table. L'endroit est à la fois sobre et élégant, à l'image de son inspiratrice, Marie Steinberg, qui, dit-elle, « ouvre un restaurant tous les dix ans ». Son chef, le jeune Jérémy Rosenbois, maîtrise la technique apprise au *Spoon*, dans l'univers Ducasse. Les saveurs sont précises, les assaisonnements enlevés. Beaucoup de produits crus – enseigne oblige – cèdent à la carpacciomania (bœuf, veau, canard, poissons, crustacés). Il faut rappeler que le carpaccio, composé de fines lamelles de viande de bœuf cru, fut créé à Venise en 1950 par Giuseppe Cipriani, propriétaire du *Harry's Bar*, pour la comtesse Amalia Mocenigo, à qui son médecin interdisait de manger de la viande cuite. Venise honorait cette année-là le peintre Vittore Carpaccio dont les rouges très particuliers des toges de dignitaires sur ses grands tableaux justifiaient l'emploi de son nom. Puis, par métonymie, et bientôt

ignorance, «carpaccio» a fini par désigner n'importe quel
émincé de viande, de poisson et de fruit !

Le grand espace de splendeur du Marais est la place
Royale inaugurée par Louis XIII. Devenue place des
Vosges en 1800, elle a été dessinée par Louis Métézeau,
architecte méconnu de la grande galerie du Louvre,
auquel ses confrères, Jacques Androuet du Cerceau et
Claude Chastillon ont également apporté leur concours.
Les arbres autour du square Louis-XIII, qui masquent
à demi les façades de la place, n'étaient pas du goût de
Guillaume Gillet, l'architecte du palais des Congrès, porte
Maillot, qui rêvait d'acheter une tronçonneuse pour les
abattre lorsque le dîner avait été bien arrosé. Son obses-
sion était de rendre à la place son état initial avec un jardin
à la française. C'était aussi le vœu de l'architecte Fernand
Pouillon, qui habita place des Vosges à son retour d'Algérie, les dernières années avant sa mort en 1986. J'eus
l'occasion d'être reçu à sa table lorsqu'il fut élu au conseil
de l'Ordre des architectes. C'était un gourmet plus qu'un
gourmand, comme sa silhouette d'ailleurs en témoignait.
  La place des Vosges fut toujours habitée par des personnages illustres, Marion Delorme, Victor Hugo, la
comédienne Rachel, laquelle occupa le premier étage de
l'hôtel de Chaulnes, aujourd'hui siège de l'Académie d'architecture. Au rez-de-chaussée de cet hôtel, à *L'Ambroisie*
– un restaurant trois étoiles –, la crise est parfois parée de
vertus inattendues. «Elle nous oblige à deux fois plus d'attention», disait Bernard Pacaud, qui compensait la dureté
des temps – en 1993 déjà – par quelques faveurs supplé-
mentaires accordées à ses clients. Pas question de baisser

les prix : « Ce serait suicidaire, expliquait-il, par rapport à l'image de nos établissements et du luxe en général, dont Paris reste la capitale. » La réduction du nombre de repas d'affaires, qui s'est encore amplifiée depuis cette époque, est compensée par la cohorte d'amoureux gourmands dans la belle salle à manger de l'ancien hôtel de Chaulnes : « Trente-cinq couverts, un chiffre maximum pour avoir le cœur au travail, à dix en cuisine ! » Résultat : quatre-vingts pour cent d'habitués auxquels il faut ajouter les Américains, après que Bill Clinton y fut reçu par Jacques Chirac.

Le homard de Bretagne, rôti aux herbes, beurre anisé, et les poissons, en direct souvent de petits bateaux d'Audierne, de Loctudy ou de l'île d'Yeu, sont apprêtés différemment selon la saison, mais toujours avec la rigueur et la précision qui caractérisent la cuisine de Bernard Pacaud, l'un des plus grands de nos chefs actuels, ancien second de Claude Peyrot au *Vivarois*. Chacun de ses plats est à marquer d'une pierre blanche, comme le sublime feuilleté de truffes fraîches « bel humeur », un chausson aérien garni de lames épaisses et de foie gras sur un coulis de truffe, ou encore la surprenante tapenade de truffes et câpres destinée à relever un « salmigondis de légumes » suivi de poireaux en demi-deuil accompagnés de gou-jonnettes de sole braisées au vin jaune. Restera à jamais gravé dans ma mémoire gourmande le perdreau rôti de Pacaud, dégusté à l'automne 2009 avec mon ami breton Michel Creignou – gourmet exigeant et serein, disparu, hélas ! fin 2013 –, qui dépassait tous nos souvenirs cyné-gétiques communs ; et encore, en février 2014, un dîner placé sous le signe d'un hermitage blanc de Jean-Louis

Chave accordé à un tronçon de sole au vin jaune et au fameux feuilleté « bel humeur », escorté ce jour-là d'une salade de mâche délicatement truffée, suivi – fleur parmi les fleurs – de l'épatante tarte au chocolat. Aujourd'hui, Bernard Pacaud laisse son fils Mathieu prendre peu à peu en mains le destin de *L'Ambroisie*.

Dans l'île Saint-Louis, *Le Monde des Chimères*, sanctuaire hanté par le souvenir d'une génération qui avait fini par renoncer à ses illusions, ne pouvait avoir meilleur destin – lorsque Jeannine Coureau décida de s'en séparer – que de séduire Antoine Westermann, qui venait de s'installer à Paris chez *Drouant*. L'enseigne *Mon Vieil Ami*, clin d'œil à *L'Ami Fritz*, a été bien choisie. Une table d'hôtes remplace le bar. La cuisine inspirée par le chef alsacien est un modèle de rigueur dans sa conception et apporte quelques saveurs de l'Est, somme toute assez rares à Paris. Un semainier fidélise à jour fixe les amateurs de joue de porc en civet, de matelote de poissons au riesling, de navarin d'agneau ou de pot-au-feu. Le pâté en croûte, en revanche, est quotidien. Le chou farci à la ventrèche de cochon, braisé aux aromates, reste un joli souvenir d'hiver, de même les pommes de terre, poireaux et oignons confits comme un baeckeoffe, blanc de poulette poché et rôti.

En quelques décennies, le visage quotidien de l'ancien cœur de Paris, entre la place Vendôme et le Marais, subrepticement, a changé. Le déménagement des Halles, le Centre Pompidou lui ont donné un nouveau visage, certes moins pittoresque mais déjà obsolète puisque le

Forum, à nouveau en chantier, laisse deviner la Canopée de l'architecte Patrick Berger. Le changement de la rue est sensible aussi sous l'effet de ce qu'il faut bien appeler le modèle Costes, copié, multiplié jusqu'à plus soif par d'innombrables cafés et brasseries, au point de provoquer une profonde transformation du Paris vespéral et nocturne, dans ses lieux de rencontre, de divertissement et de restauration.

L'épicentre en est aujourd'hui l'*Hôtel Costes*, rue du Faubourg-Saint-Honoré, décoré par Jacques Garcia, mais le phénomène est sensible dans l'Ouest parisien, rive gauche et jusqu'au carrefour Faidherbe-Chaligny, rive droite. L'aventure Costes, amorcée au *Café des Halles* en 1983 avec Philippe Starck, prolongée au *Café Beaubourg* avec Christian de Portzamparc, au *Café Marly* décoré par Olivier Gagnère puis au restaurant *Georges* du Centre Pompidou avec les architectes Jacob & MacFarlane, compte aujourd'hui plus d'une quarantaine d'établissements. Leur recette réside dans l'emploi d'une gamme colorée où dominent les bruns chauds, atténués par les pourpres éteints. Miel, pistache, terre cuite, prune, havane sont les nuances d'une palette restreinte, au demeurant utilisée avec discernement. On ne peut en dire autant des innombrables limonadiers – deux cents peut-être ? – qui ont transformé le modèle en poncif. Si un jour les demi-teintes finissent par lasser, un coup de peinture suffira à donner d'autres couleurs à la ville.

Comme les perles d'un collier d'ambre :
le Quartier latin

Le Quartier latin, sous nos yeux, imperceptiblement fait sa mue. Aux restaurants à thèmes – les *Clément*, la *Criée*, les *Bistro Romain* et autres *Léon de Bruxelles*, auxquels il faut ajouter depuis peu le *Bar à Huîtres* –, qui font encore scintiller les carrefours de leurs enseignes clinquantes et tapageuses, s'ajoutent peu à peu toute une catégorie d'établissements discrets, tous plus ou moins inspirés du *Café de l'Esplanade* aux Invalides, qui étalent une mince palette de bruns et de gris sur d'immenses bannes, soulignés, en terrasse, par un mobilier en rotin. Tel bistrot inchangé depuis trois générations est soudain transformé en lounge avec salon et bar, où l'on peut même accessoirement grignoter sur des tables basses, quand il ne plagie pas, plus directement encore, le modèle du *Starbucks Café* récemment importé des États-Unis.

Ce phénomène mérite réflexion, car ce sont les enseignes de future mémoire vive de toute une génération, comme le furent autrefois les *Dupont*, *La Bière* et *Ruc*, lieux de rencontre et de sociabilité. À chaque époque, une nouvelle gamme d'établissements s'installe, prolifère,

prospère puis finit par disparaître. C'est, pour ces restaurants, le moyen d'attirer la clientèle des jeunes et des
classes moyennes que le protocole et le prix des grandes
tables rebutent. Ces dernières, d'ailleurs, dissimulent
désormais leurs hôtes aux regards extérieurs, car le luxe ne
saurait être ostentatoire, selon les règles du politiquement
correct. Finie l'époque où les yeux des pauvres écarquillés
« comme des portes cochères derrière la vitre » observaient
le dîneur, écrivait Baudelaire dans le *Spleen de Paris.*
L'écrivain polonais Krzysztof Rutkowski, flâneur dans la
grande tradition de Walter Benjamin, a aussi observé ces
changements : « De quelques cafés parisiens parviennent
des musiques, les vitrines offrent les reflets et les ombres
des occupants. [...] Des nanas et des petits mecs viennent
se montrer dans un style *nouveau ou ancien*, traînant leur
mélancolie ou leur volupté. » Les verra-t-on chez Hélène
Darroze déguster une sucette de foie gras de canard des
Landes à la truffe noire du Périgord et autres casse-croûte
sophistiqués, servis sans couteau ni fourchette, au rez-de-
chaussée de son restaurant, rue d'Assas ? Seuls le *Flore* et
les *Deux Magots* assument tant bien que mal la nostalgie
du Saint-Germain-des-Prés d'antan quand le Boul' Mich'
est envahi par la fripe et les fast-foods.

Du hochepot à la blanquette

Le phénomène de renouvellement des restaurants
sous l'effet d'une mode ou d'un changement d'époque
est constant depuis deux siècles et laisse des traces qui
sont parfois des points de repère pour les générations

futures. Cela peut être observé encore au Quartier latin, bien après que le boucher Pierre-Louis Duval a eu l'idée, vers 1860, de servir un hochepot de bas morceaux de bœuf accompagné du bouillon de cuisson pour nourrir les ouvriers des Halles. Il ne faisait en réalité qu'adapter le modèle du « bouillon restaurant » créé un siècle auparavant par Boulanger, alias Champ d'oiseau. Son fils Alexandre Duval, personnage pittoresque, multiplia ces établissements à bon marché que l'on ne tarda pas à appeler *Bouillon Duval* et que les titis parisiens affublèrent du sobriquet de « Godefroi des Bouillons »...

C'est de cette formule que Camille et Édouard Chartier s'inspirèrent dans leurs premiers établissements, en 1895 et 1896, afin de servir une cuisine populaire dans un décor raffiné, dû au talent des meilleurs artistes de l'époque. La fin du XIXᵉ siècle connaissait dans le domaine des arts un regain d'intérêt pour l'imitation de la nature et la reproduction des formes végétales. De nouveaux matériaux (pâte de verre, verre émaillé, céramique, faïence) furent employés par les initiateurs de l'Art nouveau comme Louis Majorelle, chef de file de l'école de Nancy. En 1905, Camille et Édouard Chartier font l'acquisition du rez-de-chaussée du 142, boulevard Saint-Germain et y créent un décor flamboyant : miroirs biseautés, entrelacs de boiseries aux formes arrondies, carreaux de pâte de verre décorés de scènes pastorales, portemanteaux de cuivre, lampes à globe de verre gravé. Des cloisons basses préservent l'intimité de chaque table. L'établissement est vendu, quelques années après, à la chaîne concurrente des *Bouillons Rougeot*, qui le cède à son tour, en 1920, aux époux Vagenende. Mme Vagenende maintiendra l'esprit initial tout en enrichissant le décor et évitera, en 1966, une démolition sauvage grâce à André Malraux qui fit diligenter une procédure d'inscription à l'Inventaire supplémentaire des monuments historiques.

Racheté par les époux Egurreguy en 1977, l'établissement a conservé le nom de l'ancienne propriétaire. Longtemps, Monique Egurreguy assura, seule, la direction du restaurant, jusqu'à l'arrivée de sa fille, Marie, à ses côtés en 2010. L'année suivante fut conduite une fine restauration des décors classés, tandis qu'une terrasse discrète, moderne sans excès, était aménagée sur la façade. Le décor, ainsi restauré, offre une nouvelle jeunesse à l'une des dernières brasseries historiques de Paris. Une carte brillante, classique, avec quelques plats désuets mais délicieux, c'est un retour dans un Paris qui n'est plus, celui d'Antoine Blondin, habitué des lieux, du bon Roland Topor et de bien d'autres figures de Saint-Germain-des-Prés, qui y faisaient escale entre le *Café de Flore* et le *Tabou*. Le nouveau chef réinterprète la tradition, sans excès, avec finesse et précision, dans l'esprit des grandes brasseries parisiennes avec fruits de mer et voiture de tranche. Les grands plats classiques un peu oubliés laissent la vedette aux quenelles de brochet soufflées sauce Nantua, lancées à la minute. Elles sont préparées à la lyonnaise, avec panade, farine et crème, tandis que les carcasses d'écrevisses flambées au cognac sont employées à la préparation de la sauce. C'est une recette passablement régressive, mais dont le succès ne se dément pas. *Vagenende* est aujourd'hui une brasserie indépendante qui a survécu au modèle économique d'origine.

Ces restaurants s'adressaient d'abord à une clientèle populaire. À l'époque de Balzac déjà, les étudiants du Quartier latin fréquentaient *Flicoteaux*, « ce temple de la faim et de la misère » où il faisait dîner Lucien de Rubempré lorsqu'il n'avait pas le sou. Carco, quant à lui, se souvient de Baptiste à la *Pension Laveur*, rue des Poitevins, en face de l'École de médecine. De cette époque subsiste une crémerie, créée en 1845, à laquelle Froissard, son propriétaire, accola en 1890 le nom plus ambitieux de « restaurant ». C'est aujourd'hui encore, rue Monsieur-le-Prince, la *Crémerie Restaurant Polidor*, témoin d'une période antérieure à la révolution de 1848, dont Jules Vallès, dans *Le Bachelier*, observe les héros : « [...] Il y a des gens qu'on dit avoir été chefs de barricades à Saint-Merri, prisonniers à Doullens, insurgés de juin. » À deux pas, rue Racine, se retrouvent alors les chefs et marmitons au sein des « Cuisiniers réunis », que Daumier affuble du sobriquet de « saucialistes ». C'est là aussi que l'écrivain Jules Vallès situe la dure réalité du régime alimentaire étudiant de ce temps : « On ne fait pas ce qu'on veut quand on a quarante francs par mois pour tout potage. »

Polidor, rue Monsieur-le-Prince, est le dernier témoin de cette époque avec sa vitrine et son décor immuables, sa cuisine ménagère et roborative. Le sérieux, c'est le plat du jour : le petit salé aux lentilles du lundi, puis, jour après jour, le hachis parmentier, le boudin purée, les rognons sauce madère, les calamars à l'armoricaine *(sic)*, l'escalope de saumon au basilic et la fricassée de poulet à la crème de morilles du dimanche. La nappe de papier est tachée par le brouilly de rigueur. Les escargots, la terrine de brochet sauce verte, l'andouillette, la blanquette ou le bourguignon font toujours la joie des amateurs.

La viande est aujourd'hui l'un des points forts de la maison ; cela n'a pas toujours été vrai car *Polidor* a connu le siège de 1870, la Commune, les taxis de la Marne et la traversée de Paris. Une véritable anthologie de la mémoire alimentaire de la capitale. Le service est toujours souriant et affairé et l'addition du menu de midi en semaine, mesurée. Les étudiants y reviennent après avoir cassé leur tirelire, s'asseoient aux mêmes tables que leurs parents, les anciens de 1968, aujourd'hui professeurs à la Sorbonne, dont certains ont leur rond de serviette chez *Polidor*, comme autrefois Maurice Barrès, Leconte de Lisle, Max Ernst et Boris Vian. La mémoire étudiante, c'est aussi la jeunesse de la ville. André Maillet, l'actuel patron, a l'intention louable de ne rien changer au décor, tout en veillant à alimenter une cave éclectique et abondante. *Polidor* a nourri des générations d'étudiants fauchés, des artistes et des écrivains, de Verlaine à Joyce, de Valéry à Hemingway. La mémoire de Jarry y est célébrée par le Collège de pataphysique qui en a fait son siège en 1948. Un des fidèles, Paul Léautaud, note dans son *Journal*, le 21 novembre 1941 : «Déjeuner avec Marie Dormoy dans un excellent restaurant : le *Polidor* [...] Je crois bien que nous continuerons d'y aller.»

La blanquette de *Polidor*, recette de cuisine ménagère, appartient à la catégorie des fricassées ou ragoûts, dans lesquels la viande (veau, poulet, agneau, chevreau) n'est pas revenue avant d'être mise au contact d'une sauce crémée. Elle se distingue des matelotes, ou fricassées de poissons avec sauce au vin. Alexandre Dumas semble faire si peu de cas de la blanquette qu'il recommande d'utiliser des viandes de desserte. Il conseille en revanche de lier la sauce «avec autant de jaunes d'œufs qu'il en faut». C'est ainsi que procède Félicie, la mère de San-Antonio. Mme Saint-Ange, auteur d'un manuel de cuisine bourgeoise (1927) régulièrement réédité, précise que «la viande ne doit pas cuire dans la sauce», laquelle doit être «dépouillée» au coin du feu par un léger bouillottement destiné à la purifier. Sans quoi elle risque de figer ou de coller dans l'assiette. La sauce, en effet, est habituellement un roux blanc, c'est-à-dire un mélange lisse et délicat de beurre, de farine et de bouillon de cuisson réduit.

De nos jours, les chefs cherchent à en alléger la composition. Déjà, parmi leurs aînés, Jacques Manière cuisait le veau à la vapeur et confectionnait une sauce poulette : jaune d'œuf, crème fraîche et liaison à la fécule. André Guillot, précurseur de la cuisine légère, n'employait ni farine ni fécule. Il procédait à une sévère réduction des jus de cuisson, battait les jaunes d'œufs avec de la crème double et, cuillerée par cuillerée, mélangeait le tout, avant d'ajouter une «râpure de muscade». Bernard Loiseau préconisait, comme Michel Guérard, de mixer ensemble longuement le bouillon et une partie de la garniture aromatique (oignons, blancs de poireaux, champignons de Paris). Passée au chinois étamine (passoire fine), cette mixture était liée à la crème et aux jaunes d'œufs. Parmi les jeunes chefs, Gaël Orieux du restaurant *Auguste*, dans le VIIe arrondissement, utilise toujours un peu de farine, mais sa recette de blanquette invite au voyage. C'est Jean-Louis Huclin, autrefois chef chez *Toutoune*, qui reste le modèle de ce que l'on peut faire à la maison. Son secret : pas de farine, liaison avec une cuillère à café de fécule de maïs et un choix de viandes goûteuses : bas de carré, jarret, et petits légumes.

Comme une grenouille à Saint-Germain

Manger à l'extérieur, participer au rythme de la ville reste aujourd'hui un idéal étudiant, soumis aux impératifs économiques. Subsiste, au Quartier latin, un réseau de petits restaurants proches encore du *Café d'Harcourt* (anciennement *Flicoteaux*) qui disparut en 1940. Près de Saint-Sulpice, dans l'étonnant *Petit Vatel*, rue Lobineau, maison qui date de 1914, on mange presque dans la cuisine le poulet aux épices, le sauté de bœuf et l'exquise poire au vin. À Saint-Germain-des-Prés, les étudiants se font rares au *Petit Saint Benoît*, bistrot hors du temps, mais c'est toujours un lieu vivant, comme *Aux Charpentiers*, rue Mabillon, à l'enseigne du compagnonnage : poulets de Bresse et pomme en l'air ravissent une belle clientèle d'étudiants aisés. *La Petite Chaise*, rue de Grenelle, à l'origine marchand de vin cabaretier depuis 1680, accueille les futurs diplomates ou médaillés de Sciences Po, ainsi que les provinciaux et les touristes. Than, le souriant vietnamien de la rue des Saints-Pères, aujourd'hui disparu, a vu défiler deux générations de futurs médecins entre 1960 et 1990. *La Bûcherie*, près de Saint-Julien-le-Pauvre, était à la même époque l'endroit intime avec feu de bois, pour honorer une jeune fille à qui l'on voulait du bien. Souvenir encore, celui du *Wagon-Salon*, rue des Ciseaux, où Jérôme

Lindon et Christian Bourgois se régalaient d'une côte de bœuf cuite sur les braises et d'une épatante mousse au chocolat. Les vins ? Un modeste saumur-champigny. La relève aujourd'hui, c'est *Pouic Pouic*, rue Lobineau, dont le propriétaire, ancien vigneron, veille personnellement sur la cave et s'assure que la cuisine ne déroge pas aux principes de la cuisine bourgeoise. Serge Gainsbourg avait baptisé la rue Guisarde la « rue de la soif ». Ceux qui passent la nuit chez *Castel*, rue Princesse, n'ont guère pour se restaurer d'autres lieux que le *Pub Saint-Germain*, rue de l'Ancienne-Comédie, ou l'*Old Navy*, près du carrefour Buci, ce qui n'est guère enthousiasmant.

Une chronique d'époque des « Potins de la Commère » signée Carmen Tessier dans *France-Soir*, nous rappelle la figure étincelante de Roger la Grenouille qui menait la danse, rue des Grands-Augustins, dans le Paris de la IVe République : « Nous pourrions peut-être essayer d'avoir une table à *Roger la Grenouille*, suggère M. Paul-Étienne Dupont-Sommeil (X-Ponts, 1934) à sa femme Anne-Sophie. Et risquer ensuite d'entrer dans l'une des caves de Saint-Germain-des-Prés ? » Roger Spinhirny, patron de *La Grenouille*, restaurant créé en 1930, avait habitué ses clients à lui demander la permission d'amener un ami, car le cercle de famille était restreint. Picasso, qui habitait la rue des Grands-Augustins, y côtoyait Jean Rostand ; Rita Hayworth y rencontra le prince Ali Khan ; l'aviateur Antoine de Saint-Exupéry et Frédéric Joliot-Curie étaient des amis du patron, Marcel Thil et Cerdan des habitués, sans oublier Mistinguett, Humphrey Bogart, Michèle Morgan ou Christian Dior. Le plat de rigueur, dans cette ancienne échoppe de cordonnier qui ressemblait à un couloir, était les cuisses de grenouille fraîches. Le reste du menu se lisait sur une ardoise accrochée au mur, au fond de la pièce, à l'aide de jumelles que les clients se passaient de table en table. *Roger la Grenouille* reste un spectacle de Paris, longtemps maintenu par la famille Layrac. Mais la clientèle touristique désormais envoyée par les hôtels n'est plus celle de jadis. Les grenouilles non plus !

Les grenouilles, autrefois, venaient de la Dombes, dans l'Ain, aussi célèbres que celles du bon Aristophane, du moins auprès des Lyonnais lettrés et humanistes comme l'était le président Herriot. La Dombes (toujours au singulier, malgré le *s* !) est la mine d'or des recettes lyonnaises. Un plateau argileux dominant les vallées du Rhône, de la Saône et de l'Ain, c'est la Dombes aux mille étangs. La grenouille était la coqueluche de ces contrées. Tout Lyon venait le dimanche les déguster dans les petites auberges du pays, et aujourd'hui encore à l'*Ancienne Auberge* chez Georges Blanc, à Vonnas, dans l'Ain.

Aux Échets, dans l'Ain, Christophe Margain, cuisinier puissant et jovial, qui partage la même passion que sa clientèle pour les batraciens, les prépare de trois façons : sautées au beurre et fines herbes ; en galettes de pommes de terre rôties aux grenouilles désossées ; et encore à la crème d'estragon. Mais la grenouille est une sacrée sauteuse. La voici également au cœur de l'Artois, non loin d'Azincourt, où elle tente de venger l'honneur de la cavalerie française défaite par l'Anglais en 1415. Il n'en fallait pas plus pour assurer, depuis deux générations, le succès de *La Grenouillère* à La Madelaine-sous-Montreuil, dernier établissement offrant des cuisses de grenouille avant le tunnel sous la Manche !

Aujourd'hui, le jeune et inventif Alexandre Gauthier poêle les cuisses de grenouille à l'huile d'olive, sans les fariner, ajoute le beurre puis la purée d'ail et un trait de sauce soja pour l'assaisonnement, et enfin du persil frit et jus de persil. D'où viennent toutes ces grenouilles ? Sujet tabou car les prélèvements commerciaux sont interdits en France depuis 1980. Alors la grande distribution importe des cuisses surgelées depuis l'Indonésie et la Chine, tandis que la restauration négocie des grenouilles vivantes en Turquie, Égypte et Albanie. L'élevage des grenouilles (raniculture) n'a jamais vraiment marché. En ira-t-il différemment de celui installé à Pierrelatte, dans la Drôme, non loin de la centrale nucléaire ? Une première en France due à un poissonnier de Roanne, Patrice François, et aux chercheurs de l'Inra. Un La Fontaine nous manque pour écrire la fable de «la grenouille qui voulait domestiquer l'atome».

Dépassées, ringardes, les nuits parisiennes, en comparaison de celles de Londres ou de Berlin ? C'est vite dit. Certes, les lieux de la nuit actuels sont soumis au couvre-feu d'une bourgeoise jalouse de son sommeil. Mais depuis qu'Hemingway décréta que «Paris est une fête», la vie nocturne continue et la *live music* se porte plutôt bien. En réalité, c'est le visage parisien de la nuit, avec une offre ciblée et globale – bar, restaurant, concert – qui a changé. Saint-Germain-des-Prés est loin d'être avare en lieux de divertissement, chacun ayant ses codes musicaux, vestimentaires, ses réseaux ou sa communauté.

Les nostalgiques du *Tabou*, lorsque Boris Vian retrouvait Jean-Paul Sartre et Miles Davis, sont réfugiés à *La Rhumerie* du boulevard Saint-Germain, rénovée sur deux étages, où, en fin de semaine, des musiciens donnent un concert de jazz en soirée pendant que la clientèle sirote un CRS (citron, rhum, sucre) avec des accras et du boudin antillais ! On y croisait parfois Jacques Chirac, il n'y a pas si longtemps, qui dégustait une caïpirinha. Non loin de là, à *L'Alcazar*, créé voici une dizaine d'années par le Britannique Sir Conran, deux chanteurs et un pianiste interprètent Mozart et Verdi chaque lundi soir, pendant le dîner. D'autres soirs, la mezzanine s'enflamme au son des rythmes brésiliens.

En se dirigeant vers la Seine, on découvre *Lapérouse*, sur le quai des Grands-Augustins. Ce restaurant devait sa réputation sulfureuse aux aléas d'un marché de volailles, dont le déplacement vers les halles de Baltard, sous le second Empire, provoqua l'arrivée des cocottes. L'établissement qui accueillait aviculteurs et marchands dans des salons discrets où ils réglaient leurs affaires fut transformé en restaurant avec cabinets particuliers fort prisé sous le second Empire. Ce fut un haut lieu de la galanterie, avec sofas et eau courante. On sonnait le maître d'hôtel pour être servi, car les portes n'étaient munies que d'un loquet intérieur. Le dernier bidet a disparu, paraît-il, en 1961. Le décor actuel « à la manière de Watteau » date de 1878. « C'est du Watteau à vapeur », persiflait le Boulevard, reprenant le mot du peintre Degas.

Lieu de la haute noce parisienne, *Lapérouse* fut aussi une grande table, avant la dernière guerre, sous la direction de Roger Topolinski. Le sort de bien des gouvernements de la IIIe et de la IVe République s'est joué dans ses petits salons coquets. Des fastes et des frous-frous d'hier, il ne reste que les yeux pour admirer ce perchoir rococo et mondain à la dérive. Depuis plusieurs années, l'établissement paraissait promis au sort du *Titanic*. Une équipe nouvelle arrivée en 1999 put faire croire un temps que le succès allait revenir. Le velouté au pain brûlé et allumettes dorées du jeune Pascal Barbot montrait une attention aux saveurs paysannes. Les filets de sole aux châtaignes croquantes, clin d'œil appuyé à son Auvergne natale, furent un bel exercice acrobatique dont l'équilibre des saveurs s'appuyait sur un léger nappage de beurre salé clarifié. Le morceau de bravoure était la confrontation d'un gibier savoureux avec un coulis d'airelles fraîches. Un repas aux saveurs décalées mais équilibrées qui s'achevait avec la fraîcheur inattendue d'un sablé aux bananes caramélisées, citron vert et glace muscade. Cette cuisine inspirée, courageuse, était celle de la dernière chance pour cette maison. Pascal Barbot resta moins d'un an au *Lapérouse*, promis à une fulgurante réussite. Depuis, l'établissement a usé plusieurs chefs sans parvenir à s'imposer à nouveau. Sur le trottoir d'en face, *Les Bouquinistes*, table inspirée par Guy Savoy, offre aux nombreux touristes un bel exemple d'une cuisine moderne et sans esbrouffe. *Fogon*, à proximité, sur le quai des Grands-Augustins, est la meilleure ambassade de la cuisine hispano-basque à Paris.

Dans la rue des Grands-Augustins flotte le souvenir du *Catalan*, le restaurant de Picasso pendant les années noires. Un peu plus haut, La Bruyère écrivit les *Caractères*. Au rez-de-chaussée, nous avons connu *L'Espadon Bleu*, annexe poissonnière du restaurant *Jacques Cagna*, établi sur le trottoir d'en face. C'est aujourd'hui le siège de *KGB* (*Kitchen Galerie Bis*) annexe de *Ze Kitchen Galerie*, proche du quai, où William Ledeuil explore l'univers parfumé des saveurs thaïlandaises adaptées à nos palais occidentaux, dans une sorte de mariage mixte élégant. *Jacques Cagna* a fermé ses portes en 2012. C'était une jolie table un peu provinciale par son décor historique où Annie Logereau, la sœur du chef, en maîtresse de maison, annonçait avec douceur les délices d'une carte magistrale à la saison du gibier. Picasso, qui rendit illustre la rue des Grands-Augustins, aurait-il apprécié le décor laborieusement reconstitué, entre musée Renaissance et monument du kitsch, qu'était le *Relais Louis XIII* en 1995, lorsque Manuel Martinez en fit l'acquisition ? L'ancien propriétaire avait accumulé dans cette dépendance du couvent des Grands-Augustins meubles, tapisseries et tableaux d'époque. La cuisine de Manuel Martinez, ancien chef de *La Tour d'Argent* et Meilleur ouvrier de France, pourtant d'un parfait classicisme, s'en trouva rajeunie, dépouillée presque, par un saisissant effet de contraste. Dix-huit ans plus tard, sa cuisine reste d'une étonnante vigueur et générosité, savante et simple tout à la fois, servie par une cave irréprochable. C'est, à l'évidence, la meilleure table du VIe arrondissement.

Mai 68 à Saint-Germain-des-Prés

Mai 1968, c'est l'irruption d'une autre musique avec quelques brins de muguet. Frairie bruyante de Saint-

Germain-des-Prés, temps doux et printanier. Cette belle femme au milieu de l'âge, elle tient la main de son amant... Remous et groupes sous les feuillages tôt éclos des jeunes arbres ; les bougies clignotent sur la nuit ouverte. Tendresse active du cœur où les rencontres peuvent encore susciter l'espérance. Il n'en est quasi plus rien. Ces quelques jours en mai ont ce sens et cet appel. Qui rendra l'effervescence de ce quartier où les rêves se croisaient sur le boulevard entre les brûlots vivants des cafés ? C'est une image foudroyante de plaisir et le souvenir d'un geste si simple. Aller offrir à une personne qui dîne à la *Brasserie Lipp* un brin de muguet. Elle est entourée de convives à la première table à gauche en entrant, juste après le tambour. La vitre est ouverte. On voit la nuit trouée de plaisir, on entend la rumeur active de la brasserie. On s'assied sur la banquette de cuir. On prend un demi. Il y a sur la table le plateau d'huîtres. Ce sont les dernières de la saison. Voilà les asperges qui arrivent. Aujourd'hui, cette saynète se déplacerait de la *Brasserie Lipp*, envahie par les touristes, chez son voisin immédiat *Emporio Armani Caffe*, fameuse table italienne dirigée par le brillant Massimo Mori.

Le 10 mai 1968, les barricades réapparaissaient dans la nuit, rue Gay-Lussac. Les jours suivants, de la terrasse de *Lipp* qui ne ferme jamais, l'on voit à l'horizon brumeux la foule et la fumée du combat. C'est la belle jeunesse des écoles qui est en mouvement vers des lendemains qui chantent, et qui a entamé son hégire vers la Médine des ors de la République. Le chef de l'État avisé est parti au Rhin, consulter les oracles et les cohortes qui veillent aux frontières. Le noyau dur de cette insurrection est l'École des beaux-arts, quai Malaquais. Charmant asile de paix en temps ordinaire avec son cloître toscan, son jet d'eau, son arbre de Judée en fleur, propice aux amours. Dans les ruches noires des loges, nos artistes s'emploient, en sueur nuit et jour, à tirer les affiches qui galvanisent le peuple ouvrier des usines boulonnaises. Un groupe sabbatique étrange s'est enclos également dans cet espace inexpugnable, ce sont les Gazolines, qui travaillent aussi avec ardeur en compagnie de leurs libres ménades. Mais, s'il faut bien que la chair exulte, il convient que les ventres se remplissent.

Quels étaient donc les restaurants ouverts dans le Ve et le VIe arrondissement en mai 1968 ? C'était avant la nouvelle cuisine et l'on pouvait voir sortir en riant avec ses amis, *Hara-Kiri* à la main, le bon président Pleven de la *Brasserie Lipp*, sur le boulevard Saint-Germain. Ici la marmite auvergnate flotte par tous les temps, mais ne coule jamais, et aux huîtres d'hiver succède la succulente asperge de mai. Le céleri rémoulade n'a pas de saison, ni le cervelas. Pour certains auteurs, ce lieu charmant personnifie à lui seul l'inconscience arverne, celle du film documentaire *Le Chagrin et la Pitié*, saisissant témoignage de la vie à Clermont-Ferrand durant l'Occupation. On y dînait d'une palette aux pois cassés arrosée d'un marsannay rosé, 1965. Chez *Tante Madée*, le jeune Alain Trama en cuisine, la mousseline de poivrons verts figurait sur la carte. Il fallait parfois attendre un peu les plats, en sirotant un chinon de Couly-Dutheil. Il est vrai qu'on était si bien, un peu à l'écart du front de classe, au calme, rue Dupin.

En première ligne, près du front, chez *Allard*, rue Saint-André-des-Arts, Fernande tenait ferme les rênes malgré le vacarme ambiant, et offrait les consolations de la tradition : sole au beurre blanc, navarin d'agneau, canard aux olives, pintadeau aux lentilles. Comme vin, on vous recommandait un latricière-chambertin 1965. À *La Tour d'Argent*, Claude Terrail, le patron, priait sainte Geneviève en sacrifiant quelques canards propitiatoires. Au *Pactole*, à Maubert, Jacques Manière, venu depuis peu de Pantin, ne vit guère de clients avant le mois de septembre. Chez *Moissonnier*, l'on s'en mettait carrément plein la lampe avec les saladiers lyonnais, accompagnés d'un arbois, rouge bien sûr, s'il fallait amadouer les sans-culottes de passage les plus exigeants. Les propriétaires ont changé, pas la cuisine, toujours roborative et soignée. Chez *Maître Paul*, rue Monsieur-le-Prince, au cœur du choc lacrymogène, le filet de sole au château-chalon, la poularde à la crème, aux morilles et au vin jaune étaient là pour réconforter les obsédés de l'hypocalorique. L'enseigne a pris le nom de *Monsieur le Prince*, mais continue de célébrer le vin d'Arbois et la volaille au vin jaune. Au regretté restaurant des *Saints-Pères*, près de Sciences Po, les charmantes serveuses en tablier blanc offraient la consolation de plats de la cuisine dite bourgeoise, la tarte au poireau et le vin de Cahors. Au *Sauvignon*, rue des Saints-Pères, l'ami Vergnes se réfugiait en ces temps incertains à la cave qu'il ne quittait que le soir après avoir rincé les bouteilles. En temps ordinaire, il accueillait au comptoir ses amis et voisins, le poète Maurice Fombeure et le père Poilâne, avec force beaujolais, saint-émilion et un excellent quincy. Aux *Charpentiers*, rue Mabillon, les amis de Charles Maurras, circonspects, comptaient les derniers jours de la Gueuse, en face d'un délicat pied de porc sainte-ménehould, qui fut fatal à Louis XVI, arrosé d'un château-magence, graves, 1958.

Les sympathisants tièdes, les artistes véritables, les attentistes blasés, les persifleurs comme le bon Topor, humoriste de son état, Marguerite Duras même fréquentaient d'abord leur rocher, l'inénarrable *Petit Saint Benoît*, le temple du rond de serviette, du hachis parmentier et du diplomate, avec pot de beaujolais. D'autres sceptiques, dont les ombres vénales de la nuit qui peuplaient à la brune les abords du *Drugstore* aux côtés des séminaristes de Saint-Sulpice, se délectaient des plats canailles de la mère Raffy, rue du Dragon. Un lieu solennel, haut en couleur avec un étage calme et œcuménique. Un peu plus loin, dans la même rue, discret, réservé à la bourgeoisie, on trouvait encore le restaurant *Claude Saint-Louis* qui avait inventé le plat unique, la meilleure viande de Salers de Paris servie avec des frites, précédée d'une salade aux noix. Plus obscur, rue Guénégaud, c'était *Chez Raton*, une sorte de concierge débonnaire reconvertie aux rognons exquis de veau. Vrai public, jeune plus que révolté, qui venait de la Grande Masse des Beaux-Arts, au bout de la rue Jacques-Callot. Glapissements garantis et gros rouge au pichet. Au coin de la rue Visconti, pudique et féminin, mais sans excès, *Le Vieux Casque* était le domaine des égéries et autres vestales. Cuisine fine en sous-sol, si vous aviez l'heur de plaire aux patronnes, rouges militantes. Rue Mazarine, un discret restaurant russe, *Chez Georges*, était le repaire des décabristes et autres mencheviks attardés, pour une vodka quelque peu onéreuse. Veau strogonoff, excellent, dans la foulée. La Mecque enfin, au coin de la rue des Beaux-Arts et de la rue Bonaparte, le célèbre *Restaurant des Beaux-Arts*, chez Poussinot, accueillait pour une cuisine fluctuante mais non sans charme et généreuse, rapins et rapines, barbouilleurs de tous poils, élèves des Beaux-Arts, le sculpteur César tonitruant et l'architecte Roland Castro, l'une des figures de Mai 68. Belle cave négligée par une clientèle peu argentée qui se contentait du menu. Vins fins de Bourgogne de vieille garde.

Depuis la terrasse du *Pactole*, au 44, boulevard Saint-Germain, d'où il observe à l'horizon la foule et la fumée du combat le 29 mai 1968, Roland Neidhart, un habitué de la maison, haut fonctionnaire du Parlement, se souvient : « Après les pieds de mouton sauce poulette, je venais d'attaquer le poulet père Lathuile. Tout à coup apparaissent les camions qui conduisent les "Renault" à la Bastille pour la manif. » Georges Seguy, alors secrétaire général de la CGT, avait, lui, pour habitude de déjeuner d'un solide cassoulet chez *Sousseyrac*, rue Faidherbe, avant de rejoindre avec son chauffeur le cortège en marche vers la Bastille. Pour beaucoup encore, les souvenirs de cet étrange mois de mai ne sont pas dissociables des tables qu'ils fréquentaient parfois aux côtés des « enragés » et des « katangais ». *Le Pactole*, ouvert en 1967, *Le Pot-au-Feu* de Michel Guérard, à Asnières, et *L'Archestrate* d'Alain Senderens rue de l'Exposition, à Paris, étaient les points de repère de ce qu'une poignée d'initiés appelleront bientôt la nouvelle cuisine.

Que s'est-il réellement passé en mai 68 dans le monde des casseroles ? Les auteurs de *68, une histoire collective* rappellent que, bien après mai, un groupe maoïste de la gauche prolétarienne avait fait une razzia chez *Fauchon* et distribué les produits de luxe dans les foyers d'immigrés de la banlieue. À l'évocation de cette position radicale, l'historien Pascal Ory, dans *Les Lieux de mémoire III*, souligne «l'hédonisme proclamé de la génération soixante-huitarde» qui avait d'abord condamné la grande bouffe comme «symbole du déséquilibre antinaturel de la société de consommation», avant de célébrer le repli individualiste au cours de la décennie suivante, dont, selon lui, *Le Ventre des philosophes* de Michel Onfray et *L'Homme aux pâtes* de Michel Field, parus en 1989, sont l'héritage direct.

Les cuisiniers ont une vision différente et contrastée de cette époque. Pour Gérard Cagna, arpète chez *Lucas Carton* à l'époque, «1968, c'est la fin des sauces liées à la farine, des goûts masqués de la cuisine d'après-guerre; la mutation est brutale: ce n'est pas la révolution, mais ça y ressemble.» Selon Michel Guérard, la rupture avait commencé dès 1952 à Marly-le-Roi, chez André Guillot, à l'*Auberge du Vieux Marly* et à Bougival, au *Camélia* du bon Jean Delaveyne dès 1957. «Pour rompre avec la codification trop rigoureuse d'Escoffier, il fallait tuer le père», dit encore Michel Guérard. C'est Henri Gault et Christian Millau, journalistes à *Paris-Presse-L'Intransigeant*, qui se chargeront de la besogne. Ensemble, ils publieront le *Guide Julliard* en 1962, puis le magazine *Gault et Millau* en 1969 et, trois ans plus tard, un guide gastronomique, promis à un énorme succès. Saisir la rupture, le détail, sinon l'imposer, telle fut jusqu'en 1986 la ligne éditoriale de ce guide. Réduction des temps de cuisson, abandon du faisandage pour le gibier, allègement des sauces trop riches, esthétique et créativité, tel est le credo, inspiré des travaux du médecin biologiste Jean Trémolières, auquel adhère la nouvelle génération de cuisiniers. Son ouvrage, *Diététique et Art de vivre*, apporte la réponse du nutritionniste aux interrogations d'une nouvelle diététique individuelle au sein de la société de consommation.

Henri Gault, curieux, sensuel, gourmand, amateur de vin blanc, d'écrevisses pattes rouges et d'huîtres chaudes, serait le dénicheur de talents ; l'autre, Christian Millau, l'organisateur, le meneur d'hommes, construirait l'extraordinaire aventure de Gault et Millau. Ce duo n'aurait sans doute pas connu un pareil succès sans la sagacité d'André Gayot, habile négociateur et stratège remarquable, car tout opposait, en réalité, les deux journalistes. Il n'est que de lire les trois maigres pages consacrées par Millau à son ancien associé disparu en 2000, dans son *Dictionnaire amoureux de la gastronomie*. Depuis, Christian Millau nous livre régulièrement ses commentaires dans le style de *Vingt Ans après*. En 2007, son *Guide des restaurants fantômes ou Les ridicules de la société française* choisit une forme de satire biaisée et rétrospective. À l'exception de Paul Baratin, alias Paul Bocuse, il n'attaque guère que les disparus ! Cela n'enlève rien à la force comique et explosive de ce guide. C'est par un jeu oblique d'allusions qu'il fait jubiler le lecteur, à la manière d'un Léautaud mâtiné de Frédéric Dard, ou bien en usant du ton d'Audiard, teigneux, champion toutes catégories de la rouspétance malveillante et que la vue du seul cassoulet réconcilie avec notre temps.

Dernier en date de cette génération de journalistes, Claude Lebey a livré ses Mémoires, laissant entendre qu'il était aussi l'un des initiateurs de la nouvelle cuisine. Il fut surtout un éditeur prolifique (chez Robert Laffont, puis chez Albin Michel) et un agent de chefs, dont le regretté Bernard Loiseau.

La nouvelle cuisine, pourtant, n'a pas fait l'unanimité chez les sympathisants de Mai 68. Le docteur Claude Olievenstein, peu suspect d'attirances «bourgeoises», écrivait en 1979: «La nouvelle cuisine [...] prétend offrir une cuisine "aérienne et aérée", mais dans les établissements qui s'en réclament, on ne m'a bien souvent servi, en quantité mesquine, que des mets balourds, insipides, prétentieux...» En 1968, une génération de jeunes cuisiniers s'est approprié la dimension hédoniste et libertaire de Mai 68. Beaucoup ont passé la main. Une nouvelle génération a revendiqué, depuis, le droit d'inventaire. Le regard de Jean-Paul Aron est plus sévère encore dans *Les Modernes*: «La cuisine prétendument nouvelle, d'un œil inspecte les anciens qu'elle s'applique à ressusciter, de l'autre les sportifs, les médecins, les écologistes dont l'idéologie condamne les gastronomes.»

L'art de Jacques Manière

Au 44, boulevard Saint-Germain, aucune plaque n'indique «Ici fut *Le Pactole*» du grand chef Jacques Manière. L'adresse est aujourd'hui anonyme. *Le Pactole*, ouvert en 1968, puis le *Dodin-Bouffant* à Maubert, furent pendant plus d'une décennie les modestes et éclatants creusets où se façonnèrent les révélations gourmandes de toute une génération, en même temps que se forgeaient à la dure, auprès du patron – autodidacte fort en gueule –, les tempéraments de quelques-uns de nos chefs actuels. Ancien de l'armée de Lattre, puis parachutiste au Special Air Service, Jacques Manière avait de l'autorité une vision dont se souviennent encore ses seconds. Généreux, exigeant, volontaire, Manière savait aussi se montrer d'une patience exemplaire, expliquant à ses commis, qui l'appelaient «papa», les secrets de son art.

Que reste-t-il de son style dans nos mémoires gustatives? Le souvenir de la fine sapidité de la sauce de son oiseau sans tête, la profusion de l'omelette Roger Bedaine et du poulet père Lathuile. Le style de Jacques Manière était une façon très simple de faire des choses compliquées: «C'était une cuisine d'une formidable générosité, sans la moindre sophistication», se souvient Roland Neidhart, haut fonctionnaire parlementaire et gastronome, que Manière avait proposé au titre de Fourchette d'or, une distinction sans lendemain imaginée par Henri Gault et Christian Millau pour permettre aux chefs d'honorer les plus fins palais au sein de leur clientèle. Il avait une incroyable capacité à personnaliser les plats les plus simples, comme sa terrine de thon aux carottes et au vinaigre de xérès. Pas la moindre esbroufe dans son civet de homard et de canard lié au sang: «Une nécessité immédiate dans l'assiette, une plénitude des saveurs dès la première bouchée», plaide encore Roland Neidhart, «inconsolable orphelin de cette cuisine, peut-être de ce génie culinaire».

L'ardeur du gastronome est une patiente reconstitution personnelle des goûts et des manières de table qui lui sont attachés. C'est un effort semblable à l'acquisition de la musique ou à la connaissance des arts. Une recherche qui permet l'accès au goût raffiné, un parcours qui tient à nos origines, à notre mémoire, aux images laissées par la vie. Manière fut, je le confesse, à l'origine de mes premiers grands émois gastronomiques et m'honora d'une amitié fidèle bien avant que je songe à prendre la plume. Il me permit surtout d'observer et de comprendre sa technique, celle des sauces gigognes, par exemple. Et les apports aromatiques, y compris dans la recette déjà bien oubliée à l'époque de la «tête de veau sauce tortue», véritable pierre de Rosette de la cuisine classique, à laquelle tous les grands cuisiniers, Antonin Carême, Jules Gouffé, Auguste Escoffier, jusqu'au contemporain Marc Meneau, ont apporté une touche personnelle.

Nous aurons garde d'omettre le dernier en date et fort improbable Jean Bruller, plus connu sous le nom de Vercors, auteur du *Silence de la mer*, qui, dans un ouvrage étonnant (*Je cuisine comme un chef sans y connaître rien*, Bourgois, 1991), nous conte comment cette tête de veau sauce tortue était pour lui un irremplaçable souvenir proustien de la table maternelle. Ladite sauce tortue est une infusion d'herbes aromatiques dans un peu de fond de veau, laquelle, ajoutée à la sauce, va lui donner une délicate dimension potagère. Car les fameuses «herbes à tortue» ne sont rien d'autre que les herbes du jardin, la sauge, la marjolaine, le romarin, le basilic, le thym, le laurier et le persil. On ajoute cette décoction à la demi-glace et à la sauce tomate selon les quantités prescrites avant de mettre au point le goût avec le madère et une pointe de Cayenne. La garniture de ce plat comprend olives, champignons de Paris et petits cornichons tournés, quenelles de farce de veau, œufs frits, cervelle et langue, quelques écrevisses pattes rouges pour le décor, et julienne de truffes pour le parfum. Alors la poésie est dans la marmite, et cette recette que d'aucuns trouveront obsolète prend une dimension mythique.

La mémoire gustative est le support nécessaire de toute culture culinaire, mais la recette est une remémoration qui relève du conte, ou du rêve éveillé, car la gastronomie n'est pas une science exacte. Le secret du cuisinier est dans sa marmite. Une recette n'est qu'une taxonomie faite d'ajouts successifs, rapportés dans un langage fort éloigné du sens commun : *lever, mouiller, blanchir, rectifier...* La véritable recette est un palimpseste vite gagné par l'oubli lorsque l'exécutant a perdu le souvenir de l'instant où le trait de vinaigre ou le jus de citron est nécessaire, s'il doit être abondant ou restreint, précéder ou non l'estragon qui donnera la touche finale.

L'autorité de Jacques Manière trouve ici sa justification car la plupart de ses anciens collaborateurs, même lorsqu'ils eurent développé leur propre personnalité, possédaient encore la capacité de faire renaître le feuilleté d'asperges au beurre de ciboulette, les saint-jacques à la purée de cresson dédiées par Jacques Manière à son ami le Toulousain Lucien Vanel, la blanquette aux petits légumes ou bien la fameuse tête de veau sauce tortue, reprise récemment par Mark Singer au *Dodin*, dans le XVIIe arrondissement. La recette des pieds de mouton sauce poulette, revue par Jacques Manière lorsque l'ami Mustapha avait rapporté les pieds, soigneusement grattés à l'enfourchure le matin même aux Halles de Vaugirard, nous a été rappelée vingt ans plus tard par son ancien second Philippe Valin : « Préparer quelques zestes de citron blanchis ; faire suer les échalotes, y ajouter les pieds préalablement cuits dans un blanc, un trait de noilly, un peu de bouillon de cuisson, puis les zestes de citron, la crème fraîche. Effectuer, avec les œufs, une liaison à l'anglaise. L'ensemble doit rester très jaune. Ajouter un jus de citron et la ciboulette. »

Jacques Manière, qui fut l'ami et le complice de Michel Guérard, ne mérite pas l'oubli dans lequel il est tenu. Quelques-uns se souviennent de sa générosité et de son aide précieuse : il fit connaître à Paris deux vignerons promis à un bel avenir : Eloi Dürrbach, du domaine de Trévallon au cœur des Alpilles, et Henry Marionnet, pionnier du vin nature au domaine de la Charmoise en Sologne. Ses coups de génie étaient au moins aussi inspirés que ceux de notre époque, qui n'en est pas avare. Combien seront-ils demain, ces chefs illustres, glorifiés par les gastronomes ? Ils n'auraient pas suffi à prolonger la renommée de la cuisine française sans le talent de ceux qui, comme Jacques Manière, ont formé le goût d'une génération de gourmands.

Sa cuisine savait aussi être spontanée, à l'exemple de l'œuf Céline, qui n'était certes pas dédié à l'auteur du *Voyage au bout de la nuit*, mais à Céline Vence, laquelle venait de publier avec Jacques Le Divellec *La Cuisine de la mer*. Et comme elle faisait un jour remarquer à Manière que les cuisiniers ne sortaient guère des sentiers battus, piqué au vif, il mit son imagination en route, tout en l'écoutant : « Une recette simple... Un œuf, quoi de plus simple, mais avec quoi ? Association d'idées... avec d'autres œufs, ceux de l'esturgeon... et du caviar ! Mais le tout sera froid quand je le servirai... Le réchauffer, le flamber ? » Le caviar lui fit irrésistiblement penser à la vodka. Ainsi naquit l'œuf Céline, que chacun peut réaliser à la condition de posséder des coquetiers et un plat métalliques. La seule difficulté est de laisser le jaune dans la coquille au moyen d'une fourchette pour éliminer le blanc. L'œuf, garni de caviar, est placé dans un coquetier en métal ajouré. Deux cuillères à soupe de vodka enflammée au-dessous et le tour est joué en moins d'une minute, afin de tiédir l'œuf et le caviar sans les cuire. « Le plus long est de tailler, faire griller et beurrer les mouillettes », disait Manière, hilare. Succès planétaire, à tel point que fut bientôt contestée au grand Jacques la paternité, non pas de cette recette, mais de ce qu'il considérait comme un simple tour de main. Manière, dans les années 1970, avait conseillé le nouvel acquéreur d'un très bel établissement, avec cheminée monumentale, situé dans le voisinage, rue Maître-Albert, dont Guy Savoy a fait depuis quelques années la plus fameuse rôtisserie de Paris, à l'enseigne de l'*Atelier Maître Albert*.

Des étoiles hors les murs

À l'extrémité du boulevard Saint-Germain, *La Tour d'Argent* est l'héritière d'une auberge du XVIᵉ siècle située hors les murs de l'enceinte de Philippe Auguste, dont une tour en pierre champenoise pailletée de mica avait au soleil des reflets argentés et qui protégeait un octroi. Henri IV, dit-on, y avait apprécié un pâté de héron. Vers 1780, un restaurant s'y installe. Il sera pillé le 14 juillet 1789 après la prise de la Bastille par les émeutiers, qui confondent le blason de l'établissement avec des armoiries princières. En 1925, le *Guide du gourmand à Paris* de Robert-Robert situe ce «sanctuaire de la gourmandise […] loin, très loin, dans les parages inexplorés de la Halle aux vins et du jardin des Plantes».

Depuis 1890 en effet, Frédéric Delair, propriétaire des lieux, exécute une étrange cérémonie propitiatoire, inspirée du caneton rouennais. C'est un Challans, promptement étouffé afin de conserver son sang. À mi-cuisson, il est livré au canardier, découpé à la vue du client, avec pour ultimes instruments de torture la presse, le réchaud, l'écumoire. «On ôte la peau. On lève les filets avec une lame précise.» La carcasse est placée dans la presse à canard, où elle exsude la dernière goutte dans la sauce – le bouillon et le foie du canard – à laquelle on ajoute cognac, citron et madère. Sur le réchaud se produit la délicate liaison et s'achève la cuisson des filets. On apporte les pommes soufflées. Les cuisses, grillées, feront l'objet du second service. C'est la constante impériale de cette recette, à laquelle on ne peut rien changer. Depuis la même époque, on numérote les canards et l'on tient le registre des dégustateurs célèbres. Bel exemple historique de traçabilité, mais qui n'est pas sans danger ! Parfois les listes se font discrètes. Entre le canard n° 147 844 dégusté par le duc de Windsor en 1938 et le numéro 185 397 dévolu, dix ans plus tard, à la princesse Élisabeth, l'on ne connaîtra sans doute jamais les bénéficiaires des 37 513 canards inconnus des années de guerre. Claude Terrail m'a dit que les archives avaient disparu. Son fils, aujourd'hui, est moins catégorique. Au moins sait-on qu'outre les célébrités du monde entier qui ont fréquenté *La Tour d'Argent*, en période de paix comme en temps de guerre, le général von Choltitz, qui refusa en 1945 de détruire Paris sur ordre de Hitler, est revenu dîner à *La Tour d'Argent* en 1956.

Les relations du *Guide Michelin* avec *La Tour d'Argent* ont toujours été chaotiques. Cet établissement faisait partie de la fournée des sept premiers étoilés de 1933. Puis, en raison des «difficultés d'approvisionnement», la classification trois étoiles fut suspendue jusqu'en 1951. On conviendra qu'il s'agissait plutôt d'un délai de décence, après la période de l'Occupation, pendant laquelle la plupart des trois-étoiles avaient été réquisitionnés, à l'exception de Fernand Point, à Vienne, qui ferma son restaurant. En 1952, *La Tour d'Argent* perdit une étoile, retrouvée l'année suivante, puis à nouveau en 1996. L'option paternaliste de l'entreprise de pneumatique clermontoise, même devenue multinationale, tient le *Guide Michelin* éloigné du symbole de luxe et de frivolité que représente *La Tour d'Argent*. En 1952 et en 1996, Claude Terrail avait manifesté son intention de retrouver son rang. Dans *Ma Tour d'Argent*, il écrit : «Mon père m'avait simplement dit qu'il faudrait bien un jour poursuivre son œuvre, "maintenir" *La Tour d'Argent*, c'est-à-dire la renouveler indéfiniment.» Le message vaut pour son fils André : maintenir n'est pas ne rien changer.

Les choses étaient depuis longtemps figées à *La Tour d'Argent*, devenue une sorte de musée Grévin de la cuisine bourgeoise, quand l'arrivée de Laurent Delarbre, dans la discrétion, en avril 2010, laissa augurer un certain renouvellement. Ce jeune chef connaissait l'établissement ; il y avait fait son apprentissage avant de rejoindre les brigades du *Ritz* et de *Lasserre*. « Il a pour mission de faire évoluer la carte, tout en respectant l'esprit de la maison », confiait André Terrail junior à son arrivée. Une pièce de veau gras et pommes confites aux olives donnait bientôt la réplique au canard numéroté ; tandis qu'au déjeuner un menu – quenelle de brochet, canette de Vendée, soupe de pêches – était proposé à un prix raisonnable, avec un service qui reste un modèle inimité. Jamais un maître d'hôtel n'interrompt une conversation pour commenter un plat, un usage qui s'est, hélas, largement répandu, et laisse supposer que le client a oublié ce qu'il a commandé.

Las, les responsables du *Guide Michelin* n'ont pas eu jusque-là l'élégance de réviser leur classement en laissant une seule étoile au restaurant français parmi les plus connus dans le monde. Que reprocher à *La Tour d'Argent*, sa cave exceptionnelle ou bien le fait de ne servir les vins qu'après un vieillissement de dix années, règle imposée par le merveilleux sommelier David Ridgway ? Certainement non, pas plus que la vue sur le chevet de Notre-Dame. Alors, ce ne serait que le musée d'une cuisine périmée ? Libre à chacun d'aimer à la fois Chardin et Bonnard.

Un repas à *La Tour d'Argent* est toujours un moment singulier, quel qu'en soit le prétexte. Cadre raffiné, clientèle choisie. On se fait une fête d'aller dîner dans un tel endroit. Le public est en général habillé avec élégance et goût, comme à l'Opéra autrefois. Les menus sont distribués avec parcimonie. Le service est un modèle de discrétion et d'attention à la fois. Là est la différence avec un mauvais restaurant, c'est-à-dire bien des adresses parisiennes, y compris parmi les plus courues, lorsque l'accueil est incertain et que le chef de rang tarde à venir ; c'est de lui, pourtant, que dépend le bon ordre des choses. Il est là, on va demander des précisions... non, il est happé par une autre table. Des amis à lui, sans doute ? La commande est passée, enfin. Et commence la longue attente. La cuisine est-elle « dans le jus », le personnel trop peu nombreux ? Il ne semble pas cependant que la carte abonde en préparations minute. C'est ce que chacun se dit, tenaillé par la faim, souhaitant que ce dîner soit réussi et permette d'échapper, le temps d'une soirée, aux rudesses du quotidien. Voici l'amuse-bouche. « Bon appétit », ânonne le jeune serveur, incongruité à laquelle personne ne répond. Il récidive avec les entrées. « Le turbot, c'est pour qui ? » Puis il se croit obligé de nommer les plats en les déposant devant chaque convive, comme si chacun avait oublié ce qu'il a commandé, avant de lancer : « Bonne continuation d'appétit ! » Alors le grotesque est atteint. Les plats ne seront servis que longtemps après. On le fait remarquer au serveur qui lève les yeux au ciel. La situation se tend imperceptiblement. Les verres sont vides ; la bouteille est sur un guéridon hors de portée. Le dîner est en passe d'être raté. Une sourde suspicion s'installe : la barbue est-elle fraîche ? Assurément, le turbot est trop cuit, les garnitures sont tièdes. La situation est au bord de la rupture ;

inévitablement l'orage éclate lorsqu'un autre serveur, aussi peu expérimenté, pose les assiettes sur la table couverte des miettes du service précédent. Un maître d'hôtel, conciliant mais désabusé, recueille les critiques et constate les reliefs sur la table. Il offre un verre de champagne et bredouille de vagues excuses.

Le service est l'aboutissement de la préparation culinaire. Le personnel de salle, dans sa double fonction de service et de représentation, doit faire preuve de tact. Et non, pour autant, se comporter en Arlequin : «Tout à coup, je vis le patron s'infléchir en courbettes, les maîtres d'hôtel accourir au grand complet, ce qui fit tourner les yeux à tous les clients», regrettait déjà Marcel Proust. En théorie, la lecture d'une carte peut déjà donner une idée de la cuisine. Bien entendu, si la nomenclature des plats est ampoulée jusqu'à donner la nausée, on pourra aisément imaginer le résultat dans l'assiette. En pratique, il faudra pourtant se garder de conclure hâtivement : ce peut être le fait de la patronne, d'une copie de grande carte mal assimilée ou de la naïveté. Il vaut mieux alors se borner à relever les extravagances de la carte, faute de pouvoir mettre à exécution la recommandation prêtée à Raoul Ponchon : «Il y a des restaurants dont il vaut mieux partir sans payer plutôt que d'avoir des histoires.»

La vie de quartier

Plusieurs générations de polytechniciens, lorsque leur école était encore rue de la Montagne-Sainte-Geneviève, conservent le souvenir du *Père Besse*, un caviste situé au numéro 48, chez qui ils se livraient régulièrement à quelques travaux d'application. Comme chaque client, ils étaient accueillis par le patron, souriant et bougon, le béret vissé sur le chef : « Vous cherchez quelque chose ? Prenez votre temps, vous êtes ici chez vous. » Entre capharnaüm et caverne d'Ali Baba, la boutique était jonchée de bouteilles vides, de caisses entrouvertes des plus prestigieuses appellations. Une bouteille de la-tâche, le goulot cassé par la chute d'une pile de cartons, mais à demi pleine, ne semblait pas émouvoir ce Corrézien, né en 1907 à La Graulière près d'Uzerche : « Bah, je boirai ce qui reste avec des copains ! » Rituellement, revenait la question : « Combien voulez-vous mettre ?... Alors prenez ceci, c'est très bien. »

Jean-Baptiste Besse, décédé en 1996, avait ouvert sa boutique en 1932. Pendant soixante ans, il vit défiler dans ses murs les amateurs de vin du monde entier, Hemingway, Peter Ustinov, Jean Carmet et tous les amoureux du vin de la capitale. Il avait commencé modestement par vendre à la tireuse des vins au litre. Il procédait aussi à quelques mises en bouteilles. Sa première rencontre avec les vins fins de Bordeaux fut un cos-d'estournel qu'il plaçait, avec le cheval-blanc, au sommet de sa hiérarchie personnelle. Bien vite, les trois étages de la cave furent emplis de vins de toute provenance qu'il s'enorgueillissait d'avoir goûtés. Son choix, large et pertinent, découvert à l'occasion de ses visites dans le vignoble, était partagé avec tous ses clients qu'il conseillait pareillement. Il conservait des stocks importants, y compris de vieux champagnes. L'on trouvait toujours chez lui un bollinger RD, les bourgognes de la maison Chandon de Briailles,

les vins de Loire d'Olga Raffault. Il buvait tous les jours une gorgée de vieux banyuls dont il aimait la franchise. C'était le prototype du caviste à l'ancienne qui, comme les libraires d'autrefois, savait faire partager ses goûts et ses découvertes, conseiller, faire goûter parfois et toujours donner le sentiment aux néophytes qu'ils avaient appris quelque chose en sortant de sa boutique.

Elle a été reprise et entièrement transformée, après quelques années de fermeture. Le stock avait été racheté par Lionel Michelin, autre passionné de vins. Cet ancien cadre des télécoms, amateur et collectionneur qui abandonna son métier la quarantaine venue, développe depuis quinze ans un négoce de vins anciens et de bouteilles récentes, mais rares. C'est un antiquaire du vin dont l'enseigne parle aux latinistes qui ont le sens de l'humour : «*De vinis illustribus*». Il vise un marché de niche, celui des amateurs de vins vieux ou de vins aptes à vieillir. C'est un marché qui ne peut que se développer devant l'effarante progression des vins technologiques, prêts à boire dès leur mise en bouteille, issus de vinifications aux forceps, aux arômes excessivement boisés. Lionel Michelin court les ventes aux enchères, mais il s'est surtout spécialisé dans le rachat de caves de particuliers, dont il peut ainsi apprécier les conditions de conservation, à l'occasion de successions ou de ventes. C'est un véritable chasseur de trésors.

Les années 1980 et 1990, avec le développement spectaculaire des foires aux vins des grandes enseignes, considéraient les cavistes comme des supplétifs de la grande distribution, voués à une inéluctable disparition.

Or, depuis 2005, le nombre de ces petits commerces de proximité n'a cessé de progresser à Paris. De l'autre côté de la rue Mouffetard, sous l'enseigne *Philovino*, rue Claude-Bernard, s'est installé un caviste atypique, Bruno Quenioux, ancien acheteur-gourou de Lafayette Gourmet. Sa passion pour une vinification sincère lui vaut quelques soucis avec ceux qu'il accuse de formater le vin, d'en figer la matière en lui donnant, grâce à une technologie de plus en plus envahissante, une « couleur d'encre ». Son site (philovino.com) est un manifeste des vins « authentiques », qui « chantent les saveurs et les générosités de la terre », et une anthologie des meilleures bouteilles du moment.

La rue Mouffetard, non loin des arènes de Lutèce où les amoureux vont conter fleurette, n'est pas un désert mais un marché parisien classique, actuel et permanent, fort bien garni, au pied de vieilles maisons avec cours et jardins, livrées aux bobos, nos modernes bohèmes. De petits restaurants de tout acabit descendent la rue pentue le long de la caserne des pompiers. Il y avait autrefois un fastueux restaurant chinois tenu par une Libanaise. Le mari en cuisine, la patronne affable débitait le rouleau de printemps avec un accent coruscant. Elle était toujours fatiguée, mais la cuisine chinoise était parfaite. De ce quartier, dans les hauteurs de la rue, nous avons le souvenir du café *Aux Cinq Billards*, avec sa succession de vastes salles et de tables de jeu. *La Forge*, petite ambassade périgourdine rue Pascal, au bas de la rue Mouffetard, c'est encore le paradis du canard : foie gras, confit, magret. Et aussi du filet mignon de porc et du bœuf bourguignon. « Ici, pas de cuisson sous vide à basse température », confirme le chef Jean-François Le Guillou. C'est le domaine des cuissons lentes, du mijoté : «cuisine paléolithique», selon Joseph Delteil. Le cassoulet ? Une affaire sérieuse ! Avec les desserts du pays et une bouteille de bergerac, l'addition reste sage.

L'on se souvient aussi, au carrefour de la rue Saint-Jacques et du boulevard Saint-Germain, d'un restaurant oriental nommé *Les Balkans*, célébrissime et rustique, à son apogée dans les années 1960. À Paris, la cuisine grecque est concentrée rue de la Huchette, au cœur du Quartier latin. Mais la plupart des restaurants sont à éviter.

Les saveurs de la cuisine hellénique, celles du bouquet garni de thym, de laurier et d'origan, se trouvent aujourd'hui chez *Mavrommátis*, auprès de l'église Saint-Médard, la meilleure table hellénique de Paris, sinon de toute la diaspora. Le laurier est essentiel pour la cuisson du poulpe au vin blanc. Le thym parfume les cailles en feuilles de vigne rôties et bien d'autres préparations de la carte d'Andréas Mavrommátis, d'origine chypriote, installé avec ses frères au bas de la rue Mouffetard, ainsi qu'aux *Délices d'Aphrodite*, dans une rue voisine. De Chypre, où l'on se régale du cochon de lait confit dans un four chauffé à feu d'enfer, il a amené sa passion communicative pour la cuisine. On se régale, chez lui, d'un filet mignon de porc poêlé au vin rouge de Metsovo et à la coriandre, d'un espadon à la fondue d'aubergine, d'agneau de lait à la broche, de la série des *pikilia*, grandes assiettes de dégustation, et, naturellement, de la moussaka. Quelques vins blancs d'exception, de Santorin, autorisent de convier Dionysos à votre table. Magie des saveurs, des couleurs, des légendes qui lui sont attachées, la cuisine grecque vient de notre plus vieux fonds civilisé. Les plantes aromatiques excitent l'appétit, tempèrent l'instinct carnivore barbare, et le parent des senteurs de la Méditerranée. Au brouet spartiate des tables incertaines de la rue de la Huchette, nous préférons la finesse et l'élégance attique des agapes chez *Mavrommátis*.

Nous ne quitterons pas les Ve et VIe arrondissements sans faire étape à *La Marlotte*, rue du Cherche-Midi, très à la mode pendant les années Giscard, relancée récemment par Gilles Ajuelos après qu'il eut cédé *La Bastide Odéon*, avec une carte aux quatre vents de la Méditerranée et une cuisine du marché. Cette rue abrite aussi le siège d'une institution bistrotière où se retrouvent tous ceux qui sont insensibles au japonisme, à l'esthétique de l'assiette, aux tapas et au picoré, et plébiscitent la solide tradition maintenue par Jean-Christian Dumonet à la suite de son père, qui raccrocha son tablier dans les années 1990. Au restaurant *Joséphine «Chez Dumonet»*, deux enseignes accolées, on propose toujours l'un des meilleurs gigots de Paris accompagné de mojettes du Poitou et une ambassade du Sud-Ouest, avec cassoulet, foie gras et truffes en saison. Le canard semi-sauvage aux choux faisait la joie de Jean Pinchon, ancien président de l'Inao, solide fourchette rappelée au paradis des gourmets, et, toujours, de son neveu, le traiteur Marc Vigneau-Desmarest, et son épouse. Le décor de bistrot à l'ancienne est inchangé, rassurant; le service enlevé et rigolard avec des reparties à la Audiard.

Notre balade gourmande dans le VIe arrondissement serait incomplète si nous n'évoquions pas *La Rotonde*, au carrefour Vavin, une brasserie créée en 1911 au moment même où les peintres, à la suite de Picasso, quittaient Montmartre et le Bateau-Lavoir pour s'installer à Montparnasse. Une longue et riche histoire est inscrite sur les murs de l'établissement, qui accueillit François Hollande, le soir de sa désignation comme candidat de son parti à la présidentielle de 2012. « À chacun son *Fouquet's* », dira un plaisantin, sans parvenir à troubler les frères Tafanel qui accueillent sept jours sur sept une clientèle d'habitués, dont une forte proportion d'amateurs de steak tartare, l'un des meilleurs de Paris. Le menu à prix fixe propose aussi, régulièrement, le fameux pâté en croûte ou bien une terrine du charcutier Gilles Vérot, dont la boutique et l'atelier sont situés tout près, rue Notre-Dame-des-Champs.

Gilles Vérot est l'héritier d'une dynastie charcutière fondée par son grand-père à Saint-Étienne en 1945. Installé à Paris au milieu des années 1990, Gilles remporte le championnat de France du fromage de tête – une compétition des plus sérieuses fondée en mémoire de l'acteur Jean Carmet – et se lance dans la charcuterie haut de gamme. En quinze ans, il renverse l'image d'une profession condamnée à la disparition par les effets conjugués de diététiciens obstinés et des grandes surfaces approvisionnées par l'industrie charcutière. Son exemple est un encouragement pour de nombreux jeunes qui ont, comme lui, appris le métier par devoir avant d'en découvrir les autres aspects, le partage, la convivialité et l'innovation bien comprise. Avec lui, ce n'est pas une parenthèse qui se ferme, mais une porte qui s'ouvre. En 2011, il est consacré vice-champion du monde du pâté en croûte, grâce à une pièce très savoureuse composée de volaille, farce de porc et foie gras, ponctuée de morceaux de coing. Toujours créatif, il propose dans ses deux boutiques parisiennes bien d'autres recettes, car le pâté en croûte est devenu «tendance»: à la volaille de Houdan, avec farce de porc et pistache, au canard à l'orange, au ris de veau et morilles, au canard, figues et foie gras, ou encore aux sept viandes, dont quatre gibiers, comme l'«oreiller de la Belle Aurore», une recette de Lucien Tendret dédiée à la mère de Brillat-Savarin. Les Parisiens font la queue, accueillis par Catherine Vérot, pour se procurer le jambon à l'os, le saucisson sec ou lyonnais, les rillons, le boudin noir, le pâté de lapin de la garrigue et une fameuse choucroute, l'une des meilleures de Paris pour beaucoup d'amateurs.

Les cafés parisiens ont été très largement et profondément modifiés. Beaucoup ont disparu, comme ce bistrot d'avant 1914 baptisé *Au Siècle Nouveau*. Il mourut foudroyé par la modernité dans les années 1990, avant la fin du siècle écoulé. Les cafés des Ve et VIe arrondissements n'ont pas échappé à ce destin. Ceux qui ferment laissent comme une blessure dans la mémoire de toute une génération, une impression de fuite du temps, à l'instar de *La Reine Blanche* – quartier général du poète Maurice Fombeure qui était aussi garde champêtre de Saint-Germain-des-Prés – ou encore du *Café des Sports* au carrefour de la Croix-Rouge. *La Palette*, rue de Seine, résiste tant bien que mal. *Le Rouquet*, à l'angle de la rue des Saints-Pères, est le dernier témoin des années 1960 sur le boulevard. Pour combien de temps? Existeront-ils demain, ces amateurs appliqués des cafés qui exploraient les marges, les entours plus que les alentours, par nostalgie politique aussi, comme Éric Hazan, Jean Rolin et le prodigieux Pierre Sansot. Pourvus d'un itinéraire, ils changeaient de lieux de prédilection chaque jour, et notaient sur un petit carnet l'heure de leur passage. Certains saints buveurs, selon l'image de l'Autrichien Joseph Roth, sont morts à la tâche, épuisés par leur parcours horloger, comme le caméléon traversant une étoffe écossaise. Le phénomène n'est pas exclusivement parisien. «Les cafés caractérisent l'Europe. Dessinez la carte des cafés, vous obtiendrez l'un des jalons essentiels de la notion d'Europe», écrit George Steiner, essayiste et romancier, critique littéraire au *New Yorker*.

« Manger, c'est voter ! »,
entre les Invalides et l'École militaire

On a dit que les fonctionnaires sont une invention de l'Empire, perfectionnée au XIXe siècle, et qui s'est accomplie à notre époque. Balzac, qui a assisté à cette naissance, en a trouvé le modèle indirect chez le caricaturiste Henri Monnier, le père de Joseph Prudhomme. Qu'en est-il aujourd'hui des mœurs de table de semblables régiments successifs ? Existe-t-il une gastronomie administrative ? De tradition, ce sont les « trois armes » qui fournissaient, en partie du moins, le gros de la troupe des personnels de salle et de cuisine des ministères si nombreux dans le VIIe arrondissement. La marine, parce que ses cuisiniers sont les mieux choisis et les plus expérimentés, avait le privilège d'assurer l'ordinaire des grandes tables de la République, celles du palais de l'Élysée et de l'hôtel Matignon. À bord, il fallait pallier l'éloignement et la nostalgie par une table soignée. Et les usages gastronomiques des grands transatlantiques étaient encore présents dans la marine.

À l'hôtel Matignon pourtant, Édouard Balladur, Premier ministre de mars 1993 à mai 1995, a mis ses invités au régime. En renonçant à servir la moindre entrée, il a supprimé l'ordonnance du repas classique. Mais cette frugalité était toute relative, car les plats – même la sole meunière ! – faisaient l'objet d'une repasse. Ironie de l'histoire, Talleyrand, qui fut propriétaire de l'hôtel Matignon de 1808 à 1811, avait un jour fait servir un magnifique saumon dressé sur un torpilleur, nom que l'on donnera plus tard dans le jargon culinaire aux grands plats argentés à décor. Agissant sur ordre, le maître d'hôtel s'étale devant les convives et répand les précieuses denrées sur le sol. Impérial, Talleyrand fait un signe ; deux autres serveurs apportent aussitôt un saumon encore plus richement apprêté que le premier.

La grande cuisine de la politique

Toutes les armes n'ont pas cette réputation inégalée de la marine, et l'on doit plaindre ceux qui n'ont que le choix des tambouilles de la gendarmerie. C'est la personnalité – et la volonté – du ministre qui fait parfois la différence. Du temps de Charles Pasqua, connu pour l'éclectisme de ses goûts et friand de cuisine asiatique, rien n'échappait à sa vigilance. C'était aussi le cas de Jack Lang, créateur du Conseil national des arts culinaires et dont la table était des plus raffinées. Son collègue de l'Agriculture de l'époque, rue de Varenne, n'avait pas cette chance ou cette exigence. Il fut sévèrement épinglé par *Le Canard enchaîné*, soudain soucieux de la fraîcheur des légumes et de la qualité des mets. Les représentants du peuple ne sont pas logés à la même enseigne.

Le Sénat confie la concession de son restaurant à un professionnel privé sous contrat, tandis que le président – second personnage de l'État – peut avoir à son service plusieurs Meilleurs ouvriers de France et une douzaine de maîtres d'hôtel pour servir quatre-vingts repas par jour en moyenne sous les lambris et dorures des salons dans l'aile Boffrand du palais du Luxembourg. Au hasard des tables et des conversations, on saisit parfois quelques propos rocailleux, car le Sénat est un étonnant conservatoire des accents régionaux, et parfois – avant la prohibition – quelques volutes de fumée de havane, lorsque le sénateur du Puy-de-Dôme, Michel Charasse, était passé par là.

À l'Assemblée nationale, rue de l'Université, la gestion des restaurants est une affaire interne, sous la responsabilité des questeurs et d'un directeur flanqué d'une équipe d'une cinquantaine de fonctionnaires, issus de concours de recrutement, qui envoient plus de trois cent mille repas par an. Une cuisine d'assemblage pour la cantine du personnel, n'utilisant que des produits frais pour le restaurant réservé aux députés, ainsi que pour celui du huitième étage où l'on découvre une vue unique sur la place de la Concorde.

Dans cet univers mi-imaginaire, mi-ethnographique, certains, à l'exacte mémoire, diront comme aurait pu l'écrire Georges Perec : «Je me souviens du *Restaurant des Ministères.*» C'était rue du Bac. Il existe toujours, mais aujourd'hui l'on va plutôt chez *Françoise*, sous l'aérogare des Invalides, pour retrouver l'atmosphère de *Messieurs les ronds-de-cuir*, à la mémoire du sous-ordre, qui soulage ses blessures d'amour-propre par le rêve.

C'est un texte bien oublié de Courteline, qui fut expéditionnaire pendant quatorze années et surnuméraire à la Direction des cultes, avant d'accéder au jury Goncourt. Les écrivains-fonctionnaires de haut rang sont toujours les compagnons des fastes des cantines de la République. C'était déjà le privilège de Giraudoux, de Paul Morand, d'Alexis Léger et de Claudel, fleurons du service de l'État. Ce fut, plus récemment, celui d'Erik Orsenna, pendant les années Mitterrand. Paul Claudel a croisé Franz Kafka, à Prague, dans une réception à son ambassade, et ne lui a pas adressé la parole. Balzac nous avait averti, dans *Les Employés* : « En quelque ministère que vous erriez pour solliciter le moindre redressement de torts, ou la plus légère faveur, vous trouverez des corridors obscurs... » Sentiment prémonitoire, c'est *Le Château* de Kafka.

« Manger, c'est voter ! » prétendait Curnonsky, dont les aphorismes semblent insubmersibles. Alors, êtes-vous bio ou sushi, burger ou fooding, c'est-à-dire un mangeur éclectique votant à gauche par principe, ou bien préférez-vous la poule au pot, la blanquette ou le pot-au-feu, qui vous classent irrémédiablement à droite ? Ainsi pensaient les Années folles, après que Curnonsky, prince élu des gastronomes (1872-1956), eut établi le tableau des correspondances entre les goûts de ses compatriotes et leurs opinions politiques. À l'extrême droite, il situait les « fervents de la grande cuisine » : celle des grands banquets, des palais, sinon des palaces qu'il détestait. À l'extrême gauche, il reléguait les « fantaisistes, les inquiets, les novateurs » en quête de sensations nouvelles, « curieux de toutes les cuisines exotiques et de toutes les spécialités étrangères». À droite, il distinguait les tenants de la «cuisine traditionnelle», les amateurs de plats mijotés au coin de la cheminée. À gauche, il voyait les «partisans de la cuisine sans chichis ni complications» que l'on peut faire dans le minimum de temps, avec les moyens du bord : une omelette, une gibelotte de lapin, une boîte de sardines à l'huile. Le centre, où Curnonsky se situait volontiers, aimait la cuisine bourgeoise de tendance régionaliste, servie dans les «bonnes auberges où les choses ont le goût de ce qu'elles sont».

Ce tableau à l'eau de rose faisait sourire tous ceux qui pensaient, déjà, que pour faire de la politique, il faut de l'estomac. Contemporain de Curnonsky, Édouard Herriot (1872-1957) avait sur la question une vue assez radicale : «La politique, disait-il, c'est comme l'andouillette, ça doit sentir un peu la merde, mais pas trop.» Avant lui, Jean Jaurès, figure tutélaire de la gauche d'avant 1914, avait brouillé les pistes en préférant le pilon d'oie confit à l'oseille au cassoulet local ! De là à penser que la table peut réconcilier les Français… «Quand on me dit qu'il n'y a pas de différence entre la gauche et la droite, la première pensée qui me vient est que celui qui me dit cela n'est certainement pas de gauche», disait le philosophe Alain, natif de Mortagne-au-Perche, capitale du boudin. De fait, l'opinion de Curnonsky n'est qu'une extrapolation laborieuse du fameux : «Dis-moi ce que tu manges et je te dirai ce que tu es», aphorisme de Brillat-Savarin, auteur de la *Physiologie du Goût*, ouvrage publié deux mois avant sa mort survenue peu après Noël 1825, à 71 ans. «Je vais avoir un Dies Irae aux truffes», furent ses derniers mots. De gauche, de droite, la question n'a plus guère de sens aujourd'hui. La gastronomie est à tout le monde, selon sa culture, son goût et ses moyens. Ses pères fondateurs, Grimod de La Reynière et Brillat-Savarin, sans être des sans-culottes, étaient des humanistes. Le premier vécut assez modestement après 1789, le second fut un Conventionnel proche des physiocrates. Quant au fondateur de la gastrosophie, le philosophe Charles Fourier (1772-1837), il est un visionnaire d'une organisation utopique de la société dont Michel Onfray est l'un de nos rares contemporains à avoir relu et commenté les écrits.

Les légumes décrochent le premier rôle

Pour pouvoir apprécier un repas à l'*Arpège*, chez Alain Passard, il faut à la fois quelques numéraires et un certain niveau de culture gourmande. J'ai eu le privilège d'habiter pendant plus d'une décennie à proximité de l'*Arpège* et de passer, de temps à autre, déguster un *puros* après le service avec ce cuisinier attachant et singulier. Lorsqu'en 1986, il s'installa rue de Varenne, qui avait abrité *L'Archestrate* d'Alain Senderens quinze ans plus tôt, il revenait sur les lieux de sa prime jeunesse, après son apprentissage en Bretagne. Il ne lui fallut que deux années pour conquérir ses deux premiers macarons. Il revendiquait alors haut et fort ses attaches bretonnes, c'est-à-dire la cuisine au beurre, allant même jusqu'à faire sauter des chipirons parfumés d'une feuille de laurier avec une noix de beurre salé. Ses efforts portaient aussi sur le rôtissage, un don qu'il tenait de sa grand-mère Louise Passard, dont un portrait est toujours accroché au mur de la salle de restaurant. C'est elle qui lui enseigna la maîtrise du feu. De sa mère, couturière, il tenait un goût pour la couleur. À la fin des années 1990, pendant lesquelles il vécut douloureusement l'épizootie de la vache folle, il s'intéressa aux légumes : «L'espace était tellement vide que tout restait à faire.» Le bruit courut bientôt que l'*Arpège* devenait un restaurant végétarien. Les gourmets parisiens et même ses fidèles étaient perplexes. On ne parlait que de sa betterave en croûte de sel. Deux heures et demie de cuisson à four moyen, et voici la fameuse *beta romana*, servie chaude encore, avec sa peau devenue légèrement croustillante. Jamais betterave de pleine terre n'avait connu un tel accommodement ! Les carottes aux grains de couscous, onctueuses et sucrées, enivrées des saveurs piquantes de la harissa, résistaient à l'astringence de l'huile d'argan. Même le modeste poireau de la Manche au beurre salé, serti d'éclats de truffe noire, réussissait à jouer les premiers rôles quand il n'était jusque-là que figurant au théâtre culinaire. L'enthousiasme de Passard et de son équipe sut bientôt désarmer les critiques du carnivore ordinaire. Je l'interrogeai en 2002 sur sa vision de la future cuisine, il me répondit avec malice : «C'est trop tôt, je ne suis qu'en deuxième année de légumes !»

Au cours des dix dernières années, Alain Passard a créé deux potagers, dans la Sarthe et dans la baie du Mont-Saint-Michel, en Normandie ; il a engagé des jardiniers, a acheté deux chevaux pour labourer la terre, et emploie tous les légumes de sa production qu'il distingue comme autant de crus, selon leur terroir d'origine. Il expérimente aussi un fumoir pour légumes, dans l'Eure, et un compost monoproduit. Aujourd'hui, il s'emploie à simplifier encore ses recettes de légumes qu'il semblait avoir amenées, déjà, à une expression culinaire achevée. Il n'a de cesse de chercher des accords, de jouer sur les couleurs, d'identifier des valeurs à la manière d'un peintre en privilégiant le *geste*, qu'il associe volontiers à la couleur, comme dans une expérience de synesthésie. Les poissons, les crustacés, qui n'avaient jamais vraiment quitté la carte, ont été rejoints par les volailles, les viandes blanches. Seules les viandes rouges restent bannies. Et la couleur est devenue son principal axe de créativité, du jaune doré d'un gratin d'oignon doux de variété sturon au citron confit, à la jardinière Arlequin à l'huile d'argan servie avec une merguez végétale à la harissa. Les desserts mêmes sont de la fête légumière avec le gros macaron de topinambour à la vanille de Madagascar.

La cuisine d'Alain Passard se veut aujourd'hui une catégorie des beaux-arts, « qui sont au nombre de cinq, à savoir la peinture, la sculpture, la poésie, la musique, l'architecture, laquelle a pour branche principale la pâtisserie », ironisait à peu près le célèbre cuisinier Antonin Carême. Alain Passard, cependant, n'a jamais renoncé, ne serait-ce que pour former les jeunes de sa brigade, à cuisiner de temps à autre, ici un véritable faisan de fusil, là une tête de veau. Quoi, une tête de veau à l'*Arpège* ? Oui, rarement, ou bien sur commande. Interrogé autrefois sur la tête de veau sauce tortue, Passard m'avait répondu : « C'est sûrement fameux, mais ce n'est pas mon truc. » Son truc à lui – il fallait y penser – est une tête de veau en croûte de sel ! Il recouvre une tête de veau sur l'os, entière, bien épilée, d'une crépine, puis l'enveloppe d'un tissu formant une sorte de linceul. La tête, posée sur

une plaque, est enrobée de gros sel sur toutes ses faces…
oreilles comprises ! «Je l'ai mise à cuire à four froid vers
minuit, hier soir… à 120-130 degrés.» À la sortie du
four, vers 13 heures le jour suivant, la croûte est entière,
compacte. Il faut la casser en cuisine. Puis la tête est
présentée semblable à une momie. Retour à la cuisine :
parée, dressée, chaque assiette présente un morceau de
cuir, de chair, de langue, entièrement nature, sans autre
assaisonnement qu'un peu de sel de Guérande et un tour
de poivre. Tel morceau est croustillant, tel autre presque
confit ; la langue est restée un peu ferme. Sur le côté, une
chiffonnade d'oseille, simplement tombée avec une noix
de beurre. Le résultat est époustouflant ! Un second
service suit, avec un petit jus parfumé, émulsionné à
l'anchois, et une garniture discrète d'échalote confite et
d'aubergine fumée qui accompagnent un peu de chair
et de cervelle, dont rien ne peut laisser penser qu'elle a
cuit – tout doucement il est vrai – une bonne douzaine
d'heures. Un tour de force ? Non, seulement la recherche
de la plus extrême simplicité pour exprimer la vérité du
produit. Cette recette, réduite à une méthode de cuisson,
montre une nouvelle fois que la cuisine d'Alain Passard
est moins une ascèse qu'une esthétique de table sollicitant
avec justesse et parcimonie l'univers contrasté des saveurs,
en ne se souciant guère de la technologie de pointe et des
modes de cuisson trop sophistiqués.

Il fallait un certain courage en 2005 pour s'installer
à cinquante mètres de l'*Arpège*, rue de Bourgogne, à la
suite du restaurant de poissons *Les Glénans*. Le jeune
Gaël Orieux, 33 ans, breton également, n'en manquait

pas, mais ne se doutait guère des obstacles qu'il allait rencontrer. Le choix de l'enseigne *Auguste*, en hommage à Auguste Escoffier (1846-1935), fut critiqué par ceux qui avaient pris à la lettre l'anathème lancé contre ce grand cuisinier par Gault et Millau et les suiveurs de la nouvelle cuisine, dans les années 1970, pour les besoins de leur cause. « Ringarde, ta cuisine ! » assénaient sans ménagement à Gaël Orieux les tenants d'une cuisine branchée, qui moquaient son pavé de thon rosé en persillade au gingembre ou son blanc de bar en crème de cresson de fontaine. À l'opposé, la vieille garde ne décolérait pas de voir une grouse d'Écosse présentée en filets alternés avec une couche de foie gras et de gorge de porc, l'ensemble taillé à l'emporte-pièce en carrés de cinq centimètres de côté, cuit à la vapeur et nappé d'un fond de gibier déglacé au *black whisky*. « On dirait un gâteau opéra au chocolat », déplorait un gourmet réputé pour son coup de fourchette.

Une cuisine jeune ? Gaël Orieux n'y a même jamais pensé lui qui, après plusieurs très grandes maisons, fut, au *Meurice*, le second de Yannick Alléno de quelques années seulement son aîné. La jeunesse est le miroir de la société à laquelle elle appartient, et dont elle ne se distingue guère. Devait-il pour autant se borner au répertoire, sans prendre de libertés ? Attitude tout aussi étrangère à sa démarche : un cuisinier n'exprime bien que ce qu'il sent et non ce qu'on lui commande de sentir. La voie était étroite pour le jeune Breton, qui entendait faire fructifier l'héritage du bistrot et en maintenir « l'esprit de convivialité » au profit d'une cuisine moderne et éclectique, légèrement décalée, s'exprimant plus dans la nuance que dans le contraste. Ses atouts : un menu au prix très raisonnable au déjeuner, un décor contemporain sans affèterie, une cave modeste mais soignée avec plusieurs vins au verre, un service aimable et serein et une adresse stratégique à mi-chemin entre le Palais-Bourbon et l'avenue de Breteuil, siège du *Michelin* à l'époque, qui lui accorda sa première étoile en 2007. La haute direction du guide venait déjeuner à pied en traversant l'esplanade des Invalides.

Joyaux de mer aux Invalides

Boulevard de La Tour-Maubourg, de l'autre côté de l'esplanade des Invalides, Armand Monassier créa *Chez les Anges* en 1953, qu'il céda après une très belle réussite, en 1975, pour prendre sa retraite à Rully, en Bourgogne. Paul Minchelli s'y installa en 1994, après avoir quitté *Le Duc*, et confia le décor à Slavik. Beaucoup de ceux qui n'ont découvert sa cuisine qu'à ce moment-là conservent le souvenir d'une magnifique série de poissons crus et de quelques plats singuliers comme la brandade de morue « à la french » couronnée de pommes de terre sautées aromatisées au fenouil sauvage, ou d'un bar cuit en verrine. C'était une cuisine d'humeur, non dénuée d'humour, qui attira le Tout-Paris ichtyophage pendant quelques saisons. Son successeur, Jacques Lacipière, fit appel à l'architecte Alberto Balli pour rafraîchir le décor précédent – « refroidir », diront certains – en reprenant le nom initial de l'établissement qui avait eu tant de succès. *Chez les Anges* est aujourd'hui une maison sérieuse, discrète, accessible.

La façade des Invalides, vue depuis le pont Alexandre-III, est pour l'architecte Claude Parent une barre, « le premier HLM de l'histoire de l'architecture », mais qui, admettons-le, clôt magistralement l'une des perspectives majeures de Paris. Mer calme, au déjeuner, chez *Le Divellec*, un temps considéré comme l'un des premiers restaurants poissonniers de la capitale, avec deux petits menus, l'un composé d'une soupe de poisson ou bien d'huîtres spéciales, d'une marmite du pêcheur ou d'un cabillaud poêlé à la moutarde violette ; l'autre, grand style, propose des huîtres frémies à la laitue de mer ou bien un extravagant foie gras pressé et marrons glacés, puis un tournedos de thon poêlé au coulis de poivron rouge.

À l'angle de la rue de l'Université et de l'esplanade des Invalides, la position était stratégique. Il succédait au *Tagada*, dirigé par la jolie Gaby. Les hôtesses d'Air France avaient coutume, dit-on, de venir y prendre un verre. Toute une époque ! Jacques Le Divellec a publié en septembre 2002 *Ma vie, une affaire de cuisine*, un livre dans lequel il ne cache ni le sens originel de son patronyme (en breton : « prêtre défroqué »), ni une aïeule native de Saint-Domingue (« J'ai hérité de ma grand-mère créole le goût du voyage et une certaine couleur de peau »), ni même les sympathies communistes de son père. Depuis une minuscule crémerie de deux mètres carrés rue Quincampoix où les viandes – « à un sou la portion pour les clodos » – cuisaient dans une marmite éternelle semblable à celle décrite par Alexandre Dumas, à l'hôtel de la rue Cler où la clientèle, à certaines époques, « se renouvelait plusieurs fois par jour », est brossé un univers célinien que l'auteur regarde avec franchise et bonhomie. Alors que les livres de chefs se multiplient – souvent inutiles ou pédants –, celui-ci mêle l'autobiographie et la passion culinaire. Le Divellec nous fait partager dans ce livre son émerveillement devant la multiplicité presque sans fin des coquillages : amandes, bigorneaux, bulots, buccins, bernicles ou berniques (c'est le nom de la patelle), pétoncles, palourdes, praires, pourpres, vernis, clams, coques, clovisses… et son étonnement de voir sa mère tirer de cette invraisemblable série l'essence colorée d'une délicate cuisine. « Chacun de ses gestes se retrouve dans ma cuisine. » Ce qui n'est souvent qu'un lieu commun est ici, par la précision du détail, un marqueur et un moment de vérité. Ce livre agite les papilles, bouscule les sens, anime l'esprit, en particulier grâce à quelques recettes dispersées entre les chapitres, et à la description de la presse à homard, diabolique transposition de celle réservée au canard, destinée à exprimer les « subtilités intimes de la personnalité du homard *(sic)*. » La proximité de l'Assemblée nationale continue d'assurer à Jacques Le Divellec une clientèle choisie et en fait le témoin d'anecdotes multiples. Mais la discrétion du personnel rend impossible de vérifier si l'on servait à Édouard Balladur son vin en carafe, afin que personne ne puisse voir s'il s'agissait d'une piquette ou d'un grand cru classé. En octobre 2013, Le Divellec a pris sa retraite et cédé l'établissement au groupe Costes. L'avenir dira si le navire poursuivra sa route, ou s'il sombrera corps et biens.

Une portion de la rue Saint-Dominique a été annexée par Christian Constant, natif de Montauban, ancien chef trois étoiles du *Crillon* dans les années 1990, pour offrir trois facettes de son immense talent : *Le Violon d'Ingres,* une cuisine de caractère aux accents du Sud-Ouest, une table d'hôtes moderne sous l'enseigne *Les Cocottes*, et un bistrot à l'ancienne, le *Café Constant*. Partout l'accueil est une priorité ; le patron, qui passe de l'un à l'autre, est jovial et attentif, la cuisine recherchée et les prix raisonnables. Mais il faut surtout rendre grâce à ce chef d'avoir formé une brochette d'excellents cuisiniers qui se sont ensuite illustrés, avec la même rigueur, dans des établissements très divers. Notamment Yves Camdeborde, d'abord à *La Régalade*, dans le XIVe arrondissement, puis au *Comptoir*, dans le VIe, l'un des meilleurs bistrots de chef de la capitale, ainsi qu'Éric Fréchon à *La Verrière* puis à la tête du *Bristol*.

Dans les années 1960, « Solférino 86-89 », c'était, pour ses amis, le « bureau » de Roger Couderc, journaliste sportif et fameuse fourchette qui avait ses habitudes l'après-midi chez *L'Ami Jean*, rue Malar. Déjà l'on y refaisait le match... Les amateurs de ballon ovale s'étaient lassés, au fil des ans, d'une cuisine aussi désuète et routinière que le décor. Avec l'arrivée en 2003 du jeune Stéphane Jego, ancien pilier de l'équipe d'Yves Camdeborde à *La Régalade*, cette table célébra à nouveau avec entrain et générosité les merveilles de la cuisine basco-béarnaise. L'*axoa* (prononcez « achoa »), émincé de veau au piment d'Espelette, le *ttoro* (marmite de poisson), le canard gras confit étaient autant d'évocations d'Euskadi, comme les anchois, la morue ou le gâteau basque. La côte de cochon au four servie sur un lit de girolles était accompagnée des vins du pays, irouléguy, txakoli. Dix ans après, le cuisinier – qui n'est pas basque, mais breton – a élargi son répertoire. Il régale ses habitués d'une incomparable terrine pistachée, d'une délicate volaille fermière du père Godart et d'un lapin à la royale, analogue au traitement que l'on fait habituellement subir au lièvre, désossé, farci d'un peu de foie gras et des abats d'un pigeon, servi avec son jus de cuisson, sans toutefois avoir été mariné. Ces plats grandioses soulignent la précision d'un arbois-pupillin de Pierre Overnoy (2005), une bouteille fétiche de ce grand vigneron. Stéphane Jego, en pleine maturité, enthousiaste et jovial, est aujourd'hui le meilleur élément de cette génération de cuisiniers qui ont été formés par le chef Constant lorsqu'il dirigeait la brigade du *Crillon*.

Rue Malar encore, il faut compter avec *L'Affriolé*, bistrot décontracté sinon vraiment populaire, repris au début des années 2000 par Thierry Verola, formé chez Senderens et Duquesnoy. Un nouveau décor plutôt soigné, quelques objets élégants, surtout une cuisine astucieuse, inventive, intéressante pour ses saveurs et la qualité de ses produits. Au saumon «fumé-grillé» pommes paille et raifort, ou bien à la vapeur de raie aux carottes confites au miel et cumin des débuts, succèdent aujourd'hui un croustillant d'escargots, un pâté pantin de caille et un fameux savarin à la mandarine impériale. Ce bistrot, qui a longtemps cherché son statut, est devenu un classique de ce que d'aucuns appellent la bistronomie, c'est-à-dire l'application de principes de la haute cuisine à des plats de bistrot, à un tarif qui cependant reste modéré.

L'événement du début de l'année 2014, rue Surcouf, fut l'installation du jeune chef David Toutain dans ses murs. Les jeunes cuisiniers, qui se considèrent comme des artistes, explorent les voies d'une sorte d'abstraction lyrique, comme Miró dans les années 1950, qui se jouait de la structure et des textures au profit de la couleur. L'un des chefs de file de cette nouvelle tendance, le jeune Normand David Toutain, occupe un grand volume doté d'une mezzanine. Tables de bois brut, sièges fonctionnels et décor minimaliste ; la vedette, c'est l'assiette : colorée, dépouillée ou profuse, selon les produits. La seiche, découpée en lanières, forme le lit d'une échalote confite, d'une cébette, tandis que l'encre du céphalopode, sur le pourtour, présente quelques taches insolites. On avait connu cela avec Gagnaire lorsque le peintre Mathieu semblait l'assister en cuisine. Mais le tour de force ici est que la volonté esthétisante n'entrave pas l'équilibre des saveurs. Tout est sous contrôle. Ce qui pourrait sembler anecdotique est plaisant et même gourmand. Le pigeon à la betterave, fleur et feuille de capucine au curcuma, comme la volaille à l'aneth, couteaux et crème d'ail doux évitent le stéréotype. La logique de cette cuisine commande de boire des vins nature dans lesquels le fruit est respecté par le vinificateur. Service jeune, attentif, sans affèterie ni condescendance.

Le carrefour d'une légende

Le carrefour de la rue du Bac fut le théâtre d'innombrables facéties et blagues de potache d'Antoine Blondin et d'Albert Vidalie, destinées à épater le badaud après quelques verres de trop. Les deux grandes adresses de ce temps-là étaient *Le Bar Bac*, QG de Blondin, et le *Bar du Pont Royal*, en sous-sol, où entre les deux guerres Francis

Scott Fitzgerald et Zelda avaient fait découvrir aux Américains de Paris des cocktails inédits. Hemingway et Miller suivirent, puis les peintres, Miró, Chagall et Buffet. Dans les années 1970, Philippe Sollers prit le relais, jusqu'à la fermeture du bar, ce qui permit quelques années plus tard l'installation du premier atelier parisien de Joël Robuchon, dupliqué ensuite sur les trois continents.

L'Atelier de Joël Robuchon est un succès planétaire. Mais le modèle, souvent présenté comme révolutionnaire, n'est en réalité qu'une transposition occidentalisée du *teppanyaki* – littéralement «grillé sur une plaque en fer», c'est-à-dire une cuisine d'inspiration japonaise, réalisée devant le client sur une plaque chauffante. Les convives, perchés sur des tabourets, sont alignés sur trois côtés autour de l'espace où s'affairent les cuisiniers. C'est la chaîne japonaise des restaurants Misono qui est à l'origine de ce type de restaurants. Son développement après 1945 aux États-Unis revient au groupe Beni Hana, qui en a assuré le succès en y ajoutant une dimension spectaculaire et acrobatique ignorée au Japon. Dans les *Atelier* de Joël Robuchon à travers le monde (Londres, Hong Kong, Tokyo, Macao, Las Vegas, etc.), le spectacle se limite aux gestes des cuisiniers qui précèdent l'envoi des plats. La table chauffante est remplacée par un comptoir le long duquel, comme à la parade, sont alignés les convives. Joël Robuchon entendait s'affranchir du rituel du grand restaurant, de sa pompe et de son cérémonial, sans mesurer précisément qu'il entraînait une régression de la convivialité. C'est peut-être ce qui a motivé sa prudence initiale à l'égard de l'inscription du «repas gastronomique des

Français» au patrimoine immatériel de l'Unesco. Car, en France, un repas traditionnel se fait autour d'une table et non le long d'un comptoir.

Joël Robuchon, dans ses restaurants parisiens, se montre soucieux de dépasser l'émotion individuelle. Il recherche d'abord la rigueur, l'expression d'une règle qui peut aller jusqu'à l'austérité. Avec le thon en tartare, les cuisses de grenouille en fritot et l'oursin en royale au fumet de fenouil, trois parmi les seize petites portions d'un menu dégustation, Joël Robuchon n'accorde d'importance qu'au produit, à la démarche et au travail. C'est son style, la signature d'un Meilleur ouvrier de France. C'est une cuisine précise, qui fixe souverainement les saveurs et les arômes, avec çà et là, parfois, quelques touches de modernité – une émulsion, une texture insolite – qui trahissent chez lui une attention nouvelle à l'air du temps.

Toujours avec rigueur il aborde le homard et les châtaignes, le chou-fleur et le caviar, ou, bien sûr, la fameuse truffe ! Champignon miracle, tubercule à l'arôme volatil qui doit être traité avec art pour donner et conserver sa puissance. Le temps de cuisson est un facteur capital dans cette cuisine de l'instant. À un degré près – et l'on sait le contrôler –, les arômes s'enfuient de la tarte friande de truffes aux oignons et lard fumé. Brillat-Savarin disait par boutade que l'on naît rôtisseur et que l'on devient cuisinier. Ici, c'est le métier chèrement acquis du cuisinier qui soutient, chez Joël Robuchon, la juste cuisson. Avec un tel métier, il n'est pas étonnant qu'il soit entré dans la légende, plus que pour sa purée de pommes de terre rattes, accompagnant la côte de veau de lait venue d'Aurillac. La gelée de caviar à la crème de chou-fleur pourrait laisser entrevoir une certaine démesure, bien étrangère à cet homme placide, courtois et modeste. J'ai la conviction que ses innovations culinaires traduisent avant tout un attachement à l'esprit du compagnonnage, à la dimension historique d'un art qui, comme la formation du goût, s'inscrit dans la longue durée. Les quenelles à la Nantua demandent quinze minutes de cuisson et quelques siècles de préparation : avoir pêché avec ruse et avec art le brochet, comme le vilain qui savait au creux des roseaux pêcher au coup, et, avec soin, dilacérer les chairs de ce poisson voluptueux, rare et carnassier, travailler la panade comme aux cuisines du château... « Il n'est pas facile de faire gonfler une quenelle jusqu'à quatre fois son volume, comme le faisait Jean Delaveyne », constate Robuchon. Le goût est une unité de civilisation qui se nourrit de ces usages remémorés.

Les fourchettes de Crésus, des Champs-Élysées à la Concorde

Le Triangle d'or de la haute restauration, entre *Le Cinq*, *Ledoyen* et *Lasserre* surtout, n'est pas le triangle des Bermudes, mais le témoin emblématique de ce que fut la splendeur discrète de soixante années de restauration établie dans cette partie circonscrite aux Champs-Élysées et aux rues adjacentes. Beaucoup ont disparu, tel *Joseph*, rue Pierre-Charron, ou *Edgard*. Énigmatique destin que celui de ces restaurants, étoiles fanées placées dans un herbier. Si l'on considère cette aire géométrique en vue cavalière sur une toile, pour un Salon de mai au palais de Tokyo, qui serait représentée par un peintre tel Dufy ou Lapicque dans les années 1950, avec pour fond la tour Eiffel, totem de la fête nocturne du 14 Juillet, alors les restaurants soudainement célèbres dans cet espace urbain un peu exigu apparaîtraient groupés et brillants. Ces étoiles de feu immobiles et juxtaposées, comme les peintres de l'école de Paris aimaient les brosser dans *La Fée Électricité* de l'Exposition universelle de 1937, offriraient la palette versicolore d'un jeu pyrotechnique par lequel la République aime fêter à la fois la nation et son peuple réuni, son armée et la beauté de Paris, ville libre.

La grande restauration à Paris, depuis les années 1950, est comme un bouquet restreint de pivoines fermées, présentées en botte serrée. Le dedans important plus que le dehors, la substance est préférée à l'apparence, et la jouissance égoïste substituée à l'abondance ostentatoire de ses origines, lesquelles, faut-il le rappeler, étaient celles d'une table princière d'abord, puis bourgeoise, toujours visible depuis la rue. Mais les quatre années de l'Occupation avaient enténébré la scène. L'on se cachait derrière les rideaux de velours pour manger. La haute restauration en ville est passée à l'invisible, excepté pour la table des chefs hébergés de nouveau dans les palaces et les grands hôtels, qui sont de faux lieux publics, en réalité protégés de toute intrusion par la barrière sociale et ses convenances et un service d'ordre efficace.

La haute noce

Quelques grandes tables sont oubliées ou passées de mode, comme *Maxim's*, brasserie luxueuse créée le 7 avril 1893, qui avant de connaître un immense succès mondial avait dû surmonter une réputation sulfureuse car, selon une chronique d'époque, « ce nom fait frémir les mères au fond des provinces tant est tenace la légende et universelle la gloire des vaudevillistes ». Allusion à l'ouvrage de Feydeau, *La Dame de chez Maxim's*, qui met en scène la vie agitée de la môme Crevette, danseuse au Moulin-Rouge et habituée de la rue Royale. Hugo, maître d'hôtel chez *Maxim's* avant 1914, avait accrédité cette réputation en rapportant qu'un client « arriva un soir de Neu-Neu avec une poule grise dans les bras. Mais attention, une poule à plume, qu'il venait de gagner à la foire ! ». Le service chez *Maxim's* fut longtemps un modèle de dignité complice : on se souvient encore de Dalí et de ses fauves. Les top models ont succédé pendant un temps aux « lionnes » : Liane de Pougy, la Belle Otero, Émilienne d'Alençon, Blanche de Marcielle, Odette de Brémonval, Irma de Montigny, appelées aussi les « grandes cocottes », qui défrayaient la chronique. « Où la particule allait-elle se nicher ? questionne Henri Calet. – Comment pourrait-on dire : noblesse de robe ? – Non, puisqu'elles les enlevaient très souvent. Noblesse de chemise ? Même pas. » Au XIXe siècle en effet, les femmes honnêtes n'allaient guère au restaurant ou bien alors coiffées d'un chapeau, car Léon Bloy (1846-1917) stigmatise à la même époque les « garces en cheveux » qui osent sortir nu-tête.

Quelques mois après la Libération, on raconte que le propriétaire de *Maxim's*, qui s'était rendu à Fresnes pour accueillir l'un de ses maîtres d'hôtel à la sortie d'une brève incarcération, s'étonne de ne pas le voir dans le lot des libérés du jour. Cinq minutes passent. « Albert, où étiez-vous donc ? s'impatiente Louis Vaudable. – Monsieur, les clients d'abord », lui répond son employé. Trop joli pour être vrai ? Qui sait…

En 1953, la troisième étoile est accrochée au fronton du numéro 3 de la rue Royale. Dans les années 1950, *Maxim's*, sous la direction de Louis Vaudable, compte une centaine de cuisiniers, commis, arpètes, quatre maîtres d'hôtel trancheurs, autant de chefs de rang et une dizaine de plongeurs. « Il y avait un Ukrainien, véritable colosse, ancien de la Légion, un Sénégalais, un bossu, un Yougo », se souvient Gérard Cagna, qui y fit son apprentissage ces années-là, sous la direction d'Alex Humbert. Cent couverts à midi, cent quatre-vingts le soir. Les stars, Jeanne Moreau, la Callas, Onassis, arrivaient vers 23 heures et veillaient jusqu'à 4 heures du matin. À 5 heures commençait l'équipe chargée de préparer le buffet (lentilles, poulet en gelée). Le fourneau Labesse, chargé de briques de charbon polonais, au second sous-sol, ne s'arrêtait jamais. Paul Valéry ose alors cette image : « *Maxim's* ressemble à un vieux sous-marin qui aurait coulé avec tout son décor d'époque. » Aujourd'hui, *Maxim's*, propriété de Pierre Cardin, reçoit surtout des touristes russes, nostalgiques de la tournée des grands-ducs d'avant 1917.

Pierre Gagnaire, installé dans le quartier Hoche-Friedland, a fait ses premières armes chez *Maxim's*, on ne le sait guère, après son apprentissage à Lyon, encore sous l'emprise des « mères », ces cuisinières qui avaient forgé la réputation de la cuisine lyonnaise. À Paris, il occupa aussi plusieurs postes dans les brigades de *L'Intercontinental*, et chez *Lucas Carton*. À son retour au pays, le voici à la tête du *Clos Fleuri*, l'affaire familiale, puis à Saint-Étienne en 1981. Il reviendra à Paris après ses déboires stéphanois et retrouvera trois macarons en 1998. La prédestination ? Il n'en a guère conscience à cette époque : son chemin est tracé, c'est le modèle familial. Ses dix premières années de cuisine, Pierre Gagnaire les voit aujourd'hui « comme des années de formation ». Ce métier ne le passionne pas, ou du moins, la façon qu'il a de l'exercer à l'époque ne lui convient guère.

D'où viendra le déclic, le déclenchement de ce que certains appellent une carrière, et que Pierre Gagnaire nomme plus modestement « un projet personnel » ? C'est dans le regard des autres, confie-t-il, qu'il prit un jour la mesure de la dimension créatrice de son métier. Un modeste article de « trois lignes », dit-il, peu de temps après son installation à Saint-Étienne, lui ouvre les yeux : la cuisine peut à la fois être un mode d'expression, un vecteur d'émotions et un moyen de « se réaliser personnellement et socialement ». Ces trois lignes de Jean Ferniot décrivaient un plat avec précision et chaleur ; elles eurent sur le destin de Pierre Gagnaire une influence considérable, car elles permirent à cet altruiste de penser que « la cuisine peut donner du bonheur aux gens ». Comme Rousseau, celui de la *Nouvelle Héloïse*, adepte de la vie naturelle, il est alors touché par la grâce et construit peu à peu un système logique dont il fera son idéal professionnel.

Lorsque, bien des années après, le peintre Soulages lui fait compliment de sa cuisine, Pierre Gagnaire y voit la justification de son « combat quotidien ». Le regard des autres est essentiel pour lui. Aujourd'hui encore, connu et reconnu, on le voit passer une tête inquiète dans la salle en fin de service, pour observer les réactions… du public. Comme au spectacle. Ce trait de caractère, cette sensibilité extrême, sont assez rares pour être rapportés et ne sont pas sans influence, naturellement, sur sa démarche culinaire. Imagination fertile toujours en mouvement, cuisine en perpétuelle « collision de saveurs » pour certains, Pierre Gagnaire apporte une réponse originale et personnelle à la question, toujours posée, jamais tranchée, de la modernité en cuisine. Est-ce la technique qui entraîne la création, ou bien le produit qui sollicite l'imagination ?

À ses débuts, l'on vantait les mérites d'un nouveau matériel de cuisson dérivé du couscoussier qui permettait de «préserver le goût du vrai produit». Le principal inconvénient, aux yeux de Pierre Gagnaire, était que la généralisation de ce mode de cuisson risquait d'uniformiser la cuisine et, à terme, de brider son propre langage, sa gestuelle et sa technique. Il a donc mis quelques années avant de revenir à la vapeur. Depuis, il utilise cette technique le plus souvent au moment de l'envoi d'un plat, pour exprimer ou rehausser une saveur, comme, par exemple, celle des girolles, mousserons, cornes d'abondance poêlées aux amandes fraîches, servis avec un homard entier, fumé, accompagné d'une bisque au vin jaune. La cuisson des champignons commence de façon traditionnelle, puis le homard rôti est décortiqué et mis au contact d'un jus de raisin émulsionné ; l'ensemble est enfin soumis quarante secondes à la vapeur saturante (humide). Il fait de même avec une pièce de viande, un lapin grillé cuit avec ses aromates, dans son jus, et passé quelques instants à la vapeur ; également, avec un pigeon grillé aux épices, accompagné d'une garniture de haricots frais. Le fait de juxtaposer le braisage (et/ou le rôtissage) et l'emploi de la vapeur donne à la cuisine de Pierre Gagnaire plus de possibilités que l'utilisation d'un seul mode de cuisson. Pour lui, la cuisine doit surtout raconter une histoire ; c'est sa façon à lui de le faire, en travaillant le produit selon un code culinaire personnel et en utilisant des techniques de cuisson multiples. Dès lors, la question de savoir si l'on «naît rôtisseur» ou si l'on «devient cuisinier» n'a plus guère de sens, puisque aucun mode de cuisson n'est employé de façon exclusive.

Le produit peut-il être source de création culinaire ? Pierre Gagnaire raconte volontiers sa découverte de l'huile issue du noyau de l'arganier, un arbre qui ne se rencontre qu'au Maroc, dans l'arrière-pays d'Essaouira. C'est une huile qui a la couleur du sable du désert et dont le goût, puissant, évoque une saveur de noisette. Un pur enchantement. Au Maroc, c'est une huile prisée pour aromatiser les salades et le couscous ou relever des plats d'œufs. Le mélange huile d'argan, amandes, miel, connu sous le nom d'*amlou*, est servi au petit déjeuner.

Plusieurs essais, peu concluants, furent nécessaires. Et puis un jour, sans référence à une logique apparente, Pierre Gagnaire imagina d'émulsionner cette huile avec un suc obtenu par évaporation d'un jus de carottes «tout bête», très goûteux et très sucré. Couleur, goût et texture donnèrent un résultat somptueux : «Les choses qui viennent comme ça sont toujours très dures à expliquer...» admet-il avec modestie. Si la gastronomie est bien l'art d'utiliser la nourriture pour créer du bonheur, le débat sur les contraintes ou les avancées de l'époque devient incertain, une fois admis l'accès du cuisinier au rang de créateur. Le progrès en cuisine est-il lié à l'assemblage de corps jusque-là étrangers ? L'historien anglais Theodore Zeldin avance que «les cuisiniers créatifs trouvent des qualités à des aliments dans lesquels on n'en soupçonnait pas, unissent des ingrédients qu'on n'avait jamais eu coutume de mélanger».

Aux avant-postes du débat sur les saveurs, les textures et les arômes et initiateur de la «quenelle de pommes de terre à l'encre de seiche et des artichauts aux algues du Japon», Pierre Gagnaire est le plus délibérément imaginatif des chefs de sa génération. Mais encore faut-il que les dîneurs soient eux aussi créatifs, et acceptent de mener le combat contre les tabous et la peur des mets nouveaux ou étranges. La cuisine de Pierre Gagnaire est une exception déroutante. À force d'être inattendue, elle devient un style, où chaque élément doit être identifié et participer néanmoins à l'harmonie de l'ensemble. En architecture, on appelle cela le postmodernisme. C'est le sort des grosses langoustines badigeonnées d'un beurre de noix, royale de foie gras, avec champignons de Paris, céleri, enokis liés d'une crème de pistache, ou bien encore du coffre de canard pékinois frotté de cumin en salmis, servi avec une marmelade de papaye et mangue verte, des navets au poivre et une petite crêpe de blé noir au shiitake. La juste description d'une telle cuisine se limite presque obligatoirement à l'analyse d'un savoir-faire – un protocole d'exécution – dont on ne souligne que les traits essentiels au détriment du rappel d'une tradition culinaire et culturelle plus vaste et qui la sous-tend. En revanche, à nos yeux, se trouve exclue du champ culinaire l'utilisation des arômes et des ingrédients de synthèse produits par l'industrie chimique, qui débouche sur une aporie chez tous ceux, épigones, imitateurs, suiveurs, qui s'inspirent de la cuisine de Pierre Gagnaire sans en partager la nécessité intérieure, l'intime conviction qui l'anime. Sans posséder non plus son talent et son affabilité.

Le théâtre du Taillevent

Le restaurant *Le Taillevent*, la grande adresse du quartier Hoche-Friedland, a longtemps été le gardien du temple, le parangon de toutes les vertus culinaires parisiennes. Trop longtemps ? Fondé par André Vrinat au lendemain de la guerre, le restaurant, d'abord installé rue Saint-Georges, obtint deux étoiles au *Guide Michelin* en dix ans, après son déménagement dans l'ancien hôtel particulier du duc de Morny au 15 de la rue Lamennais. Ancien élève de l'École des hautes études commerciales, Jean-Claude Vrinat avait rejoint son père en 1962 à la tête du restaurant dont il fit une scène majeure de la gastronomie française. Onze ans plus tard fut accordée, avec le chef Claude Deligne (1970-1991), la troisième étoile, conservée pendant plus de trente ans par ses successeurs, Philippe Legendre (1991-1999), Michel del Burgo (1999-2002) et Alain Solivérès (depuis 2002). *Le Taillevent* a longtemps donné cette apparence de pérennité, comme si la haute cuisine française, ici, se jouait des crises, des conflits et des régimes. Il est à proprement parler une scène gastronomique, au décor changeant. Au service du déjeuner, des séparations – comme autant de *deus ex machina* – surgissaient entre les tables et délimitaient des espaces privés propices aux échanges des affaires ou de la politique, comme une réminiscence bourgeoise des cabinets particuliers. Il est vrai que le staff de l'Union des industries et des métiers de la métallurgie voisine a eu longtemps ses ronds de serviette au *Taillevent*. Le soir, la scène occupe les deux salons aux boiseries claires et l'entrée attenante, au pied du grand escalier, comme un unique espace de représentation. Le lien entre la table et le théâtre est ici quotidiennement avéré. Au temps de Georges Pompidou, la haute finance, les maîtres de forges et le monde politique s'y croisaient au déjeuner. Le dîner était plutôt fréquenté par les têtes couronnées, la grande bourgeoisie internationale et le show-business. Pour Jean-Claude Vrinat, évoluer supposait un effort quotidien aussi intense que persévérant. Il fut, jusqu'à sa mort le 7 février 2008, l'un des grands amphitryons parisiens, à la suite de Marcel Trompier, René Lasserre et Claude Terrail. Il faisait sien le mot de Marcel Proust : « Les grands novateurs sont les seuls vrais classiques et forment une suite presque continue. »

J'ai conservé précieusement le souvenir d'un fameux repas en heureuse compagnie préparé par Philippe Legendre. La terrine de pigeon et foie gras au poireau, prise dans une gelée cristalline, esquissait une rencontre de saveurs d'une juste délicatesse. Avec la crème d'oursins aux asperges, s'affirmait un travail de cuisine tout en nuances, la saveur du corail mêlé à la bavaroise d'oursins contrastant avec celle de l'asperge, soutenue par un jus léger qui assurait une liaison perceptible au palais. Le grand classique – le boudin de homard au beurre blanc, détendu d'un peu de nage de cuisson – était rehaussé par un salpicon de la chair du crustacé dans un appareil d'une texture homogène. Accord ténu avec un hermitage blanc 1985. La magie des grands vins de Jean-Louis Chave était acquise. Une sauce sapide éclairait un hermitage rouge (1983) du même vigneron, qui accompagnait une délicate pièce de chevreuil, préparée en salle avec dextérité. Souvenir encore... d'une glace caramel au beurre salé et pommes sautées dont chaque saveur était parfaitement distincte.

Taillevent et le *Guide Michelin* étaient des amis de trente ans. C'est en 1973, en même temps que Jacques Pic, Claude Peyrot et Alain Chapel, que Jean-Claude Vrinat obtint une troisième étoile. Lui, et non son chef, en vertu d'un passe-droit dont bénéficiaient *Taillevent* et quelques autres, *La Tour d'Argent* et René Lasserre. Pour fêter ce trentième anniversaire, en 2003, Jean-Claude Vrinat demanda à Alain Solivérès d'adapter une recette du *Viandier de Taillevent* : « Char de porcelez en rost », entendez « caillette de porcelet aux épices », composée de tous les abats du porc, en un brillant exercice d'archéologie culinaire juxtaposant les saveurs acidulées et des cuissons différentes. Deux anciens patrons du *Guide Michelin*, André Trichot et Bernard Naegelen, assistaient au déjeuner. Quatre ans plus tard, les nouveaux patrons du *Michelin*, Jean-Luc Naret et Jean-François Mesplède, rétrogradaient *Taillevent* à deux macarons, ce qui souleva chez Jean-Claude Vrinat une sourde colère, relayée par son blog, et une critique sévère de la désinvolture du tandem de l'avenue de Breteuil. L'année suivante, il était emporté par un cancer fulgurant. Il n'eut pas la satisfaction de voir les deux compères quitter le navire quelque temps après.

Taillevent a changé de mains en 2010, repris par la famille Gardinier, également propriétaire des *Crayères* à Reims. *Taillevent* restera-t-il le restaurant français de tradition et retrouvera-t-il ses marques ? D'aucuns les tiennent pour dépassées. On peut se réjouir que l'on exige ici du client le respect de la règle du jeu. L'élitisme à la manière d'un club anglais est insupportable lorsqu'il est le fait de gens qui prétendent l'ignorer. Il est un sommet du raffinement lorsque le petit nombre connaît le prix de la tradition. *Taillevent*, tel qu'en lui-même, le temps le perpétue. Modèle inimitable, cette table unique ne continuera de faire école que si, comme aujourd'hui, le soin du décor, de l'accueil et de la cuisine relève d'une même exigence. À en juger par *Les 110 de Taillevent*, nouvel établissement créé en 2012 sous l'impulsion des nouveaux propriétaires pour faciliter l'accès à un large éventail de vins de prix et de provenances divers, le prestige de *Taillevent* n'aura pas à souffrir de cette annexe élégante.

Le *Taillevent* installé dans l'hôtel d'un ancien dignitaire de la monarchie de Juillet, son voisin, *Apicius*, occupe les anciennes écuries du dernier des Bourbons monté sur le trône. Longtemps cantonné à la porte Champerret, Jean-Pierre Vigato a transporté son restaurant au centre du quartier Saint-Philippe-du-Roule, dans l'un des hôtels particuliers aménagés après 1720, sur les lieux de l'ancienne pépinière du Roule, où le comte d'Artois – le futur Charles X – fit aménager ses écuries et fut l'employeur de Marat. Avec une façade d'architecture classique sur trois niveaux donnant sur un vaste jardin, cet hôtel situa d'emblée le nouvel *Apicius* parmi les tables les plus élégantes de Paris. Le décor intemporel d'Eric Zeller est fait de subtiles harmonies, à l'image de la cuisine de Jean-Pierre

Vigato, qui reste fidèle à son ancienne carte et aux plats qui ont fait sa réputation : huîtres au cresson, tête de veau ravigote, cuite entière, gibier de saison. Sa façon très particulière de rôtir un râble de lièvre très légèrement mortifié et de l'accompagner d'une sauce de betterave signe une cuisine moderne et volontaire, loin du jeu des saveurs virtuelles qui envahissent le champ culinaire. En témoigne son *Carnet de recettes*, lauréat du prix 2012 de la Commanderie des ambassadeurs gourmets de Rungis. La décision du *Guide Michelin* 2014 de retirer une des deux étoiles à l'établissement apparaît non seulement injustifiée, mais constitue une bévue.

Un homme pressé

De l'autre côté des Champs-Élysées, au cœur du Triangle d'or, Alain Ducasse a d'abord été « l'homme pressé », comme le héros de Paul Morand. Arrivé à Paris en 1996, il succède à Joël Robuchon au 59, avenue Raymond-Poincaré. Quatre ans plus tard, il s'installe avenue Montaigne, après l'éviction du chef Éric Briffard. Fini *Le Régence* ! Nous voici chez Alain Ducasse au *Plaza Athénée*, le navire amiral de la flottille planétaire de l'un des chefs les plus étoilés de France.

Pour la circonstance, la cuisine a été agrandie et la salle a gagné en homogénéité – grâce à un camaïeu de gris – ce qu'elle a perdu en solennité. L'espace est largement distribué entre les tables, et l'acoustique n'a pas été oubliée. Démarrage en douceur avec l'équipe de l'avenue Raymond-Poincaré, dirigée par le talentueux

Jean-François Piège, avec douze plats, déjà rodés, comme la grosse langoustine au caviar, présentée sur un nappage de crème détendue avec la nage de cuisson. Toujours, chez Alain Ducasse, l'apparente facilité rejoint la plus grande sophistication. Dans la tomate de Marmande en deux assiettes, la simplicité devient poésie lorsque se mêlent le cru en délicate gelée et le cuit gratiné au parmesan. Un exercice de style dont la réussite dépend moins de la technique que de la maturité du fruit. Puis, subrepticement, comme une concession à la modernité, la cuisine new-yorkaise fait une apparition avec le homard – breton cependant – accompagné d'un risotto épicé au curry saupoudré de filaments de coco. Retour à la tradition avec la pièce de bœuf flanquée d'une épaisse tranche de foie gras frais à peine coloré et jus de rôti truffé, un hommage à Rossini, qui ne saurait se passer de pommes soufflées. Comme toujours chez Ducasse, le service est prévenant et discret, la cave époustouflante, les prix en conséquence.

Pour le dixième anniversaire de son installation au *Plaza Athénée*, en 2010, Alain Ducasse expliqua son intention de tout chambouler, le décor, la vaisselle et même la cuisine : « La recentrer sur le produit, afin de mettre en valeur le goût. » Christophe Saintagne succèdait à Christophe Moret – parti chez *Lasserre* – à la tête de la brigade. Ducasse annonça une révolution de palace, c'est d'abord un pavé dans la mare au moment où l'ouverture d'hôtels très haut de gamme à Paris aiguise la concurrence.

Désormais, le client s'installe devant une table, nappée mais nue, sans autre décor qu'une figure géométrique abstraite, une sorte de ruban de Möbius en céramique.

Tabula rasa, le symbole est fort ! La carte elle-même, exagérément sibylline («canette, navets» ou bien «légumes et fruits»), nécessite un décryptage dont se charge le directeur de la salle, Denis Courtiade. Les amuse-bouches, servis d'emblée comme dans un bouchon lyonnais, ont aussi pour vocation de casser la solennité du décor, avec une pointe d'humour : un toast garni de lard de Colonnata, un autre de maigre, quelques crevettes décapitées servies à même la poêle. Reste à savoir ce qui peut se cacher sous un peu d'eau claire. La canette, cuite à la perfection, est servie avec des navets fondants, mais pochés – excusez du peu – dans un bouillon de fanes de navet. Le plat «légumes et fruits», présenté comme un ragoût, est une composition de haut vol où betterave, coing, poire, carotte et céleri ont vu leur jus de cuisson, une fois réduit, former une savante décoction, relevée d'un trait de vinaigre de cidre. Chaque plat – coq en pâte, jus Périgueux, écrevisses en bisque, sole meunière et cèpes, agneau et artichauts – exprime ainsi ce qu'on appelle en peinture des «valeurs», c'est-à-dire que les saveurs, les textures et les parfums doivent être jugés non dans l'absolu, mais dans leurs relations mutuelles.

C'est, depuis Carême, une donnée canonique de la cuisine française, hélas trop rarement respectée aujourd'hui. Alain Ducasse, parangon de la simplicité en cuisine ? Et si ce n'était que la marque de la plus délicate sophistication ? Il privilégie le produit, c'est bien le moins à ce prix. Depuis 1995, il revendique la simplicité en cuisine comme une vérité d'époque. Dans l'assiette, aujourd'hui, tout est clairement dessiné et lisible. Un peu moins de fioritures ? C'est heureux, d'autres s'en chargent, et non des moindres. Car ne nous trompons pas, si Ducasse revendique, comme le poète Ramuz en son temps, le « retour à l'élémentaire, mais retour à l'essentiel », c'est aussi pour siffler la fin de la récré, de la cuisine bling-bling, de la cuisine virtuelle et de l'esbroufe moléculaire. Une invite à regarder l'avenir.

Ils sont deux anciens de ses brigades à lui emboîter le pas. Frédéric Vardon, qui s'est installé au *39 V,* avenue Georges-V dans un magnifique décor contemporain sous les toits. Il fut le dernier second d'Alain Chapel à Mionnay. Et aussi David Gutman, au *Metropolitan* (*Hôtel Radisson*, place de Mexico). L'enseignement d'Alain Ducasse leur a appris à chercher l'essence des produits et du goût, l'épure. La technique apporte-t-elle en cuisine une radicale nouveauté qui exigerait, hier comme aujourd'hui, d'en recenser les moindres variations ? Ce qui a fait le succès de la cuisine classique et son aboutissement autour d'Alain Ducasse, est une culture intégrée et transmise se jouant des nouveautés, les utilisant mais dont l'intention première reste inchangée, constituée par une stratification mémorisée de goûts, d'usages et de choix qui caractérisent son image canonique. La haute cuisine française est fondée sur l'art des nuances et des gradations, par réduction des sucs et des jus de cuisson destinés soit à relever, soit à faire contraste avec le produit. Cet effort est conjoint à une patiente recherche de « l'accord parfait » entre les mets et les vins, à laquelle nous invitent les sommeliers du *Plaza Athénée* sous la houlette de Gérard Margeon.

À la mi-2013, la fermeture du *Plaza Athénée* pour de longs mois de travaux entraîna la délocalisation de l'équipe du *Plaza* dans un hôtel prestigieux géré par le même groupe : l'*Hôtel Meurice*, que venait de quitter Yannick Alléno. À l'automne 2014, lors de sa réouverture, le *Plaza Athénée* reste le premier des établissements d'Alain Ducasse, où une attention particulière est portée à l'origine des légumes et des céréales ainsi qu'à une sélection rigoureuse des produits de la mer.

Dans les Carrés des Champs-Élysées, entre le Rond-Point et la place de la Concorde, le *Laurent*, *Ledoyen* et quelques autres, tel un palimpseste, ont inscrit leur histoire dans un paysage urbain où, depuis deux siècles, tout a changé, le nom des places, la fonction des Carrés comme l'usage et l'aspect des bâtiments. Ces lieux, flamboyants à la fin de l'Ancien Régime, virent le dernier dîner de Robespierre et de Danton avant que l'irréparable fût accompli, à deux pas, sur la place de la Révolution. La politique et la gastronomie déjà se mêlaient à la fête, fût-elle tragique et digne de l'Antique. Moins d'un siècle après, Marcel Proust, le narrateur enfant, joue aux barres avec Gilberte. C'est un jour de neige, près du *Laurent*, entre le guignol et le cirque. « Déjà Gilberte courait [...] étincelante et rouge sous un bonnet carré de fourrure, animée par le froid, le retard et le désir du jeu... » Plus tard ce souvenir de Gilberte Swann provoque, chez Proust, le désir de ressusciter le *Temps perdu*, et immortalise ce Carré des Champs-Élysées qui vit fleurir des établissements aux fortunes diverses.

Le bâtiment qui abrite *Laurent* est une ancienne fabrique, construction fragile, puis guinguette sous la

Révolution. En 1842, l'architecte Hittorff, père de la gare du Nord, en reconstruit la partie centrale. Il conforte sa fonction de lieu de divertissement. Rien ne reste, en revanche, du bal Mabille contigu, qui ravissait Toulouse-Lautrec lorsqu'il s'aventurait parmi les cascadeuses et les gambilleurs. Mogador, Rigolboche, Chicard, la Belle Otero ne font plus d'entrechats que sur les toiles du peintre, dont on célébra, en 2001, le centenaire de la mort. Hittorff construit donc un café, *Le Café du Cirque*, avec pilastres et colonnes classiques, et orne les façades de motifs historiés et polychromes. L'établissement est repris en 1860 par un certain M. Laurent, dont le nom, on ne sait trop pourquoi, passe à la postérité. En 1906, deux ailes sont ajoutées aux extrémités du bâtiment. L'ensemble est repris en 1976 sous la direction d'Edmond Ehrlich, une sorte de héros viennois de roman de Kipling, un jeune Kim qui aurait eu rendez-vous avec le destin, à Samarcande, pendant la Seconde Guerre mondiale, sinon avec la haute restauration. Clientèle de bon ton, pas trop guindée, accueillie par Philippe Bourguignon, qui fut Meilleur sommelier de France, successeur d'Edmond Erlich. On y parle bas, l'on y mange avec élégance.

Joël Robuchon fut conseiller de l'établissement où il délégua Philippe Braun, fin cuisinier. Avec Alain Pégouret, ancien du *Crillon*, la continuité est assurée. Cet établissement où se côtoient le pouvoir et la finance, et aussi les antiquaires du quartier, est aux antipodes des lieux à la mode où il est bon d'être vu : peu de vedettes du spectacle et guère de clients étrangers entre les colonnes de la salle à manger. La cuisine s'ingénie à rendre l'ordinaire excellent et que l'excellent paraisse familier. En aucun cas le cuisinier n'impose sa loi. Il satisfait les goûts de la clientèle. Toulouse-Lautrec eût aimé la suggestion du jour, une délicate tourte friande de canard au foie gras, et plus encore peut-être la saucisse truffée maison, purée de pommes de terre, si parfumée et savoureuse. Le client apprécie, c'est la «légitimation». Court bouillon glacé d'écrevisses à la coriandre, rouelles de cochon et pommes de terre en vinaigrette, turbot au laurier et beurre salé, poulet de Bresse rôti à la broche et macaronis au persil plat... L'énoncé est sobre, la technique assurée, les produits de premier ordre, les cuissons maîtrisées. Rien ne vient troubler la belle mécanique, un service discret, un sommelier avisé – Patrick Lair – qui, sans discours pléthorique, sait aussi s'exprimer d'un regard. Chacun est à sa place, appliquant à la lettre les leçons conjuguées de la tradition et de l'école de Lausanne. *Laurent* veille sur l'héritage. Le restaurant d'été, caché derrière les haies vives, est de nouveau mis en valeur, à côté de la fontaine toujours jaillissante. C'est un séjour estival très prisé, une sorte de villégiature en forme de lieu de mémoire, celle, vive et authentique, de Paris. L'histoire, la littérature et la table ont ici partie liée.

«*Un peuple sans sauce aucune a mille vices*»

C'est, à l'origine, une modeste ginguette dans la verdure à l'enseigne du *Dauphin*, qui prendra le nom de son propriétaire en 1791, Antoine Nicolas Doyen, pour devenir *Le Doyen* en 1848, après que l'architecte Hittorff en eut dressé les plans dans son aménagement des Carrés des

Champs-Élysées. Son nom actuel date de 1962. L'histoire de ce restaurant oscille entre le tragique et le cocasse. Robespierre y dîne au rez-de-chaussée, l'avant-veille de son exécution, alors que Tallien et quelques Montagnards complotent contre lui à l'étage. Le 6 juin 1944, apprenant au déjeuner le débarquement des Alliés en Normandie, le romancier Pierre Benoit s'écrie : « La route du beurre est coupée ! » Le mot, repris par Radio Paris, fera florès. La cuisine du *Ledoyen*, depuis les années 1980, a connu quelques épisodes glorieux avec le très classique Guy Legay, puis Ghislaine Arabian, d'autres le furent moins sous la direction de Régine.

À la rentrée 2014, Yannick Alléno, 46 ans, est installé chez *Ledoyen*, dix-huit mois après avoir quitté l'*Hôtel Meurice* où il avait obtenu son bâton de maréchal, avec trois étoiles au *Guide Michelin*. Il succède à Christian Le Squer, depuis seize ans à la tête de cet établissement où il avait décroché trois macarons en 2002, grâce à une cuisine parfois brillante et inspirée. Mais il s'était toujours refusé à bannir l'huile de truffes de certaines de ses préparations, à mon grand désespoir ! Yannick Alléno a mis à profit cette mini-traversée du désert pour engager une réflexion sur les sauces, décriées depuis l'époque de la nouvelle cuisine, dans les années 1970. La question des sauces est, depuis deux siècles, un débat central de la cuisine française. Carême en fit la première codification, Escoffier simplifia bien des procédés, jusqu'à Michel Guérard qui imagina des substituts astucieux en utilisant les garnitures aromatiques sans toutefois oublier les principes de la réduction. Le débat avait été relancé par Alain Senderens, pour qui les « sauces sont obsolètes ».

Yannick Alléno, lui, estime que «sans les sauces, il n'y a pas de cuisine française». Sa rencontre avec Bruno Goussault, ingénieur agronome et pionnier de la «cuisson à juste température», lui a permis d'établir une véritable théorie de la pratique saucière consignée dans un modeste opuscule intitulé *Sauces, réflexions d'un cuisinier*, ouvrage passionnant qui d'emblée établit un constat: «Les sauces ont été abandonnées, pour avoir perdu le procès en diabolisation qui leur a été intenté au cours des cinquante dernières années. Trop compliquées à préparer, trop grasses, trop lourdes, trop salées, trop inesthétiques, etc. Et pourtant. Les sauces forment un pan essentiel de notre cuisine. Elles lui sont consubstantielles.»

Déjà le marquis de Cussy affirmait: «Point de sauce, point de salut, point de cuisine.» Balzac confirme: «La sauce est le triomphe du goût en cuisine», et Curnonsky d'ajouter: «Les sauces sont la parure et l'honneur de la cuisine française. Elles ont contribué à lui procurer cette précellence que personne ne discute.» Ces certitudes paraissent relever d'un ethnocentrisme exagéré, d'un réflexe obsidional de populations aujourd'hui assiégées par la pizza ou le hamburger. Mais le propos est élargi par l'écrivain et journaliste américain Ambrose Bierce (1842-1914), pour qui la variété des sauces «est le plus incontestable des repères de la civilisation et de l'élévation de l'esprit. Un peuple sans sauce aucune a mille vices».

Yannick Alléno, constatant un jour qu'un fond de terrine, mi-gelée, mi-liquide, était bien plus goûteux que la terrine elle-même, prit conscience que cette saveur ne

pouvait seulement résulter d'une réduction par la chaleur. Il s'est alors penché sur les techniques d'extraction
(cuisson sous vide à juste température pendant une durée
déterminée) qui livrent un exsudat, lequel, une fois fil-
tré, révèle un goût originel au plus proche de l'aliment
(fenouil, céleri, topinambour, poulet, sole) dont il est
extrait. Il obtint ainsi une palette de saveurs auxquelles la
cryoconcentration allait donner une dimension tout à fait
singulière. Cette technique consiste en un abaissement de
la température qui permet d'obtenir des glaçons dans une
solution. Il suffit de retirer la glace pour ne garder que le
jus concentré. La technique est naturelle et ancestrale au
Québec pour produire le cidre de glace. Ces extraits, seuls
ou assemblés, donnent alors de nombreuses combinaisons
de saveurs qui peuvent encore être modifiées au moyen
d'une oxydation contrôlée, ou encore d'une fermentation
adaptée à chaque élément. Yannick Alléno voit dans ces
expérimentations un champ d'investigation infini qui
inspire désormais sa cuisine. Ces techniques, qui allient
la cuisson sous vide, c'est-à-dire le bain-marie, et le froid
intense, ne nécessitent qu'un thermomètre et une centrifugeuse. Voilà qui va sans douter réveiller une émulation
salutaire et peut-être provoquer chez de nombreux jeunes
cuisiniers une vocation nouvelle, plus riche que l'imitation
stérile d'une prétendue cuisine du Nord de l'Europe.
Dans ce contexte, l'arrivée d'Alléno chez *Ledoyen* prend
une tout autre dimension qu'une simple valse des chefs.

Retour au cœur du Triangle d'or pour une veille de
Noël. Quelques poireaux, c'est peu. Mais avec de l'imagination, une technique imparable – celle de toute une

brigade –, un goût très sûr et beaucoup d'enthousiasme, Philippe Legendre, le chef du *Cinq*, rendait en 2003 un hommage inattendu et triomphant au poireau. Longtemps considéré comme le légume incontournable des potées et des pot-au-feu, le poireau n'a que très récemment retrouvé ses lettres de noblesse gastronomique. Mais souvent, il n'est que le faire-valoir d'ingrédients plus prestigieux. Legendre considère le poireau avec respect. Il le ficelle comme une volaille pour éviter qu'il se défasse, et le fait cuire dans un double consommé de volaille et de bœuf : c'est le poireau cuit à la ficelle aux saveurs d'hiver et à la truffe. Le poireau, une fois cuit, sera découpé en tronçons de trois centimètres, évidés au centre, pour permettre l'incorporation de châtaignes émiettées, de pignons de pin et d'un peu de pain dur gonflé au jus de volaille. Deux noix de topinambour, poché et poêlé, seront placées sur le côté de l'assiette avec deux lamelles de truffe du Tricastin. L'assiette elle-même, car tout le génie de ce plat tient dans cette dissociation, est creuse et munie d'un plateau mobile en porcelaine, perforée de trous peu nombreux mais suffisants pour retenir une partie de la vinaigrette. Celle-ci est composée d'une émulsion de jus de truffe, de vinaigre de xérès et d'huile d'arachide que le chef dispose au dernier moment sur les tronçons de poireau farci. Une partie de la sauce viendra rejoindre, dans le creux de l'assiette, le double consommé bien chaud dans lequel ont été pochés les poireaux. Le résultat est éblouissant. Aucune des trois ou quatre saveurs principales ne domine, ni la truffe, pas même le vinaigre. Seul le blanc de poireau mêle les sucs de sa délicate finesse au consommé double qui se déguste nécessairement en dernier. Philippe Legendre a quitté *Le Cinq* en 2008, lourde perte pour la gastronomie parisienne.

La cuisine d'hôtel, « la pire » selon Curnonsky, cuisine d'apparat réservée à une clientèle cosmopolite, a fait dans la seconde moitié du siècle dernier un brillant retour sur le devant de la scène gastronomique, comme un reflet narcissique de la vie parisienne. Guy Legay au *Ritz*, Dominique Bouchet au *Crillon* et Marc Marchand au *Meurice* ont engagé un aggiornamento salutaire de la cuisine des palaces. Le *Plaza Athénée*, inauguré en 1911, brillait beaucoup plus dans les années 1950 par son snack-bar, comme on appelait à l'époque *Le Relais Plaza*, ouvert en 1936, que par la cuisine du *Régence*, dirigée par Lucien Diat. Il fallut attendre les années 1990 et l'arrivée d'Éric Briffard, second de Joël Robuchon au *Jamin*, pour que le *Régence* du *Plaza Athénée* dispose d'une brigade capable de mettre en valeur les textures d'une soupe de petits pois frais et oignons nouveaux à l'étuvée de morilles, de révéler la délicatesse des arômes d'un crémeux de laitue et araignée de mer à l'émulsion d'amande, ou encore d'une croustille d'œuf mollet en fricassée de morilles et pointes d'asperges au vin jaune. Chacun de ces plats était composé selon un rythme ternaire de trois saveurs bien dosées, identifiables, l'une faisant alliance ou contraste avec les deux autres de façon claire et équilibrée. La sensibilité l'emportait sur la technique, capable cependant de fixer souverainement les saveurs et les arômes, sans concession aux effets de mode.

En 2000, le *Michelin* accordait au *Régence* une seconde étoile. À l'automne, l'équipe d'Alain Ducasse s'installait au *Plaza*. Replié aux *Élysées du Vernet*, avec des moyens réduits, Éric Briffard continua sur sa lancée. Le *Michelin* finit par suivre, à contretemps. C'était un devoir et un plaisir, chaque automne, d'aller déguster sous la verrière d'Eiffel son pithiviers de gibier à la sauce brune, sapide et profonde. En 2008, le départ précipité de Philippe Legendre du *Cinq*, la grande table du *Four Seasons George V*, allait offrir à Éric Briffard l'occasion de renouer avec une brigade étoffée et capable de jolies prouesses. Terrain difficile qu'il mit plusieurs mois à maîtriser, démontrant au passage que si la cuisine est affaire de sensibilité, elle est aussi une histoire humaine aux contingences multiples.

Synesthésie culinaire

Premier repas au *Cinq*, quelques mois après la prise de fonction de Briffard. Les saveurs délicates, la fraîcheur impeccable d'un tourteau répondant aux légères nuances du cépage savagnin, annonçaient un repas d'exception composé avec la complicité bienveillante du directeur, Éric Beaumard, grand sommelier et hôte délicieux. Suivait une entrée de champignons d'automne, façon grecque de légumes, où dominait légèrement la douceur des raisins. Quelques ormeaux tout juste croquants étaient accompagnés d'un potimarron japonais (*kabocha*) dont la saveur et la texture contrastaient bizarrement avec celle du mollusque marin. Le pithiviers de perdreau, colvert et grouse, en revanche, avec son merveilleux feuilletage, rappelait en tout point ceux que nous avions en mémoire, à la nuance

près qu'un miel de châtaignier imposait sa présence odo-
rante dans la sauce toujours précise et parfumée, mais
nécessairement moins sapide que celle qu'il faisait au
Vernet, et dont l'odeur, surtout, paraissait sucrée.

Je reconnais que mon goût – que je ne prétends pas
imposer – ne me porte guère vers le sucre. Mes quelques
notes, établies aussitôt après ce repas, montrent l'extraordinaire difficulté pour un chef d'imposer son propre
code de saveurs à une brigade nouvelle. Il me revint alors
en mémoire que, par une étrange prémonition, Brillat-
Savarin avouait être « tenté de croire que l'odorat et le
goût ne forment qu'un seul sens ». On se souvient de son
mot : « Le nez fait toujours fonction de sentinelle avancée
qui crie : qui va là ! » Il ajoutait : « Sans la participation
de l'odorat, il n'y a pas de dégustation complète. » Il
avait observé, de façon empirique, qu'un violent coryza
oblitérait le goût. De même si l'on mange en se pinçant le
nez, la sensation du goût ne s'exprime que d'une manière
obscure et imparfaite ; la langue lui paraissait un organe
tout à fait secondaire dans l'appréciation des saveurs.
La fosse nasale, en revanche, « sur laquelle les physiolo-
gistes n'ont peut-être pas assez insisté », lui semblait un
élément déterminant de la perception, ce que les découvertes les plus récentes des neurosciences ont confirmé.
Il récusait la classification usuelle des quatre saveurs de
base, à laquelle nous souscrivons encore : « Le nombre des
saveurs est infini, écrit-il dans sa *Physiologie du goût*, car
tout corps soluble a une saveur spéciale, qui ne ressemble
entièrement à aucune autre. » Il admettait aussi, par
convention, que l'on puisse identifier le doux, le sucré,
l'acide, l'acerbe, mais au dogme il opposait un classement

personnel des saveurs « plus ou moins agréables ou désagréables au goût ». Brillat-Savarin remettait ainsi à l'honneur le point de vue d'Aristote, qui opposait le doux à l'amer et situait le continuum des saveurs sur un axe unique.

Quelques mois plus tard, Éric Briffard, à nouveau au sommet de son art, modifia ses recettes : les ormeaux bretons et les saint-jacques au beurre d'algues étaient relevés d'un bouillon à la citronnelle ; le foie gras parfaitement rôti au poivre noir était escorté de rhubarbe et de fraises au jus de sureau. Dans l'un et l'autre plat l'équilibre racé, introduit par la citronnelle ou la rhubarbe, donnait la pleine mesure d'une très légère acidité, signature nécessaire d'un grand chef. Une noix de ris de veau à la moutarde de Crémone, carottes au curcuma et oseille achevait de donner raison à Jules Renard pour qui « le bonheur est dans l'amertume ». L'amertume et l'acidité avaient repris toute leur place dans la palette aromatique de l'un des plus brillants de nos chefs, quand beaucoup se laissent aller au déferlement des cuisines mièvres et doucereuses.

Une ouverture sur la vie

René Lasserre (1912-2006) fut une figure majeure de la restauration parisienne d'après-guerre. Il sut imposer un style, un décor et une cuisine en constant mouvement, sans facilités ni académisme. En achetant, en 1942, un bar éphémère construit pour l'Exposition universelle de 1937, René Lasserre entendait créer la plus fastueuse de toutes les tables de l'époque, avenue Franklin-Roosevelt, laquelle était destinée à devenir un symbole universel de Paris.

Cette avenue, ancien chemin de terre en 1696, était un peu à l'écart, délaissée et mal fréquentée, autrefois appelée «allée des Veuves». On y trouva au fil des ans quelques gargotes comme *Le Bal d'Isis* ou bien *Le Bal des Nègres*, maisons construites sur un terrain appartenant à Mme du Barry. *Le Bal d'Isis* fut remplacé en 1836 par le restaurant du *Petit Moulin-Rouge*, lequel, sous le second Empire, connut une grande vogue grâce à son intérieur garni de divans et de glaces où l'on venait souper en sortant du *Bal Mabille*. La Dame aux camélias – Alphonsine Plessis – habitait à l'emplacement du numéro 9.

D'emblée, dans le nouvel établissement de Lasserre, réaménagé après 1945, entrée, couloirs et salon sont meublés de haut goût. Plus tard sera créée une salle luxueuse à l'étage, à laquelle on accédera par un ascenseur capitonné comme une chaise à porteurs. L'agrément, sinon la surprise principale, sera le fameux toit ouvrant, inspiré peut-être des praticables du *Lido* où René Lasserre avait travaillé avant la guerre. Une atmosphère second Empire se dégage de l'ensemble. Nappes, vaisselle et qualité du service nourrissent ce sentiment. Chez *Lasserre*, le mot «perfection» prend toute sa rigueur antique: «Vous êtes à l'Olympe», commente M. Louis, homme de confiance de René Lasserre. Peut-être plus sûrement dans un décor à l'Antique revu par la Révolution française. Comme l'étaient, au XIXe siècle, les pavillons gourmands épars dans les Carrés des Champs-Élysées, tel *Laurent* ou bien *Ledoyen*. Lasserre, alors, semble dans la ligne de ces exceptions conçues lors des époques cruciales, aux yeux de l'amateur d'histoire de la capitale. Paris, en temps de crise, a toujours voulu faire face au danger. Comme Matisse, qui, en juin 1940, peint son plus beau portrait apaisé de *La Femme au bouquet de tulipes.* «C'est sa manière de résister», nous dit Aragon.

La seule référence connue d'un espace semblable au *Lasserre* de l'après-guerre, c'est la salle à manger de la princesse Mathilde (1820-1904) dans l'hôtel qu'elle habita de 1852 à 1870 au numéro 10 de la rue de Courcelles, à Paris. Cette pièce, qui peut-être inspira l'architecte ami de René Lasserre, nous est connue par une toile de Charles Giraud peinte en 1854, au musée de Compiègne. «Cette salle à manger à style d'atrium, aux colonnes cannelées, enguirlandée de lierre, [est] la vraie salle à manger d'une cousine d'Auguste», nous disent les frères Goncourt dans leur *Journal* au 27 mars 1865. Ils avaient fait la connaissance de la princesse le 16 août 1862. Fille de Jérôme Bonaparte, cette femme d'esprit avait coutume de dire: «Sans l'Empereur, j'aurais vendu des oranges dans les rues d'Ajaccio.» Elle appelait le prince Napoléon «Plon-Plon». Elle épousa, un temps, le comte Anatole Demidoff, puis tint salon rue de Courcelles sous le second Empire et la IIIe République. Ennemie de toute étiquette, elle recevait sans considération de couleur politique: «Elle accueillait tous ses visiteurs, note un de ses familiers, avec un sans-façon qui était l'extrême raffinement de la condescendance et de la politesse.»

Chez la princesse Mathilde, la salle à manger est un musée imaginaire, comme le deviendra le restaurant *Lasserre* à la grande époque. Elle expose également une argenterie digne de la maison de Ménandre à Pompéi. La place de la végétation dans la maison est prépondérante depuis le second Empire. Le jardin intérieur devenu salle à manger, baigné de lumière naturelle, apporte verdure, fraîcheur et rêve. L'incessant voyage de René Lasserre durant le temps de sa formation, puis l'exercice de son métier lui ont permis d'engranger un imaginaire de décors divers, dont la métamorphose a donné cet espace à nul autre pareil. Cela a dû séduire André Malraux, familier de ces lieux, plus inscrits qu'on ne pense dans la lignée du goût décoratif français.

Le pari de René Lasserre – son coup de génie – est réussi. La clientèle renouvelée, qui sortait d'une époque trouble, agitée et sombre, trouva un décor à la mesure de son espoir. On lui offrait son Petit Trianon, sinon son Versailles de la gastronomie, avec un décor à ramage fait de tonalités chaudes dans la gamme des ocres et des roux, relevés de pourpre. Les cristaux sont éclatants, l'argenterie étincelante, le nappé immaculé. Rien ne choque, les parures des clientes habillées nouvellement par Dior, Fath et Chanel sont en harmonie avec ce lieu qui semble avoir été fait pour elles. Décor de théâtre peut-être, si l'on songe que Touchagues, peintre des plafonds, fut l'ami de Christian Bérard, grand enchanteur de ce temps. Jean-Louis Barrault vient de donner *Les Fourberies de Scapin* au théâtre Marigny voisin, qu'il dirigera jusqu'en 1959. Les fameuses colombes blanches circulent entre les tables, réminiscence des tableaux de Matisse. Le *Lasserre* de cette époque, c'est la demeure réconciliée de la Belle et la Bête. Jean-Louis Barrault crée en 1948 au Marigny *Le Partage de midi*, la plus belle pièce de Claudel. C'est le temps où ce quartier du bas Champs-Élysées sort de l'ombre et de la solitude par la présence des couturiers, de fastueuses galeries de peinture, tandis que, tout près, avenue Montaigne, c'est la gloire journalistique de *Jours de France* et l'éclat retrouvé de la musique au Théâtre des Champs-Élysées. La salle à manger, dans ses états successifs, est propice à la vie sociale. Balustrades et jardinières de fleurs offrent des séparations qui permettent une forme d'intimité partagée. Cette impression est renforcée par les différents niveaux du sol. Les fenêtres à la française sont ouvertes sur la verdure de l'avenue ou bien sur le jardin. L'on vient chez *Lasserre* pour voir, et aussi pour être vu ! Le génie de René Lasserre, semblable à nombre de ses contemporains, durs à la tâche, c'est une étonnante conscience mimétique des événements parisiens dans les années d'après-guerre. Lasserre ouvre son toit à ce temps d'illusions enivrantes. Les créateurs sont là encore et à chaque saison, ils donnent une nouveauté. Peintres, couturiers, gens de théâtre, cinéastes, écrivains pour un dernier chef-d'œuvre, du sulfureux Céline avec *D'un château l'autre* au délicieux *Sagouin* de Mauriac. Cocteau est roi de la fête cinématographique avec *Orphée* et *La Belle et la Bête*. L'ombre de Giraudoux hante la création de *Pour Lucrèce*, avec Edwige Feuillère, au Marigny, en présence de l'élite de l'époque.

Avec sa cuisine de tradition, c'est sur son temps que René Lasserre ouvre le plafond de son restaurant. La symbolique du renouveau et celle de la liberté retrouvée tiennent à ce glissement sur le ciel de Paris. Le public y croit : fête de la 2e DB, kermesse aux Étoiles, vente des livres de la Caisse nationale des lettres, créée en 1946, avec

les écrivains au Vél' d'Hiv, le Salon de mai, les collections
de printemps de la haute couture. Le Goncourt à Simone
de Beauvoir. Paris ronronne de plaisir. Ses yeux ne sont
pas dessillés encore. La cuisine de Lasserre a été portée au
firmament étoilé par le *Michelin* jusqu'à la vente du restaurant aux héritiers d'un banquier international. Michel
Roth y a fait une apparition à la tête de la brigade à la
fin des années 1990 ; Jean-Louis Nomicos lui a succédé
brillamment pendant une décennie, jusqu'à l'arrivée de
Christophe Moret, venu du *Plaza* voisin en 2010. *Lasserre*
reste la référence d'une cuisine de tradition qui s'adapte
par petites touches à l'évolution des goûts de notre
époque. La magie du décor continue d'opérer.

In vino veritas

Comme autrefois à la Samaritaine, il se passe toujours
quelque chose chez Alain Senderens, ancien officier de
liaison dans les corps francs de la nouvelle cuisine au
début des années 1970, établi dans le quartier Élysée-
Madeleine. Mais limitons-nous à la dernière décennie,
sinon il faudrait rappeler les épisodes précédents :
Senderens pédagogue, Senderens vigneron…
Posons d'abord comme préalable qu'il est un grand, un
très grand cuisinier doté d'un palais exceptionnel et d'une
réactivité immédiate. En 2002, l'œil et les papilles en émoi,
Alain Senderens décida d'aller jusqu'au bout de sa passion, celle qui, alors qu'il était un des principaux acteurs
de la nouvelle cuisine, l'avait amené à explorer l'art culinaire des Anciens en prenant pour modèle Archestrate,

grand cuisinier de l'Antiquité. C'est le nom qu'il donna à son restaurant, rue de Varenne, en 1968, où s'est établi depuis Alain Passard. Archestrate, poète au temps de Périclès, avait pour coutume de manger bon et peu. Né à Gela en Sicile, c'était un grand voyageur qui notait, puis essayait et transformait les aliments de l'époque, cherchant toujours à améliorer leur rendement et leur qualité. En 1985, Alain Senderens rejoint *Lucas Carton*, place de la Madeleine, mais l'esprit d'Archestrate demeure. *Lucas Carton* est l'un de ces restaurants prestigieux où, à moins d'être reconnu par le voiturier, il est prudent avant d'entrer d'avoir relu l'article « luxe » du *Dictionnaire philosophique* de Voltaire, pour admettre « qu'il n'est pas dans la nature humaine de renoncer par vertu à se procurer à prix d'argent des jouissances de plaisir ou de vanité ». Une fois la porte franchie, moderne, automatique, et pour tout dire assez laide, la magie du *jugendstil*, décor végétal appliqué au sycomore, à l'érable et au bronze, dans l'esprit Art nouveau, se devait d'opérer.

L'idée de Senderens, longuement mûrie, était d'appliquer au vin les principes qui avaient guidé ses premières recherches, à savoir qu'un repas est en lui-même une histoire qui résume nos antécédents de table et constitue une véritable archéologie gustative personnelle. Son intérêt pour le vin l'a conduit à mener systématiquement des expériences d'accords des mets avec les vins. En finir, pensait-il alors, avec le terrorisme du vin unique, imposé par l'hôte à ses commensaux, ou par un sommelier, quel que soit le plat dégusté par chaque convive. Les mésalliances choquaient son idéal de la construction d'un plat qu'il entendait réserver à un vin, ou à une famille de vins. Car, de plus en plus, le vin se projetait dans sa vision culinaire. Comme le peintre «voit en peinture» le paysage qu'il s'apprête à fixer sur la toile, Senderens imaginait quel vin, voire quel millésime, conviendrait idéalement avec tel ou tel plat, quelle nuance il faudrait ajouter à des langoustines enrobées de vermicelle – ici un peu d'amandes torréfiées, là quelques éclats de pistache – pour atteindre à la perfection des valeurs juxtaposées du solide et du liquide.

Il commença par suggérer un vin adapté à chacune de ses grandes créations, comme le homard à la vanille ou le canard Apicius. Première condition, le vin devait avoir «une queue» et de la «redemande», être long en bouche et ne pas saturer. Avec le lièvre à la royale, un plat emblématique de la grande tradition de Carême, l'affaire était délicate. Le fond de cuisson, à base de réduction de gibier et d'un vin rouge puissant, avait été dégraissé, dépouillé puis concentré, lié au sang et soigneusement lissé avec un peu de foie gras passé au tamis, pour former la sauce au miroir, lisse et brillante. C'est au château-de-beaucastel à la pourpre rubis et aux tannins arrondis que revint le privilège d'accompagner ce plat éblouissant, dans différents millésimes.

Avec l'œnologue Jacques Puisais d'abord, puis avec les dégustateurs Michel Bettane et Thierry Desseauve, Alain Senderens multiplia les expériences et forgea durablement sa conviction. Au point de considérer que le client pouvait, à sa table, se limiter à choisir son vin, le plat n'étant que la conséquence de ce choix. Raisonnement spécieux qui pourrait laisser croire que le chef devenait soudain acquis à un peu de modestie, alors qu'au contraire il pesait à la fois et sur le vin et sur le plat. La critique ne vit guère l'astuce. La carte de *Lucas Carton* se présentait donc à cette époque comme une nomenclature de crus de différentes régions viticoles, y compris des portos et des rhums, suivie d'une courte explication et, ensuite seulement, de la présentation du plat. Ce renversement de l'ordre des facteurs n'était pas si nouveau qu'il y parut. En 1922, Édouard de Pomiane notait que dans le Bordelais, « un propriétaire ne compose jamais la carte des vins d'après le menu qu'il offre ; au contraire, il compose son menu d'après les crus dont il dispose. Sa seule préoccupation est de trouver telle ou telle préparation culinaire qui fera ressortir les qualités de tel ou tel vin ». L'inattendu, ici, fut la généralisation de la démarche à l'ensemble de la carte.

Voici d'abord, au choix à l'apéritif, un champagne aux notes d'amande, de pomme verte et d'agrumes de la côte des Blancs, une manzanilla très iodée ou bien un chardonnay rond aux notes boisées de la côte de Beaune ; ils seront accompagnés de deux séries d'amuse-bouches totalement différents. Au dom-pérignon 1993, dont la carte vantait justement l'exceptionnel équilibre, correspondaient quelques cuillères de caviar osciètre assaisonné d'oignon blanc des Cévennes, cuit dans l'argile, et de quelques grains de pistache. Les notes de noix fraîche, de pomme et d'épices du château-chalon 1995 du domaine Macle étaient accordées à la vigueur d'un tronçon de turbot, et du chou chinois parfumé au curry. Au château-de-la-tour clos-vougeot « vieilles vignes » 1995 et à son nez très aromatique revenait l'honneur de mettre en valeur un canard croisé étouffé, son rougail de poireaux, mangue et gingembre marinés au vieux jerez. Ceux qui restaient attachés à la tradition pouvaient encore demander la carte des mets à l'ancienne et choisir leur bouteille, fût-elle d'eau minérale ! Cette démarche, perçue comme innovante, eut pour effet de relancer l'image de *Lucas Carton*. C'était aussi l'objectif recherché.

Deux ans plus tard, en 2005, Alain Senderens décidait de soustraire son établissement aux critères qui, à ses yeux, garantissaient les trois macarons qu'il avait accrochés depuis 1984 à cette enseigne prestigieuse. Ses bilans étaient positifs mais il souhaitait surtout « diminuer la pression » et rêvait d'une nouvelle convivialité pour un établissement « plus sensuel, plus féminin et plus ouvert ». Concrètement, *Lucas Carton* ne devait pas devenir une brasserie, mais les prix ne pas excéder une centaine d'euros, alors que la moyenne était du triple. Une chose était sûre, c'est pour se « mettre en phase avec des attitudes contemporaines » et pour « mieux échanger » que le créateur du canard Apicius voulait « désampouler » le style de sa maison, à commencer par le service et la cuisine à laquelle il entendait donner « plus de liberté » et ne pas s'interdire de cuisiner des sardines ! Et aussi dépoussiérer le décor, ce qui fut fait de façon contestable, mais sans toucher à l'essentiel, car l'établissement est inscrit à l'Inventaire supplémentaire des monuments historiques.
Alain Senderens a toujours été un enfant terrible parmi ses pairs – Delaveyne, Bocuse, Troisgros, Guérard –, fouinant dans les vieux manuels de recettes pour les adapter, de manière souvent flamboyante, à nos goûts d'aujourd'hui. Formidable passeur, il fut et restera un créateur véritable dans cette nouvelle phase à laquelle il

donne volontiers – c'est son tempérament – des accents prométhéens ! *Lucas Carton* fut débaptisé pour s'appeler, tout simplement, *Alain Senderens*. Le risque était que le *Guide Michelin*, piqué au vif, conserve trois étoiles au nouvel établissement, car la même exigence de qualité appliquée à des produits moins nobles était maintenue en cuisine. Les sages de l'avenue de Breteuil ont joué le jeu et lui ont accordé deux macarons. Le séisme médiatique fut total et pendant plusieurs années le restaurant *Senderens* joua à bureaux fermés.

Nous ne suivrons pas Alain Senderens, toutefois, dans ses dernières déclarations, qui le conduisent à considérer que les sauces sont obsolètes. Alain Senderens est familier de ces intuitions qui se transforment en certitudes et qu'il parvient souvent à faire partager. Mais cette fois-ci, le débat est sérieux et ouvert, dépassant la querelle récurrente des anciens et des modernes, c'est-à-dire des vieux et des jeunes. À la rentrée 2013, un vent de panique s'est emparé de la brigade lorsque Alain Senderens et son épouse ont cédé la totalité de leurs parts à leur associé, Paul-François Vranken, propriétaire de Pommery et de quelques autres maisons de champagne. Le chef exécutif annonce son départ, une partie de la brigade suit. Yannick Alléno est sur les rangs pour prendre la suite. Mais, à l'automne, Senderens reste seul à la barre, avec Potel et Chabot, chargé de faire l'intérim. Le restaurant a retrouvé son ancien nom *Lucas Carton* même si Alain Senderens est encore consultant. Le *Guide Michelin* n'a accordé en 2014, par prudence ou par vengeance, aucune distinction à cette prestigieuse maison. Le passage de témoin a eu lieu discrètement au profit du jeune Julien Dumas, ancien chef de *Rech*, restaurant de poisson du groupe Alain Ducasse. La page Senderens semble tournée. La légende de *Lucas Carton* est à rebâtir.

Dans la proximité de la place de l'Étoile, la rue Arsène-Houssaye – homme de lettres méconnu – abrite quelques bonnes tables. Ainsi *Le Chiberta*, créé en 1932, a-t-il été longtemps le porte-étendard du golf d'Anglet, près de Biarritz. Ce restaurant a connu une gloire à éclipse et passait encore, au début des années 2000, pour un témoin de « l'esprit des années 70, rajeuni par un décor japonisant préservant l'intimité », selon le *Michelin* qui lui conservait un macaron. Repris en 2004, l'objectif de Guy Savoy et de son équipe, dirigée par Jean-Paul Montellier, est d'offrir une cuisine moderne, savoureuse, créative, susceptible de mettre l'« authentique à la portée de tous » ; c'est-à-dire une cuisine axée avant tout sur les produits, dont le prix cependant resterait dans des limites raisonnables. L'étoile Michelin brille à nouveau. Minimaliste, moderne sans tics ni excès, couverts classiques et vaisselle Bernardaud, le nouveau décor est signé par l'architecte Jean-Michel Wilmotte. Barack Obama et François Hollande y ont dîné le 5 juillet 2014 avant de célébrer le soixante-dixième anniversaire du débarquement de Normandie.

Dans *Le Monde* du 7 février 1987, La Reynière prophétisait : « Notez ce nom : Gilles Epié. Si les petits encenseurs médiatisés ne le mangent pas en route, il fera parler de lui, sans pour cela avoir besoin d'ouvrir succursale aux "isles", de conseiller un usinier du froid ou de parrainer une chaîne hôtelière. » Le destin devait en décider autrement. Après un début de carrière fort brillant au *Miravile*,

Gilles Epié fut contraint de raccrocher ses casseroles en 1994. Né à Nantes en 1958, très vite au contact des grands établissements, le jeune Epié avait fait son apprentissage aux Rosiers-sur-Loire et commencé sa carrière comme globe-trotteur, aux États-Unis d'abord, puis en Belgique en même temps qu'Alain Passard.

Son modèle, sinon son maître des années de formation, fut Alain Senderens, le magicien de *L'Archestrate*. C'est à son école qu'il apprit la clarté et la lisibilité des produits dans l'assiette. Le trait juste, ordonné, comme celui de Greuze, qui enthousiasmait Diderot : « Tout est entendu, ordonné, caractérisé, clair, dans cette esquisse », écrivait l'encyclopédiste lors du Salon de 1765 où le peintre présentait son œuvre. Le compliment, mot à mot, s'applique à la cuisine de Gilles Epié qui a longtemps été une esquisse, la promesse d'un achèvement qui s'accomplit depuis son retour à Paris en 2004, au *Citrus Étoile*, rue Arsène-Houssaye. S'impose aujourd'hui encore le souvenir des débuts, les saveurs précises d'une salade tiède de bœuf et grosse carotte moutardée tranchant avec la délicatesse d'une entrée de moules et cocos frais à la sauce marinière. Le bouillon de poulet et de légumes ou bien le saucisson de canard aux mangues et pommes vertes, c'était le clin d'œil à la côte Ouest et aux saveurs de l'Asie, comme la lotte au saké, étuvée d'aubergines ou bien le cabillaud mariné rôti. Et encore un foie de veau cuit à la vapeur, sans la moindre matière grasse, une cervelle d'agneau, si rare aujourd'hui, aux cèpes et girolles soulignée d'un imperceptible trait de vinaigre de framboise. À l'automne, c'est le cèpe entier cuit à la vapeur accompagné d'un sabayon relevé. Elizabeth, la belle Américaine, épouse du chef, donne une touche *fashion* à cette table aux additions très raisonnables pour le quartier.

La nuit du Fouquet's

Le *Fouquet's*, brasserie classique des Champs-Élysées, a été bien involontairement le symbole d'une société fascinée par l'argent, le bling-bling, au début du quinquennat de Nicolas Sarkozy en 2007, qui y avait convié quelques amis, ceux du Cac 40 et quelques autres. Caviar à la louche, champagne à gogo ? Rien dans tout cela qui aurait laissé un souvenir impérissable chez ses hôtes. Non, la soirée fut mondaine et pour tout dire passablement ennuyeuse. Il y avait certes suffisamment de champagne, mais aucun millésime rare. Le plat de résistance était un risotto aux artichauts et aux crevettes. Aux crevettes, pas aux langoustines ni aux gambas, comme le classique de la maison, le fameux risotto «Robert Hossein», qui aurait fait exploser le *food cost*, car le cocktail était offert par la maison. On peut recevoir dignement ses amis sans jeter l'argent par les fenêtres ! En l'occurrence, la fête – si l'on peut dire, tant selon certains elle fut morose, car on attendait Cécilia, qui ne se montra pas – se passait sur la terrasse, au premier étage, aux abords du *Diane*, table étoilée depuis, en 2012. Le risotto avait bien été précédé de quelques amuse-bouches, parmi lesquels des toasts au foie gras, mais aucune de ces pièces raffinées que le chef Jean-Yves Leuranguer, Meilleur ouvrier de France 1996, et sa brigade d'une centaine de cuisiniers, chefs de partie,

commis et pâtissiers, savent envoyer dans les grandes occasions. Bref, un pot de routine, pris debout, et qui a fait couler beaucoup d'encre, comme l'ont raconté Ariane Chemin et Judith Perrignon dans *La Nuit du Fouquet's*. Ah si...!
Au dessert, on apporta une étrange pièce montée, composée de riz soufflé et de roses des sables – un dessert que l'on apprend aux enfants en maternelle pour la fête des mamans, composé de flocons de maïs enrobés de chocolat et amoncelés pour faire du volume. Un dessert apprécié, disait-on, du nouveau président, par ailleurs grand amateur de Coca-Cola. En fait Nicolas Sarkozy n'attachait guère d'importance à la table, à laquelle il ne consacrait, même dans les dîners officiels, guère plus de quarante-cinq minutes. François Mitterrand venait régulièrement au *Fouquet's* sans tambour ni trompette ; il avait toujours la même table, la 83. Discrétion assurée ; sans doute une question d'époque...

Une adresse, rue Berryer, connue successivement sous le nom de *Version Sud* avec Guy Savoy, puis *Chez Catherine*, est devenue poissonnière sous le nom de *Helen*. Les volumes ont été redessinés. C'est net et lumineux. Le nouveau patron, Frank Barrier, ancien directeur de salle chez *Le Duc*, l'un des grands restaurants de poisson à Paris depuis deux générations, a confié la cuisine à Sébastien Carmona-Porto, lui-même ancien second dudit établissement. Poissons crus finement tranchés ou tartare de bar sont assaisonnés de façon singulière et précise. Les grosses moules d'Espagne, simplement cuites à la vapeur, sont servies avec une sauce fameuse légèrement aillée ; les langoustines royales sont nappées d'un soufflé à l'aïoli. Cette nouvelle bonne table est inspirée par de multiples saveurs : le Japon, la Méditerranée, la Catalogne, mais aussi la Corse avec un véritable chapon comme à Murtoli, une recette de l'île de Beauté flanquée d'une garniture champvallon (lit de pommes de terre et oignons caramélisés). À savourer en compagnie d'un mâcon-chaintré 2007 du domaine Valette, suggéré par Marie, jeune sommelière avisée.

Retour aux sources

La construction d'un restaurant sur le toit du Théâtre des Champs-Élysées, sans permis officiel, au début des années 1990, donna lieu à une polémique émaillée de quelques épisodes judiciaires. Mais force est de constater – vingt ans après – que la réussite est totale. En particulier la terrasse nouvellement installée sur l'avenue Montaigne, à l'endroit même où Erik Satie et Picabia tournèrent la fameuse séquence surréaliste dans laquelle on les voyait tirer au canon sur Paris dans un film de René Clair. L'ensemble avec mezzanine est vaste, mais la cuisine ensoleillée et vagabonde, puisée par les frères Pourcel dans les saveurs de la Méditerranée et du Japon, a de quoi répondre.

Aux abords du ministère de l'Intérieur, quelques bonnes tables que n'aurait pas dédaignées le commissaire Maigret sont tenues par des patrons à l'ancienne qui bavardent avec les clients. Celui de la *Cave Beauvau*,

Stéphane Delleré, soigne ses habitués avec une fameuse terrine de campagne, des harengs marinés, des anchois frais, une andouillette grillée et de belles viandes rouges accompagnées de beaujolais ou de côtes-du-rhône. *Le Griffonier* est un bar à vin animé. Le jovial Cédric Duthilleul y choie l'œuf mayonnaise, le céleri rémoulade aussi bien que les plats du jour : la blanquette de veau ou la choucroute, vraiment exceptionnelles, et, à la saison, les champignons et les plats de gibier.

Rue du Faubourg-Saint-Honoré, à deux pas de l'Élysée, la salle à manger ovale du *Bristol*, brillant vestige du théâtre que fit construire Jules de Castellane au voisinage de l'hôtel de la marquise de Pompadour, est l'un des plus intéressants volumes affectés à la restauration d'hôtel dans la capitale. Sa forme est en elle-même une invite à la méditation gourmande, tant sont rares dans notre univers orthogonal les espaces qui échappent à l'angle droit. Admettons que la salle à manger d'été – désormais réservée au restaurant en toute saison – soit d'une superbe élégance, mais notre préférence est acquise à celle d'hiver, aujourd'hui dévolue aux banquets et aux réceptions.

C'est dans ce cadre exceptionnel qu'Éric Fréchon, l'un des plus discrets parmi les cuisiniers de talent de notre époque, régale une clientèle internationale et les chefs d'entreprises qui ont pris l'habitude de dire à leur chauffeur : « Gaston, 112, Faubourg-Saint-Honoré. »

Éric Fréchon est né en 1963 à Corbie, bourgade de 6 000 habitants au bord de la Somme dans l'arrondissement d'Amiens. Formé en Normandie, il entre comme commis au Bristol en 1982. De 1988 à 1995, il fait partie de l'équipe de Christian Constant au *Crillon*, d'abord comme second, puis comme chef. Le départ annoncé de Christian Constant pousse Éric Fréchon, comme d'autres collaborateurs, à s'installer à son compte à *La Verrière*, aux Buttes-Chaumont. En 1999, le bruit court que *Le Bristol*, que vient de quitter Michel del Burgo, sollicite l'ancien commis! Nostalgie indéracinable de l'adolescence? Éric Fréchon perçoit cette offre comme un signe du destin, la possibilité d'exercer dans sa plénitude un métier qui est devenu sa passion. Il médite sans doute le mot de Léon-Paul Fargue : « L'on ne guérit pas de sa jeunesse. »

Il revient donc au *Bristol* pour assurer une forme de continuité, un « style de cuisine basé sur la culture culinaire française, mais sans cesse en évolution ; une cuisine de saveurs, d'épices et d'herbes fraîches », dit-il. Depuis lors, Éric Fréchon a conforté sa maîtrise de la cuisine de palace. Il a commencé par se jouer avec dextérité des saveurs, des textures et des couleurs dans une superbe variation de homard breton et encornets sautés aux poivrons doux, relevés aux anchois et pignons de pin. Le pigeon vendéen doré au sautoir aurait pu n'être qu'un exercice de style ; sa cuisson, à la goutte de sang, lui donne une toute première place sur une carte qui comporte aussi quelques plats canailles, passablement anoblis, comme le pied de cochon farci de foie gras, finement pané, doré à la broche et accompagné d'une délicieuse purée truffée. Puis l'anguille des Sargasses, le saint-pierre grillé au feu de bois et l'admirable poularde de Bresse au vin jaune cuite en vessie viendront bientôt donner la mesure du talent de ce chef d'exception, assuré, modeste, souriant. Il ne dédaigne pas de réinterpréter la sole normande, en hommage au pays de sa jeunesse. Un modèle pour une nouvelle génération de cuisiniers. Éric Fréchon, avec quelques amis, a ouvert en 2013 une brasserie nommée *Le Lazare*, dont il pilote l'équipe et conçoit la carte, dans la gare du même nom. Il renoue ainsi avec l'esprit de *La Verrière* où il connut son premier succès.

Qu'est devenue la fameuse sole normande ? Un souvenir. Elle était pochée au fumet de poisson avec une garniture de moules, queues de crevettes, huîtres et champignons ; et la sauce normande, à base de velouté de poisson, cuisson d'huîtres et crème, liés à l'œuf, devait sa finition à la crème double et au beurre. Voilà pourquoi la diététique et le régime crétois en ont eu raison. Elle fut créée en 1837 à Paris, dit-on, au restaurant *Le Rocher de Cancale,* par le chef Langlais. Prosper Montagné (1865-1948) fut le premier à douter d'une origine normande, avant de reconnaître qu'une « étuvée de poisson à la crème » pouvait avoir inspiré la recette car elle était « à l'origine préparée avec du cidre, en place de vin blanc ».

Du Tréport à Bayeux, la sole normande se prépare encore pour la clientèle anglaise. Juste retour des choses, c'est à Paris que le Normand Éric Fréchon inscrit sur sa carte d'été des filets de sole farcis d'une duxelles de girolles au vin jaune, suc des arêtes à peine crémé. Aucun doute, ce sont les ingrédients – adaptés, simplifiés – de la sole normande ; quant aux saveurs… Un seul mot : sublimes ! La « remarquable continuité d'une histoire culturelle pluriséculaire entre les Français et leur table », soulignée par l'historien Florent Quellier, est magistralement exprimée ici par l'épure.

Un bouquet de saveurs
autour des Grands Boulevards

La Nouvelle Athènes, nom donné au quartier Saint-Georges (Lorette-Martyrs) en 1823 après la libération de la Grèce du joug ottoman, a gardé un parfum d'élégance surannée, autant en raison d'une architecture très École des beaux-arts, inspirée des planches de Vignole, que des nombreux écrivains, peintres, musiciens ou acteurs qui y vécurent: Delacroix, George Sand, Chopin, Gauguin, Victor Hugo, Alexandre Dumas, Talma, qui formaient l'élite du romantisme. Quelques maisons ont marqué l'histoire récente du quartier, un restaurant turc paradoxalement, à l'enseigne de *Sizin*, rue Saint-Georges, et aussi *Wally le Saharien*, rue Rodier, inventeur du couscous sans légumes, une semoule parfumée accompagnée d'un excellent méchoui. D'autres ont connu une gloire éphémère comme *La Table d'Anvers*, dans le quartier Trudaine-Maubeuge, ou *L'Œnothèque* du bon Daniel Hallée et de son épouse.

Le quartier de l'hôpital Saint-Louis cache quelques mystères. «Si le canal pouvait parler, il en connaît des histoires», dit un client de l'*Hôtel du Nord*, immortalisé par Arletty. Il raconterait peut-être la véritable histoire du fooding, né au début des années 2000, qui a prospéré d'abord le long du canal Saint-Martin. Le fooding, disaient ses meneurs, c'est une nouvelle manière de se nourrir, sinon de s'alimenter, selon le gré de son humeur. En gros, c'est la politique du héron de la fable, celui qui «vivait de régime et mangeait à ses heures». Art de manger, ou art de vivre ? Vie de cliques et de clans qui composent le monde mouvant de la mode et de la nuit, de la musique et de l'infatigable quête des rencontres. Une nouvelle disposition d'esprit ? Ce fut durant quelques saisons le choix d'une génération de vouloir conjurer les périls et incertitudes du temps, manger à son aise, puiser – mondialisation oblige – parmi les aliments planétaires, la *world food*, la fusion, les fruits exotiques, les plats d'ailleurs. Ceux qui n'étaient pas encore engagés dans la vie décidaient de ne pas manger comme papa, ni la même chose, ni à la même heure. Encore fallait-il être jeune, posséder un certain look vestimentaire branché, disposer de quelques libéralités financières, pour jouir de cette nouvelle manière alimentaire de sentir et de bouger dans Paris. Dix ans après, le fooding a perdu de son attrait et tente de se ressourcer à New York. Les bobos, eux, ont réappris à investir les quartiers où les étrangers s'étaient installés, gens de l'Inde à la gare du Nord, Chinois à Belleville, Africains à la Goutte-d'Or. Pour eux, Paris offre un véritable grenier d'enfance aux découvertes : petits magasins de produits appétissants, tables familières à la convivialité proverbiale.

Grande tradition dans la Nouvelle Athènes

Christian Conticini, à *La Table d'Anvers*, croyait au triomphe de la science en cuisine et regrettait l'accent mis par les médias sur le produit. « Qui, dit-il, voudrait réellement abaisser l'art culinaire au rang de dindon de concours agricole ? » Il affirmait : « La cuisine connaît sa plus fulgurante mutation historique du fait des nouvelles performances technologiques. » Élevage, transport, conditionnement, conservation, mais aussi le téflon, l'induction, la surgélation, le sous-vide le fascinaient plus que le bouquet garni : « La cuisson pendant des heures et des heures du thym, du persil et du laurier leur fait perdre leur goût végétal [...] Le cuisinier doit prendre parti », disait encore ce chef qui fit son apprentissage au *Pactole*, chez Jacques Manière.

Sa cuisine était un festival des saveurs, des arômes et des textures, trois notions « qu'il convient de ne pas confondre », ajoutait-il, volontiers pédagogue. Pour preuve, son « saumon et légumes nouveaux bardés du gras de jambon aux aromates » ou bien la « selle d'agneau rôtie, olives au thym, aubergine farcie à la grecque », deux plats qui juxtaposaient, peu ou prou, tous les ingrédients du bouquet garni. Son frère Philippe, pâtissier, adoptait une démarche analogue avec « Passion créole » et « Total régal », deux desserts de rêve. Ce dernier fera une brillante carrière après que son frère Christian, à la fin du siècle dernier, eut cessé de solliciter les « échotiers », selon son expression, à la suite de mauvaises affaires et d'une obscure polémique avec Joël Robuchon.

L'Œnothèque, rue Saint-Lazare, était une ancienne cave de quartier datant de 1847, transformée à peu de frais par Daniel Hallée, ancien sommelier du *Restaurant Jamin*, où s'installa Joël Robuchon. Cette adresse allait devenir pendant une quinzaine d'années un rendez-vous de gourmands, de vignerons et le QG d'un groupe d'hédonistes militants. Le patron conseillait, humait et, le cas échéant, décantait chaque bouteille. Sa femme dominait le service avec aménité. William, le fils, dirigeait la cuisine.

La connivence de cette famille franc-comtoise était totale lorsqu'une volaille coureuse apportée de la campagne était soigneusement préparée à la crème et au savagnin, et servie avec un côtes-du-jura cuvée Henriette de Quingey, 1992. C'était l'accord parfait. En attendant le gibier, revenait la saison des champignons des bois, simplement sautés, des coques au beurre blond, de l'andouillette Duval et d'une parfaite côte de bœuf de race normande, rassise, marbrée et juteuse. J'ai conservé le souvenir d'une soirée mémorable où, à la suite d'un tour de passe-passe qui nous avait épargné un dîner en grande pompe chez *Ledoyen*, nous nous sommes retrouvés, Michel Onfray, le docteur Édouard Zarifian et moi, en train de déguster une demoiselle au long bec – entendez une bécasse, car le patron était un bon fusil – en sirotant un joli millésime La Turque de la maison Guigal.

On trouvait encore rue Saint-Georges, à la *Casa Olympe*, une cuisine indémodable telle que cette égérie de la nouvelle cuisine, née en Corse, la proposait rue du Montparnasse il y a quelques lustres, avec la soupe corse de châtaignes, l'épatant croustillant de boudin, la salade d'oreilles de cochon au jerez ou le pied de veau sauce poulette. En saison, la truffe faisait son entrée en salade de pommes de terre, simplement assaisonnée d'un jus de truffe, de vinaigre de Banyuls et d'un trait de crème. Olympe s'est retirée en 2013 après quarante années de labeur.

Bourgogne Sud, à côté du Casino de Paris, rue de Clichy, est la nouvelle adresse où Gilles Breuil et son chef François Chenel offrent à leurs hôtes le meilleur du Mâconnais, ses vins bien sûr, mais aussi la terrine aux foies de volaille, le jambon persillé, les grenouilles en fricassée, et encore la quenelle soufflée sauce crustacés, le bœuf bourguignon – évidemment – ou bien le poulet au vinaigre, ainsi qu'un fameux dessert, l'«Idéal mâconnais»! Le décor mi-brasserie, mi-restaurant est hors du temps, mais c'est l'ambiance, à la fois professionnelle et chaleureuse – devenue bien rare à Paris – qui emporte l'adhésion.

La Grille, rue du Faubourg-Poissonnière, à l'époque de la Révolution, était une échoppe où les mareyeurs trouvaient un casse-croûte sur la route de Dieppe. Une carte postale de 1906 montre un banc d'huîtres devant sa façade. Pendant les Trente Glorieuses, Yves Cullère y a fait apprécier un épais turbot au beurre blanc. Non loin de là, Henry Voy, à l'enseigne de *La Ferme Saint-Hubert*, rue Rochechouart, sélectionne d'excellents fromages au lait cru qu'il affine et présente, à l'ancienne, sur un étalage de marbre éclatant. Chaque vendredi, le lait entier d'une ferme de Normandie est livré dans de grands bidons et servi aussitôt aux habitués réfractaires au lait pasteurisé.

Dîner au « centre du monde »

Après le déclin du Palais-Royal, les boulevards étaient devenus le « centre du monde », selon Robert-Robert, chroniqueur gastronomique de la Belle Époque. En ces lieux, « certains restaurants sont interdits aux bourses plates et aux tournures provinciales : il faut être hardi pour entrer chez *Riche* et bien riche pour entrer chez *Hardy* ».

En 1872, Flaubert, Zola, Alphonse Daudet et Tourgueniev fondaient au *Café Riche*, 16, boulevard des Italiens, le « Dîner des auteurs sifflés ». Avec les Goncourt, Daudet et surtout Zola aimaient se retrouver, une fois par mois, au *Café Brébant* tout proche. Flaubert, parfois, se joignait à eux pour ce qui était alors le sommet de la gastronomie, la dégustation de la « dame au long bec », muse de Maupassant, la bécasse. Dans ces grandes occasions, chez *Brébant*, le nez de Zola frémissait, rapporte Edmond de Goncourt. La bonne chère rendait expressive cette partie de son visage. Car pour tous ces gaillards, la chasse était la métaphore de la séduction amoureuse. À ces dîners, rapporte encore Edmond de Goncourt, « on ne parlait que de femmes ».

Cochers, machinistes, employés de l'Opéra – situé rue Le Peletier de 1821 à 1873 – n'avaient pas les moyens de fréquenter le *Café Riche*. Ils se retrouvaient au *Petit Riche*, jusqu'à l'incendie – inexpliqué – qui ravagea le quartier en octobre 1873. Le décor actuel date de 1880. C'est une succession de salons aux murs lambrissés, ornés de glaces, et aux plafonds peints commandités par le propriétaire, le sieur Besnard, de souche vouvrillonne. La tradition des vins de Loire est restée, depuis, attachée à l'établissement. Si le charme du *Petit Riche* est intact, la cuisine reste classique, en particulier le filet de bœuf poêlé au chinon. Les rillons de Vouvray en salade, avec un vin blanc tranquille en carafe, et l'andouillette, sont la perfection même. Par chance on peut même y déguster une beuchelle tourangelle. L'accueil est empressé et aimable.

« La mémoire de Paris, c'est la seule richesse des pauvres », dit en substance Jules Romains au début des *Hommes de bonne volonté*. Dans le quartier des « Italiens », bâti sur les propriétés des seigneurs de Saint-Marc et d'un certain Pierre Crozat dit le Pauvre, la mémoire d'un terrible incendie a laissé des traces dans les bistrots et les bonnes tables alentour.

Il était 21 h 10 le 25 mai 1887, le rideau venait de se lever sur le premier acte de *Mignon* d'Ambroise Thomas, lorsque des flammes apparurent sur l'un des portants de la scène. En quelques minutes, pour la seconde fois au cours du siècle, le Théâtre des Italiens devint la proie des flammes ; quatre-vingts morts furent retirés des décombres.

Comme « les Italiens », la salle Favart – actuel Opéra-Comique – fut reconstruite le dos au boulevard, « disposée d'une telle manière / qu'on lui fait au passant présenter le derrière », dit une épigramme de l'époque. Onze années furent nécessaires à sa reconstruction, pendant lesquelles le quartier pensa ses plaies. Au numéro 10 de la rue Saint-Marc, l'une des principales voies d'accès au théâtre, le restaurant *Beaugé*, ouvert en 1848 après le premier incendie, avait donné son nom à une préparation de rognons émincés à la crème et au vin blanc. Au numéro 31, la Malibran avait vu le jour en 1808. Au numéro 32, avant même l'ouverture du chantier de reconstruction, s'installa en 1890 un simple bistrot qui n'accéda au statut de rendez-vous de chauffeurs qu'à partir de la réouverture du théâtre en 1898. La vocation lyonnaise de la maison était déjà assurée, comme son décor extérieur en boiseries rouges et son délicieux aménagement intérieur en carrelage style métropolitain. La gloire récente de l'établissement sous l'enseigne *Aux Lyonnais* date des années 1955, lorsque M. Viollet, d'origine lyonnaise, prit l'affaire en mains. En cuisine, d'authentiques mères lyonnaises donnaient le meilleur d'elles-mêmes pour une clientèle serviette nouée autour du cou. Le succès fut considérable, et durable. Un écriteau laissé en permanence sur la porte indiquait «Complet»; la réservation était indispensable, jusqu'à ce que l'affaire tombe en sommeil sous les assauts de la nouvelle cuisine.

Elle s'est réveillée en 2002 grâce à l'association inattendue du groupe Alain Ducasse et des propriétaires de *L'Ami Louis*. Les boiseries et les moulures aux motifs floraux, les luminaires de style pompier, les faïences métropolitaines rectangulaires à bords chanfreinés, décorant murs et plafonds sur deux étages, ont été restaurés avec soin. Un comptoir en bois recouvert de zinc et d'étain a été installé, ainsi qu'une ancienne machine à café à piston, comme dans un véritable «bouchon» au détour d'une traboule, à Lyon. Un souci d'authenticité a animé les initiateurs de ce véritable sauvetage, qui s'est appliqué aussi à la cuisine.

Le tablier de sapeur, la quenelle, la fameuse quenelle dont Mathieu Varille rappelle la recette mémorable de Lucien Tendret dans *La Cuisine lyonnaise* de 1928, répond aux principes selon lesquels «la cuisine lyonnaise est de goût noble, sans exagération d'aucune sorte; on n'y trouve ni les violences provençales, ni les fadeurs des pays de montagne». On réussit à rendre plus accessible la cuisine lyonnaise, intention affichée d'Alain Ducasse, lorsque le sabodet, poché dans un bouillon, tranché finement, est garni d'une brunoise de pommes de terre parfumées d'une sauce gribiche légère; de même avec la volaille fermière, d'abord rôtie, puis déglacée au vinaigre et servie avec son jus de cuisson. L'origine lyonnaise de la fricassée de poulet au vinaigre n'est pas douteuse, «l'humeur des mères et des patrons de bouchons étant rarement mielleuse», écrivait encore Mathieu Varille.

Quelques-uns ont trouvé ces recettes dépassées, ou naïves, pour nos gastronomes pressés. Aujourd'hui, il faut faire léger, ne pas rebuter la présence féminine, attirer les cadres, retrouver un fonds de clientèle de quartier. «Tous les matins, je fais mon marché et modifie au gré de mes trouvailles la carte du bistrot», assure Francis Fauvel, le jeune chef des *Lyonnais* formé au sein de l'équipe d'Alain Ducasse. À quoi tient la vogue renaissante des bistrots? D'abord à leur précaire survie entre les fast-foods et les brasseries en déshérence. Au fait que, là aussi, jamais le cuisinier n'impose sa loi, ni son éthique. Il suit le goût de sa clientèle. Aux *Lyonnais*, la cave sélectionnée par Gérard Margeon s'inspire de ces principes: un cerdon effervescent pour la mise en bouche, quelques solides références de l'axe vertical Bourgogne, Lyonnais, vallée du Rhône, et la série des vins canailles, coteaux-du-lyonnais, vins de pays... auxquels les Lyonnais témoignent tant d'estime qu'ils en laissent fort peu aux autres.

La bohème créative
de Bastille à Nation

L'axe Bastille-Nation – le Paris des bistrots – est chargé jusqu'à la gueule de souvenirs encore visibles, difficilement il est vrai si l'on n'est pas accompagné d'un historien qui vous montre la cour où Robespierre vécut… une si courte vie. Alors, si l'on vous dit qu'une part importante de la vie nouvelle des cafés et petits restaurants de Paris a pour théâtre, entre autres, la Bastille, Richard-Lenoir, La Roquette, Charonne, la rue de Lappe, la rue de Montreuil avec les ateliers dans les cours qui rappellent l'affaire Réveillon du 26 avril 1789 – une révolte matée par la troupe qui fit deux cents morts deux mois avant la prise de la Bastille –, ne vous étonnez pas. Sous les pavés, l'Histoire n'a pas fini d'en finir, dans ces quartiers des XIe et XIIe arrondissements.

Visitez les cafés, si bien nommés *Le Baron rouge* au marché d'Aligre ou bien *La Liberté* au carrefour Faidherbe-Chaligny. Paris bouge, et danse toujours au son de *La Carmagnole*. Bruno Verjus a ouvert dans le quartier en 2013 un restaurant singulier sobrement appelé *La Table*. La rue Paul-Bert, devenue bistrotière, est témoin d'un retour aux sources avec le *Bistrot Paul Bert* et son annexe au numéro 13, *Le Temps au Temps*, *Le Chardenoux*, relancé récemment par Cyril Lignac, et aussi *L'Écailler du Bistrot* où Gwenaëlle Cadoret propose la production familiale d'huîtres exceptionnelles à prix serrés, malgré la pénurie qui frappe l'ostréiculture depuis plusieurs années. Le XIIe est un arrondissement ferroviaire, avec l'admirable gare de Lyon et son restaurant historique, *Le Train Bleu*, qui voit aussi se dérouler la coulée verte sur le tracé de l'ancienne voie de chemin de fer de la gare de la Bastille et aussi, sur le pourtour, les vestiges de la Petite Ceinture.

Bistrots et bobos

Au *Bistrot Paul Bert*, charmant, réservé, vieux style, on a ses aises, tant au comptoir que dans la salle. Bertrand Auboyneau y a jeté l'ancre en 1998 avec la discrétion des gens de mer retirés des affaires. Les plats sont simples, renouvelés, cuisine d'escale si l'on veut, pour accompagner une épatante carte des vins. Entrées copieuses, avec, par exemple, le foie de lotte au sel de Guérande, les œufs pochés vigneronne, ou bien la salade de tourteau frais et encore les couteaux. Les plats du jour ne sont pas moins appétissants : onglet de veau, tête de veau cuite entière, parmentier de boudin aux pommes, entrecôte et côte de bœuf accompagnées de frites maison, parmi les meilleures de la capitale. À l'automne, le lièvre à la royale est à la carte, heureusement adapté à une version bourgeoise. En quelques années, ce bistrot chic est devenu la capitainerie du port où viennent mouiller – si l'on peut dire – les amateurs de vins nature qui ont pour devise : « Chassez le naturel, il revient au goulot. »

Ce fut aussi longtemps l'attrait du *Marsangy*, avenue Parmentier, où Francis Bonfilou, le chef, seul en cuisine, envoyait une côte de cochon aux haricots beurre à la commande, comme il l'avait appris autrefois chez Joël Robuchon.

Au *Chateaubriand*, changement de décor. Ou plutôt absence totale de décor, dans un volume années 1930, dépouillé, qui aurait pu servir de cadre à une scène de *La Traversée de Paris*. Un grand comptoir permet de boire des coups avant de passer à table, car les réservations sont théoriques tant l'affluence est grande. C'est l'une des tables les plus courues du Boboland, avec ses qualités – une cuisine minimaliste parfois inspirée – et ses défauts – un service souvent imprécis et distant. Aucune carte, le menu journalier, sibyllin, sur une feuille A4, est distribué pour la forme (foie de morue/radis, cabillaud demi-sel, verdures et eau de concombre, puis dessert de banane écrasée). Allez savoir pourquoi, cette table figure parmi les « 50 meilleurs restaurants du monde », selon le classement de la revue britannique *Restaurant Magazine*. Peut-être parce que l'on y déguste régulièrement de délicieuses volailles de Dordogne et un excellent choix de vins naturels dont le chef, Inaki Aizpitarte, est un ardent défenseur.

À quelques pas, *Le Dauphin*, écrin de marbre blanc agencé par Rem Koolhaas, est l'annexe du *Chateaubriand* version tapas, au demeurant de très bonne facture. Mais le marbre – omniprésent sur les murs et au plafond – n'opère aucune correction acoustique.

Qu'est-ce qu'un vin nature ? Le principe de base est que rien (désherbant, engrais chimique) ne doit troubler la vigne, du repos végétatif au débourrement, de la floraison à la maturation qui précède la vendange. *Idem* pour la vinification. Donc pas de correction d'une vendange manquant de maturité. Pas de chaptalisation technique, d'ajout de sucre. Aucune concentration par chauffage, congélation ou osmose inverse. Pas de correction d'acidité, donc pas de collage ni de filtrage.

Vendangeur quasi-religionnaire, le nouveau vigneron, sosie libertaire de Vendredi, le compagnon de Robinson, fait retour vers une enfance de la vigne, où la nature est censée accomplir le tout, et où tout s'accomplit dans la nature. Il combat ses ennemis par la résistance non violente qu'il mène en projetant sur le vin ses fantasmes, ses désirs, ses souvenirs, l'ombre de ce qu'il imagine être l'âge d'or. On le voit régulièrement, avec quelque gourou, organiser des dégustations et porter la bonne parole dans les restaurants et bars à vin des amis, afin de convaincre une nouvelle génération d'amateurs dont les sens, comme ceux des Bordelais des Chartrons, ne s'usent pas seulement, écrivait avec son ironie glacée François Mauriac, à reconnaître les millésimes des sept bouteilles d'une « verticale » de Margaux. Ces nouveaux vignerons ont pour rêve de se mettre à l'écoute de la nature, et que de son respect naisse un vin qui surpasse tous les autres. Pour eux, chaque vendange est le fruit mûr de la récolte d'une vie.

Le déclin des bougnats

Il s'est raréfié, le bistrot de base, bistre avec son comptoir en étain, luisant et courbe, derrière lequel le patron moustachu sert les apéritifs multicolores Suze, Cinzano, Martini, Amer Picon, etc. Le patron arverne ressemble au tigre du zoo de Vincennes. Il a l'œil fixé sur la ligne bleue des crêtes du Cantal. Il ne parle pas, il grommelle, ou bien épluche aux ciseaux les haricots verts. Cela a fini par lasser, bien que la patronne soit aimable et commente l'éphéméride en feuilletant *L'Auvergnat de Paris*. Mais, comme partout, les Chinois actifs rachètent, impavides, les outils de ces mal lotis et peu aimables tenanciers de tabacs, lotos, débits graillonneux de Paris-beurre. Alors les autres, les mal-aimés, les vrais «bougnats», en première ligne de feu pendant trente ans et plus, reviennent au pays du côté de Saint-Chély-d'Apcher, ou bien au tournant de la Croix des Trois-Évêques.

Des bistrots, il en reste quelques-uns dans le XIe, qui ne sont pas encore devenus «bars à vin». Le bistrot aux tables de marbre, à l'unique serveuse que les habitués appellent par son prénom; le vrai bistrot n'a que deux ou trois plats renouvelés tous les jours, et un vin ordinaire, la bouteille du patron. Le téléphone noir à gros bouton-poussoir est encore dans le placard à balai. Le carrelage du comptoir est parsemé de sciure de bois, ce que l'hygiène interdit. C'est le bistrot anonyme où le patron vous tend la main d'un air soucieux par-dessus le comptoir, et vous offre un jour le verre de vin de l'amitié au bout de l'an. Le bistrot, aussi, avec ses jambons et ses saucissons pendus au plafond, ses tables en tôle pour marquer la terrasse et quelques fusains pour rappeler la nature.

Plus c'est retiré, plus c'est petit, plus c'est inconnu, plus ledit bistrot a toute chance de devenir parisien, célèbre, onéreux pour la clientèle américaine, toujours reçue avec indifférence, d'ailleurs. Puis les clients arrivent, les prix montent, les habitués s'en vont ; *exit* le ratier, petit chien de la pipelette avec une tache noire sur l'œil. La patronne prend une cuisinière, puis un cuisinier. On repeint les murs, on modernise ce qui devient un restaurant ; le patron passe une veste achetée chez Métro. L'établissement fait le plein, la cuisine est baroque, les plats sont préparés à l'avance, le riz précuit, la bonne frite parisienne interdite : « Comprenez, on n'a pas le temps d'éplucher les pommes de terre. » Alors il est temps de fuir. D'autres bistrots vous attendent dans la ville.

Depuis 2010, l'Est parisien voit fleurir de nouveaux établissements qui se démarquent de la bistronomie que le fooding avait encouragée, avec les « caves à manger » et autres lieux insolites ou éphémères. Il fallait aller plus loin, toujours plus loin, rompre avec le modèle : le néo-bistrot avait fait son temps. Les émissions de télévision, dont la cuisine servait de prétexte à une compétition féroce – objet du spectacle –, encourageaient les finalistes à imaginer, pour leur avenir, des implantations professionnelles originales : restaurants éphémères (« pop-up restaurants »), *street food*, camions-restaurants (*food trucks*) ou bien des espaces bruts (béton, briques, tuyaux apparents) comme dans le quartier new-yorkais de Williamsburg à Brooklyn, paradis du mouvement *hipster*.

Bones, rue Godefroy-Cavaignac, en est aujourd'hui le prototype, qui se décline entre la rue Oberkampf et le canal Saint-Martin.

Au même moment, en effet, le phénomène hipster prenait de l'ampleur. Le mot, qui peut se traduire par «branchouille», avait fait son apparition avec le be-bop dans les années 1940, et désignait alors la génération qui s'inspirait du mode de vie et de la manière de se vêtir des musiciens de jazz. S'ajoute à cela l'usage de l'argot, et de substances plus ou moins licites réputées rendre «cool», c'est-à-dire afficher des mœurs libres et le culte de la différence.

Ceux qui utilisent à nouveau ce mot comme un slogan ignorent probablement cette origine du mouvement hipster, contemporain des zazous, autres amateurs de jazz des années de guerre. Le style hipster, décrit par certains comme un «socio-type fourre-tout», une sorte d'anticonformisme rétro-chic, devrait lui aussi être éphémère car on annonce déjà sa mort imminente, en vertu du fait qu'une mode chasse la précédente.

Chez les jeunes cuisiniers branchés et leur entourage, ce phénomène a pris une forme particulière. Ils sont généralement tatoués et ont tous le même uniforme, les cheveux gominés, coiffés en arrière, leur pilosité faciale va de la barbe de trois jours à la broussaille en friche, ils portent une chemise à carreaux, des pantalons retroussés sur des souliers chics à l'ancienne. La paire de chaussettes est assortie à la casquette, ou à la pochette, facultative. La plupart ont des lunettes en écaille. Le hipster se doit d'être intello, d'avoir lu Nietzsche, d'écouter David Bowie et d'afficher une arrogance naturelle. Quelques-uns sont végétariens ; ils aiment les choux de Bruxelles, le kale, un chou frisé dont la culture abandonnée en Europe a resurgi aux États-Unis. Le must, pour eux, est le «tacos au kale», que l'on mange avec une bière brassée à la maison. Leurs exploits font fureur sur Facebook. Ce dandysme passablement décadent est d'importation nord-américaine, plus précisément de New York et de Montréal, où il a également reparu.

Un détour par la «gastronomie bistrotière»

La figure emblématique de la jeune cuisine du XIe arrondissement, qui entend exister par elle-même, est certainement le barbu Bertrand Grébaut, talentueux chef de *Septime*, rue de Charonne, qui a beaucoup appris auprès d'Alain Passard, le grand chef légumier du VIIe arrondissement. Des prix modestes au déjeuner, une série de mini-assiettes le soir sur lesquelles s'exerce une créativité à tout crin, telle est la recette du succès de cet établissement qui affiche complet trois semaines à l'avance. Les hipsters parfois renâclent lorsqu'ils soupçonnent Beyoncé et Jay-Z de bénéficier d'un passe-droit pour y trouver une table! Le *Michelin* 2014, pas bégueule, a accordé une étoile à l'établissement.

La curiosité de Bertrand Grébaut l'a amené à découvrir non seulement des légumes et des condiments rares ou méconnus, mais également des produits impeccables, des volailles exceptionnelles notamment, et à construire une carte astucieuse de vins nature. *Septime* s'est doté récemment d'une annexe maritime, *Clamato* (nom d'une boisson nord-américaine à base de jus de tomate, de bouillon de palourdes et d'épices), qui est dédiée aux produits de la mer. Au *Servan*, rue Saint-Maur, la compagne de Bertrand Grébaut sert un pigeon d'anthologie, en crapaudine, avec de jolis vins dans l'air du temps.

Autre établissement typique de cette nouvelle restauration, *Le Yard*, rue de Mont-Louis, créé par Jane Drotter, affiche des prix modestes appliqués à la cuisine très Nouvelle-Angleterre du chef australien Shaun Kelly.

Chez Z'Aline, quartier Voltaire, l'ancienne boucherie chevaline a été transformée en échoppe gourmande où Delphine propose, en semaine au déjeuner, à consommer sur place ou à emporter, des sandwichs insolites, salade de poulpe, tortilla, bonite en escabèche, terrine maison ou le plat du jour – collier de mouton –, et encore quelques bons desserts de grand-mère.

Chez *Youpi et Voilà*, Patrice Gelbart s'est posé depuis deux ans aux abords de Belleville dans un décor brut, avec une grande table d'hôtes, où, le samedi, l'on déguste un fameux poulet entier, rôti, avec des frites. Le nom de l'enseigne s'applique aussi à cette cuisine personnelle, décalée et plutôt réjouissante.

Flora Mikula a déserté les beaux quartiers pour s'installer, entre Bastille et Popincourt, dans une auberge de campagne (bar, restaurant, hôtel) dédiée à ses attaches provençales. Ouverte tous les jours, l'*Auberge Flora* sert du petit déjeuner au soir. Les petits gris, l'os à moelle au chorizo et févettes, les calamars au jus de bouillabaisse, les caillettes provençales ont l'accent du Midi où elle fit ses débuts auprès de l'Avignonnais Christian Étienne.

Bobosse, alias Michel Bosshard, est sans doute le personnage le plus pittoresque du XIIe arrondissement. Théâtral, volubile, il est même parfois sarcastique lorsqu'il propose le verre de l'amitié «offert par les cartes de crédit» qu'il n'accepte pas dans son auberge campagnarde, baptisée *Le Quincy*. C'est en fait un véritable conservatoire de la gastronomie bistrotière, pour autant que ces deux mots puissent cohabiter. Chou farci exceptionnel, écrevisses pattes rouges, poularde au vin jaune, bref, tout le répertoire lyonnais figure sur la carte, ou l'on trouve encore un foie gras épatant, une salade de museau, évidemment, et une terrine accompagnée d'un chou assaisonné à l'ail, des fromages au lait cru et une dizaine de desserts, présentés d'office. La caillette est l'un des plats emblématiques de l'établissement, que l'on ne trouve guère que dans la vallée du Rhône.

Le couloir rhodanien à la hauteur de Valence est une unité géographique de transition, entre les Terres froides, au nord, et les Baronnies, annonciatrices de la Provence. Comment les habitants de cette plaine ont-ils réussi à échapper à l'emprise de la prestigieuse cuisine lyonnaise et pourquoi l'ensorcelante table provençale n'a-t-elle eu qu'une influence réduite ? Est-ce la proximité de l'Ardèche et de ses saveurs rustiques, celle du Dauphiné et de ses produits si typés ? La caillette d'Aubenas, dans l'Ardèche, a fait école à Chabeuil, dans la Drôme. C'est un hachis de foie de porc, de blettes, d'épinards et d'herbes sauvages, entouré d'une crépine. Ni la viande ni la verdure ne doivent imposer leur goût, sinon «*vun gasto l'aoutré*» (l'un gâte l'autre), dit-on en patois ardéchois.

Aux abords de la porte Dorée, l'avenue Daumesnil a longtemps abrité deux toques gourmandes, aujourd'hui disparues. Celle de Jean-Pierre Morot-Gaudry, ensuite replié au pied de la tour Eiffel, et celle d'Henri Seguin, qui fit l'essentiel de sa carrière – brillante – au *Pressoir*, aujourd'hui transformé en brasserie. L'un et l'autre furent assidus aux cours de perfectionnement d'André Guillot, une figure historique de la cuisine depuis les années 1950.

Formé par un élève d'Escoffier, Guillot fut d'abord le cuisinier de l'extravagant écrivain surréaliste Raymond Roussel, avant de s'installer à l'*Auberge du Vieux Marly*. Que restait-il de ses prouesses ? Le souvenir d'une technique éblouissante et la trace, surtout, d'une sensibilité extrême dans l'expression des saveurs, qu'il sut transmettre, dans les années 1970, à de jeunes cuisiniers comme Marc Meneau, Jean-Pierre Morot-Gaudry et Henri Seguin. Chez ce dernier, son enseignement sera longtemps fécond. Trente ans plus tard, Henri Seguin continuait dans les années 1990 de bousculer les traditions les mieux établies avec une assiette de fruits de mer tièdes, éblouissante, comme avec une simple salade mélangée aux saveurs canailles d'une oreille de porc confite. Et, dans un ris de veau aux noix et au lard ou une escalope de foie gras chaud aux raisins, l'esprit du vieux maître demeurait. À n'en pas douter aussi, dans la sauce au miroir d'un fameux lièvre à la royale, à base d'une réduction de gibier et d'un vin rouge puissant, liés au sang.

Aux cuisiniers s'applique aussi le propos de Viollet-le-Duc : ils poursuivent ce que d'autres ont commencé avant eux, et entreprennent ce que d'autres achèveront à leur suite.

Rue Taine, à l'angle de la place Daumesnil, *Le Trou Gascon* a vu l'arrivée, en 1973, du jeune Alain Dutournier, alors âgé de 24 ans, qui enchantait Paris avec son accent du Sud-Ouest, son envie de morue à l'ail doux et sa fabuleuse collection d'armagnacs. Sans abandonner son caractère douillet, son décor 1900, *Le Trou Gascon*, subrepticement, a fait peau neuve ces dernières années, dirigé par l'épouse d'Alain Dutournier puis par le chef Claude Tessier, fidèle de la première heure.

Dans un camaïeu de gris et de beige, couleurs dont la cuisine d'Alain Dutournier n'était jusque-là pas très familière, des tables bien espacées, un service diligent ont apporté une touche de modernité à la vieille enseigne. La cuisine s'est affranchie de toute routine avec un piquillo et aubergine, roulés en céviche de thon cru, ou bien un corail d'oursin et œuf poché accompagnant les asperges vertes de Gascogne. Les classiques, le confit maison, le cassoulet aux haricots tarbais, sont toujours de la fête, comme l'agneau de lait des Pyrénées à chair blanche, rôti sur l'os à la façon d'un méchoui, qui fait merveille avec quelques pommes de terre écrasées aux cébettes. La cave est plus qu'honorable avec un millier de références ; il ne pouvait ici en être autrement. Et toujours une somptueuse carte d'armagnacs.

Une sourde querelle oppose les habitants de l'Aude aux naturels de la Haute-Garonne sur l'origine du cassoulet : Carcassonne et Castelnaudary d'un côté, Toulouse de l'autre, Languedoc-Roussillon contre Midi-Pyrénées. Le nouveau découpage territorial, prônant la fusion de ces deux régions, risque-t-il d'aviver les tensions ? Les historiens, forts de leurs archives, disent que Castelnaudary fut la première à réussir ce prodige de cassoulet, parce que les Romains déjà dégustaient un ragoût de mouton aux fèves du côté de Narbonne. Certes, ajoutent quelques doctes, mais les haricots sont des plantes de l'Amérique et ne sont connus dans ces contrées occitanes qu'au XVIe siècle. Les trois cités qui prétendent au titre de patrie du cassoulet s'accordent sur le porc, bien sûr : longe, jarret, saucisson à cuire. À Castelnaudary, on ajoute le confit d'oie ; à Carcassonne, on peut employer gigot de mouton et perdrix, et à Toulouse, confit de canard, lard de poitrine, saucisse du pays, collier et poitrine de mouton. Toujours, le haricot doit être blanc, avoir un grain long, charnu, frais, onctueux et une peau fine, faute de quoi il ne pourrait s'imprégner du parfum des autres composants. Partout l'affaire est prise au sérieux : Prosper Montagné, allant le mardi à la cordonnerie de Castelnaudary, trouve porte close avec l'avis « Maison fermée pour cause de cassoulet ». Toulouse est la ville dont le prince est le cassoulet dans la mythologie des gens de gueule. La preuve en est qu'on y emploie pour la cuisson les mêmes cassoles (pots de terre qui ont donné leur nom au plat) qu'ailleurs. Qui a parlé de querelle ? La légende du cassoulet a simplement volé, comme la victoire, de clocher en clocher occitan. Et le rapprochement de l'Aude et de la Haute-Garonne au sein d'une entité régionale unique (Midi-Pyrénées et Languedoc-Roussillon) devrait calmer les esprits et clore définitivement la querelle du cassoulet.

Mémoire en bouche de Montparnasse
à la Butte-aux-Cailles

Au XIXᵉ siècle, Montparnasse est un quartier informe, près de la barrière d'octroi de Denfert-Rochereau, avec les classiques cabarets et guinguettes d'Ancien Régime. Puis vers 1910, le carrefour Montparnasse explose, remplaçant Montmartre soudain démodé. Il devient le refuge de peintres, d'illustrateurs, de sculpteurs qui font bivouac et tiennent camp retranché durant la Grande Guerre, et encore après jusqu'à la crise de 1929 et même la débâcle de 1940.

Vers 1880, une société de rapins se réunissait deux fois l'an chez un traiteur de la rue Saint-Jacques, à l'occasion d'un banquet baptisé le «Dîner du poireau hiératique». Peintres, écrivains, gens du monde et du demi-monde envahissent alors les cafés, les brasseries lancées, les bars de nuit ainsi que les maisons de tolérance, étonnantes et fastueuses, qui font spectacle chaque soir, tel *Le Sphinx*. «Toute itinérance à Paris figure un destin, réussi ou floué», rumine Simone de Beauvoir devant un cassoulet, avenue du Maine. Dans les restaurants minables, c'est le dédale du crève-la-faim, parmi les bouillons et les crémeries si bien racontés par Jean Rhys, Berberova, Anaïs Nin et bien sûr Hemingway, qui déclare cependant : « Si vous avez la chance d'avoir habité Paris lorsque vous étiez jeune, alors partout où vous irez pendant le reste de votre vie, cela restera en vous, car Paris est une fête mobile » (*Lettre à un ami*, 1950). Montparnasse vit encore de sa légende ; quelques brasseries sortent du lot, *La Rotonde*, *Le Dôme*, *La Closerie des Lilas*. Il faut aller, alentour, chercher les tables cachées, place Brancusi, rue du Château, rue des Plantes...

Montparnasse est une « fête mobile »

Montparnasse vivait le mélange des genres avec *La Closerie des Lilas*, ou plus encore avec la fastueuse *Coupole* (1927), témoins d'une vie démocratique de table et de convivialité, qui aurait plu à Tocqueville, lequel écrivait au siècle précédent : « Ici à Paris, tout le monde prend ses plaisirs à côté de chacun, à l'encontre de l'Angleterre, qui vit à l'hôtel du cul tourné. » La princesse russe à côté de peintres pouilleux mais célèbres, Pascin, Modigliani le bel Italien, Chagall au charme slave, Soutine le tragique. Le rapin besogneux regarde avec envie l'incroyable Picasso qui a fait fortune déjà avec les célèbres *Demoiselles d'Avignon*, et s'entretient avec Apollinaire, roi de la fête et poète flamboyant. Grisettes, femmes du monde, premières intellectuelles ou écrivaines anglo-saxonnes croisent le demi-castor, femme « affichée » comme la célèbre Kiki, danseuse surnommée la Reine de Montparnasse, à la fois modèle, égérie et amante de nombreux artistes. Tout ce monde se côtoie, fait société. Tous se divertissent. L'Europe, celle de Paul Morand, s'est civilisée à Montparnasse : ouvert le jour, « ouvert la nuit », comme le titre de l'un de ses romans.

Guillaume Apollinaire aimait se mettre aux fourneaux chez ses amis. Cuisine nissarde, plutôt genre bohème italienne, son père étant proche de la Curie romaine et fréquentant Monaco. Il n'est pas étonnant que Léo Ferré, enfant de la Principauté, ait mis en musique *La Chanson du mal-aimé*. Apollinaire était un champion du risotto et du bœuf en daube. Marie Laurencin, la femme enfant, la petite fée effarouchée, commençait le dîner par la tarte aux fraises. C'est presque une métaphore du couple, dont la querelle permanente cependant ne préjuge pas de la fécondité ! Un témoin ami, André Rouveyre, dit de Guillaume aux fourneaux : « Il tournait autour des plats en suspens comme un vrai chat. » Apollinaire dit un jour à ses hôtes : « J'ai remarqué que les gens qui savent manger ne sont jamais sots ! » Jusqu'en 1908, il fera partie des invités de la légendaire cave gastronomique du marchand Ambroise Vollard, où Picasso et ses amis du Bateau-Lavoir venaient se régaler de la recette fameuse du maître de maison natif de La Réunion, le cari de poulet. Dans *Le Flâneur des deux rives*, Guillaume raconte tout cela : « Cuisine simple mais savoureuse, mets préparés suivant les principes de la vieille cuisine française, encore en vigueur dans les colonies, des plats cuits longtemps à petit feu et relevés par des assaisonnements exotiques. »

Montparnasse alors, c'est l'espace du jeu qui se constitue. Le jeu éternel de l'appétit, du désir, de l'argent et de la corruption. C'est le coup de maître d'Ernest Hemingway d'en avoir révélé la martingale dans un court récit autobiographique publié après sa mort, en 1964, sous le titre *A Moveable Feast, Paris est une fête* en français. La cuisine à Paris, c'est la forme première vécue, indirecte et sensitive, qui rend compte de la diversité de la ville. Cette dernière est alors peuplée de plus d'un million d'habitants, les splendeurs y côtoient la souffrance et la misère dans un habitat dégradé et vieillissant.

Que mangent-ils donc, ces hors venus, étrangers, candidats à la célébrité de Montparnasse, et qui côtoient une population ouvrière pauvre, très bien décrite par Charles-Louis Philippe et Marguerite Audoux ? De la vache enragée, mais avec cette différence que les peintres inconnus avaient la chance, s'ils avaient une œuvre consistante, qu'aussitôt admirés ils étaient également prestement achetés. Les protagonistes habituels, marchands et amateurs informés, guettaient comme des éleveurs de chevaux la star qui ne manquait pas d'éclore dans la traînée de poussière d'or qu'avaient provoquée Picasso et les cubistes. Surtout après 1907 et l'irruption des *Demoiselles d'Avignon*. Du jamais-vu. Aussitôt la renommée s'emparait d'eux, comme Modigliani, Chirico, Soutine et tant d'autres Montparnos. Les premiers Matisse et Picasso s'envolent d'ailleurs à Moscou à peine secs, happés par les richissimes collectionneurs. Pour bâtir une collection de peintures entre 1910 et 1929, il fallait pêcher au gros, avec seulement une poignée de francs or dans la poche aux terrasses des cafés, *Le Dôme* (1905), *La Rotonde* (1911), *Le Select* (1923), *La Coupole* (1927).

La cuisine était celle de tout le monde, d'origine paysanne et provinciale, ou banlieusarde. Cuisine souvent de traiteurs, de charcutiers, de modestes crémeries, à la vente à emporter, parce que ce quartier n'avait pas de confort urbain. L'on ne fait guère de cuisine à la maison. C'est une constante parisienne depuis le Moyen Âge, à laquelle échappent la bourgeoisie et les survivants de la noblesse, comme le duc de Guermantes qui met la main à la pâte, dans son office. La cuisine provinciale, par mutation urbaine, devient une cuisine parisienne : «Du prêt-à-manger, consommé réchauffé chez soi. Plus les WC dans la cour en cabane, ou bien le confort des commodités à la turque, au bout du couloir communautaire», confirme Hemingway. C'est primitif, invivable en plein été, sinistre en hiver. D'où la fuite frénétique, aux bonnes époques de la IIIe République, des artistes fortunés, tel Caillebotte déjà, hors de Paris, pour le grand air, pour la beauté des bords de Seine, pour une nourriture de légumes et de fruits du jardin.

Étrangères aussi, les cuisines du samovar, venues des plaines de l'Ukraine, des bas-fonds de Varsovie, de Cracovie, de Kiev, c'est le brouet d'avoine et la *kascha*, l'orge mondé qui nourrit les indigents, et les crémeries *ad hoc*, les petits restaurants de peintres, rue de la Grande-Chaumière, chez *Baty*, chez *Wadja*. Rue Bréa, *Dominique*, ouvert dans les années 1920, rivalise avec *Korniloff*, le restaurant russe le plus réputé de Paris. *Zakouski*, caviar avec ses blinis, *koulibiac* de saumon et côtelettes *pojarsky* attire à lui, s'ils ont un kopeck en poche, tous les transfuges de la Courlande et de la Baltique. Après la mort du fondateur en 1984, l'affaire sera lentement grugée par le personnel. Guy Martin y a ouvert récemment un très chic restaurant italien.

Le petit théâtre culinaire des Hemingway

Hemingway et sa femme Hadley habitaient rue Notre-Dame-des-Champs. Ils fréquentaient les cafés, déjeunaient chez eux ou bien soupaient chez Gertrude Stein, établie rue de Fleurus dans un hôtel particulier de grande allure. D'elle on disait qu'elle avait pour la peinture un « flair oraculaire ». Des toiles de Cézanne, Matisse, Picasso ornaient ses murs. Scott Fitzgerald, qui venait d'épouser l'excentrique Zelda, retrouvait Hemingway à *La Closerie des Lilas*, où il lui fit lire le manuscrit de son premier grand roman, *Gatsby le Magnifique*. Depuis 1847, *La Closerie des Lilas* attirait une clientèle littéraire rassemblée par Paul Fort et André Salmon : Francis Carco, Moréas, Charles Cros, Gide et Valéry, écrivains dans la mouvance symboliste. Puis Georges Braque y convia les peintres, et enfin Lénine et Trotsky qui, dit-on, y poussèrent le bois, c'est-à-dire le jeu d'échecs. Depuis, et sans interruption, *La Closerie des Lilas* est un bar chic, une brasserie estimable et un restaurant accueillant avec terrasse ouverte sur la verdure de l'avenue. Repris par le patron du *Flore*, la carte annonce des frites à la brasserie et des pommes pont-neuf au restaurant. Là, elles sont l'accompagnement du filet de bœuf au poivre, baptisé «Hemingway», c'est-à-dire flambé au bourbon, préparé sur le guéridon par Jean-Jacques Caimant, le directeur en personne.

Hemingway et Fitzgerald croisaient Ezra Pound, un poète érudit et paradoxal aux engagements politiques sulfureux, comme Marinetti, qui habitait aussi rue Notre-Dame-des-Champs au début des années 1920 avant de revêtir la chemise brune des cohortes mussoliniennes. Le *Livre de cuisine* d'Alice Toklas, ouvrage composé par la compagne de Gertrude Stein, fait alterner recettes et récits des manières de table d'une maison qui vit se constituer autour d'Hemingway le cercle américain le plus illustre de Montparnasse, écrivains et peintres mêlés. Une table ouverte, semble-t-il, et une cuisine fort bien garnie, dont l'apparente monotonie était rompue par la fréquentation assidue et quotidienne des cafés et brasseries du quartier. Les écrivains écrivaient au café ; les peintres et sculpteurs occupaient, plus loin vers l'ouest et la Gaîté, des ateliers d'artisans exigus.

Le sens caché de *Paris est une fête* d'Hemingway, dont Gertrude Stein, à la fin de leur amitié, se plaignait qu'il n'y était question que du sexe viril et de la mort, masquait ce terrible appétit de vivre et donc de manger qui caractérise cette époque de la Génération perdue après la Grande Guerre. D'où le solide coup de fourchette de papa Hemingway, qui levait le coude pour ce terriblement bon vin de Bourgogne français. Paris peut alors se décliner comme une véritable géographie de la libido liée aux plaisirs essentiels, ceux raffinés et vulgaires de l'errance érotique, inextinguibles comme se succèdent le flux des marées et des cycles lunaires, ceux essentiels aussi de la faim physiologique et corporelle.

Du bouge aux salons du *Ritz*, l'époque d'Hemingway était propice au grand écart. Notre XXIe siècle semble choir dans l'anomie sur fond de crise des banlieues depuis l'été chaud des Minguettes et malgré le fameux *Navire Night* de Marguerie Duras. Nous avons cru, après 1968, à la régénération des friches urbaines, à la démolition des grands ensembles, à la rénovation des puces, aux anciennes barrières, là où naissait la nouvelle cuisine et les nouveaux cuisiniers qui enjambaient alors les déserts périphériques. Hélas, « là où le désert croît, malheur à qui porte en lui des déserts », disait Nietzsche.

Un Plaisance haut en couleur

Chaque week-end, porte de Vanves, un étonnant marché aux puces forain se déploie au long de deux rues voisines du périphérique, à mi-chemin entre le vide-greniers pouilleux et la haute brocante : poupées anciennes magnifiques, livres, disques vinyle. Quelques restaurants chinois alentour trouvent sans doute une clientèle et laissent pressentir le puissant Chinatown de la porte de Choisy. La rue d'Alésia traverse le quartier de Plaisance, derrière Montparnasse, avec sa fameuse église Notre-Dame-du-Travail, toute métallique. Pourquoi « Plaisance » ? Un certain Alexandre Chauvelot, qui acheta en 1840 un vaste terrain aux fins d'y réaliser une opération spéculative, revendique ce qualificatif maritime.

Jusqu'aux années 1960 le quartier fut un vaste jardin fleuri, entremêlé de ruelles aux maisons disparates, communiquant entre elles par des allées aux noms pittoresques. Ce fut là l'ancien asile de Georges Brassens, chez «la Jeanne», celle de *La Cane*. Brassens a ainsi vécu dans le XIVe arrondissement jusqu'en 1968, impasse Florimont, chez Jeanne Le Bonniec, une Bretonne au grand cœur. Chez Yanek Walczak, *Aux sportifs réunis*, rue Brancion, les héritiers du célèbre boxeur qui affronta Ray Sugar Robinson, lui mettant un genou à terre, cultivent aussi le souvenir de Brassens qui avait fait de ce lieu discret sa cantine. Sa chanson *Le Bistrot* a immortalisé les charmes de la patronne : «Dans un coin pourri / Du pauvre Paris / Sur une place / Une espèce de fée / D'un vieux bouge a fait / Un palace.» On y accède aujourd'hui par une porte dérobée, à l'occasion de soirées réservées, comme autrefois sans doute dans les restaurants clandestins de l'Occupation.

Plaisance fut aussi la petite patrie du célèbre *Bubu de Montparnasse*, titre d'un roman fameux d'avant 1914 de Charles-Louis Philippe. Il y décrit avec une précision naturaliste la vie ouvrière de ce quartier, dont la seule grâce restée intacte, il y a cinquante ans encore, fut celle des plaisirs mêlés de la ville et de la campagne, lilas en fleur et cerisiers éclatants au ras de la ligne de chemin de fer Montparnasse-Bretagne. Brutalisé par l'urbanisation des années 1960, Plaisance ne fut finalement épargné, comme la Butte-aux-Cailles, que par la *vox populi*. De nombreux restaurants dont la notoriété ne dépassait pas le quartier ont connu avec les années 1960 un succès éphémère. Rares sont ceux qui ont survécu à leur créateur. D'autres, comme *Le Duc*, *Le Dôme* ou *La Régalade*, semblent encore de véritables institutions, alors même que cette dernière a changé de mains.

Le cas de *L'Assiette*, chez Lulu, rue du Château, créé par Lucette Rousseau au début des années 1980, est resté singulier. La célébrité immédiate de cette table tenait à sa clientèle, recrutée parmi les proches de François Mitterrand qui venaient s'encanailler dans ce quartier excentré. Tous n'étaient peut-être pas des gourmets, mais ils venaient d'abord chez Lulu pour la qualité d'un travail artisanal appliqué au choix des meilleurs produits : «Respect du produit, respect, respect !» disait-elle volontiers. Et surtout pas – ou très peu – de mise en place, tout était préparé et envoyé à la commande. Son second s'occupait du froid ; elle réalisait avec brio tous les plats chauds. C'était là le secret de l'exceptionnelle qualité de son magret fumé maison, tranché à l'instant, d'un fricot de girolles de Sologne sautées à feu vif, d'un brillant merlan de ligne poêlé, d'un petit salé de canard poché à la poitevine. Promue au firmament de la gauche cassoulet, Lulu a connu ensuite les vicissitudes de la cohabitation, puis la désaffection du Tout-Paris mitterrandien. Nous eûmes droit également à Lulu sur Canal Plus : piment d'Espelette et béret basque vissé sur la tête pour vanter les plats de là-bas. Lulu était intarissable. Parfois elle engueulait ses clients. Au début de l'hiver, son grand plaisir était de juxtaposer les derniers cèpes et les premières truffes de l'année. Tout cela avait un prix : «Il y a des gens qui disent que je vends cher et ça m'emmerde parce qu'ils savent pas faire la différence, c'est tout.»

Depuis 2008, un jeune cuisinier prometteur, David Rathgeber, natif de Clermont-Ferrand, au patronyme d'origine alsacienne, mais authentique Auvergnat, succède à Lulu. Travailleur acharné, chaleureux, aimant le contact avec la clientèle, son parcours est exemplaire, de Philippe Groult (*Amphyclès*) jusque chez Alain Ducasse, où pendant douze ans il occupa tous les postes de la brigade, au *Plaza Athénée*, aux *Lyonnais*, puis chez *Benoît*. Il rêvait d'avoir une affaire à lui : « J'ai envie de faire ce que j'aime, reprendre quelques recettes de la maison, les adapter. » Ses premières cartes laissent augurer une réussite qui ne tarde pas à venir : une terrine de cochon de haut goût, des escargots en caquelon finement cuisinés, une quenelle sauce Nantua, soufflée et légère, une délicate ventrèche de thon aux épinards. Et bientôt quelques produits qui feront date, le hareng fumé maison, les cailles dodues du Sud-Ouest, la viande rouge soyeuse et fondante, et la tête de veau en tortue, l'année suivante. La cuisine d'où Lulu apostrophait ses clients est désormais ouverte sur la salle à manger. La plupart des plats, à l'exception du cassoulet, sont envoyés à la minute, y compris le poulet du dimanche. Les desserts sont autant de souvenirs d'enfance : crème au caramel de beurre salé et œufs à la neige. Le destin de cette maison paraît solidement assuré.

De l'autre côté de l'avenue du Général-Leclerc, sur la petite place Michel-Audiard, deux établissements côte à côte, mi-bistrot, mi-bar à vin, semblent tous deux sortis d'un décor des *Tontons flingueurs* : *L'Ordonnance*, de Patrick Liévin et *Les Sourires de Dante*. Cuisine ménagère avec un merveilleux sabodet en pot-au-feu chez le premier ; plats français et italiens chez Francis Huguet, le second, l'un et l'autre étant des adeptes des vins naturels.

La Cagouille

Véritable institution, l'on va et l'on retourne place Brancusi depuis vingt-cinq ans pour le goût inimitable des coques au beurre salé servies d'office, la chair nacrée d'un merlan simplement poêlé ou d'une chaudrée, car l'enseigne – *La Cagouille* – est charentaise. Charentais, Gérard Allemandou l'est par amour des paysages et du cognac, puisqu'il est né à Versailles. Ses attaches régionales à La Tremblade, modeste station balnéaire au bord de la Seudre, sont pourtant réelles. Peu après Mai 68, lorsqu'il quitte l'école de commerce où ses condisciples se nomment Jean-Pierre Raffarin et Michel Barnier, la voie du jeune homme paraît tracée. Il fait un stage dans la «pub», puis monte sa propre affaire, qu'il revend bientôt parce que la routine l'ennuie. Gourmand, curieux de tout, il s'associe avec un Belge dans une modeste affaire de restauration. Puis, en 1978, il décide de s'installer rue Daguerre dans un bistrot doté d'une cuisine de la taille d'un placard.

Aucun chef ne répond aux critères que s'est fixé cet homme de communication. À l'époque, Paris ne compte guère que deux grands restaurants de poisson. C'est *La Marée* de Marcel Trompier, et *Le Duc* des frères Minchelli, les initiateurs du poisson cru à Paris. Le voici sur les traces de ces derniers pour faire, si possible, aussi bon et encore plus simple. Gérard Allemandou va jusqu'au bout de son projet et s'improvise cuisinier. *Michelin* lui accorde une étoile. Il fera simple par nécessité, par fidélité aussi à la cuisine familiale. Rien qui ne soit l'évidence même, le bon sens : c'est l'anguille grillée ou en matelote, les moules en éclade ou à la brûle-doigts, les céteaux simplement poêlés, les casserons dans leur encre. C'est la cuisine paléolithique selon Delteil ! La plupart de ses recettes, à la condition de disposer de bons poissons, sont transposables dans la cuisine ménagère. Le fameux merlan entier doit être cuit dans une poêle ovale pendant trois minutes de chaque côté, reposer ensuite pendant cinq minutes, puis passer quelques instants au four à chaleur moyenne.

Avec bonhomie, et un peu de fatalisme, Gérard Allemandou nous donne les clés de son paradis. Ses poissons, « c'est la criée de Rungis », où opère un ancien de *La Cagouille,* devenu mareyeur, qui fait la sélection. L'élevage ? C'est inévitable pour lui « si l'on veut épargner les fonds marins et gérer la reproduction des espèces ». Démarche identique pour le choix des vins, des cognacs, directement auprès des producteurs. La sagesse même. Le patron de *La Cagouille*, toujours déguisé en Neptune souriant avec sa barbe ordonnée et sa liquette à carreaux, n'a peut-être jamais été le contestataire que son installation place Brancusi en 1987, sa culture alimentaire comme sa clientèle l'ont longtemps laissé supposer.

Gérard Allemandou a fait connaître aux Parisiens la chaudrée fourassienne, que seuls les lecteurs de Georges Simenon connaissaient. Venu à La Rochelle en 1927, l'écrivain n'ignorait pas qu'à Fouras, en Charente-Maritime, les pêcheurs de la pointe de la Fumée se régalaient d'une soupe de poisson des plus savoureuses : « Vous connaissez la chaudrée fourassienne ? (Maigret récita :) Une soupe d'anguilles, des petites soles, des seiches... »

François Mitterrand, lui aussi, aimait la cuisine charentaise et en cultivait le mystère. Au point d'héberger discrètement à l'Élysée, pendant deux années de son second mandat, une cuisinière cachée, Danièle Delpeuch, à qui il demanda – un 10 mai, jour anniversaire de son élection – de préparer la chaudrée « comme la faisait sa grandmère ». Le samedi au déjeuner, il fréquentait assidûment *La Cagouille* avec quelques amis proches, l'un des seuls restaurants parisiens à présenter – aujourd'hui encore – la chaudrée sur sa carte. Ce nom, dérivé de « chaudron » par métonymie usuelle en cuisine, est devenu « chaudrée », le contenu primant sur le contenant – à rapprocher du *clam chowder* de Boston.

Chez les pêcheurs d'Aunis, c'était une soupe de poissons trop petits pour être vendus. Chaque famille avait sa recette qui consistait autrefois à pocher sole, anguille, petite raie, seiche dans un roux blond (farine et beurre mousseux), « éteint, *dixit* l'archiviste Maurice Beguin, par un mouillement de vin blanc et un petit verre de fine champagne ». L'ail et le persil, voire un oignon et un bouquet garni, pouvaient parfumer le bouillon. « Hérésie ! » s'insurge Michel Dupas, correspondant de presse, qui plaide pour la stricte observance fourassienne, celle de sa mère évidemment, qui la tenait de ses parents : « Le thym détruit la composition [...] quant aux oignons [...] on trouvait cette chaudrée pendant la guerre, en conserve. Nulle ! » La recette de *La Cagouille* à Paris est dans la lignée de celle du restaurant *La Fumée* à Fouras-les-Bains. Faire réduire doucement un mélange de vin blanc et d'eau avec une tête d'ail violet et des calamars en lanières, préalablement sautés au beurre, mais sans coloration. Le temps de réduction – pas moins de deux heures – dépend de l'acidité du vin. Les pommes de terre en rondelles épaisses, la raie, la dorade ou bien le mulet sont ajoutés au bouillon réduit pour un pochage d'environ trente minutes, puis le restant de beurre. Est-ce là une « macédoine de menu fretin » évoquée par Georges Musset, érudit local de la fin du XIXᵉ siècle ? Sans doute pas, mais c'est rudement bon !

De la place d'Enfer au mont Souris

Dans le quartier de Plaisance, toujours, au *Sévero*, rue des Plantes, pas de mauvaises surprises, le patron – William Bernet – est un ancien boucher qui s'approvisionne chez Hugo Desnoyer, l'un des grands du métier. La rosette vient de chez Conquet à Laguiole, le boudin noir de la ferme du Bruel dans le Cantal, l'andouillette et la viande d'Aubrac sont servies avec des frites dorées à la demande. L'enseigne est modeste, les prix raisonnables et le choix des vins – deux cents références surtout en vins du Sud – épatant. C'est le prototype du très bon bistrot des années 2000, dont les produits, limités à l'essentiel, sont irréprochables. C'est une adresse pour l'inspecteur Carvalho plus que pour le commissaire Maigret.

Rue Liancourt, Ghislaine Arabian, autrefois chef deux étoiles chez *Ledoyen*, a repris *Les Petites Sorcières* en 2007, où elle vulgarise à bon escient la cuisine des Flandres : croquettes de crevettes grises, cabillaud à la bière, carbonade et waterzooi, ainsi que, de temps à autre, une splendide tête de veau sauce gribiche.

Dans l'axe de Saint-Pierre-de-Montrouge, vers la place Denfert-Rochereau, veille le *Lion de Belfort*, sculpture de Bartholdi. C'était autrefois la place d'Enfer (*via infera*, « voie d'en bas »). Deux pavillons ornent la place, spécimens bien entretenus des barrières de Ledoux. Par l'un, l'on descend dans les catacombes, anciennes carrières de pierre vestibulaires et immenses qui ont leurs amateurs. La rue Daguerre, marché permanent, voisine de ces monuments, est vouée elle aussi à la bouffe multiforme. C'est le domaine des cavistes spécialisés en petits vins exquis, et de quelques restaurants des îles. Le premier fut un réunionnais – *Aux Petits Chandeliers* – qui fit découvrir la marmite créole, en même temps que *Le Requin Chagrin*, à la Contrescarpe. Avenue Denfert-Rochereau, dans la contre-allée, se trouvait *Aïssa*, roi du couscous. Un Marocain ami de Lyautey y a roulé la semoule de la IIIᵉ à la Vᵉ République. Le bon couscous à Paris est plus rare qu'on ne pense. Un ou deux par décade fourbissent leurs brochettes et préparent le méchoui.

Montsouris. En 1860, on appelait le mont Souris un terrain vague en deçà des fortifs. Le second Empire en fit un jardin anglais, une nouveauté pour Paris. Seize hectares de terrain montueux, une cascade, un lac. Au faîte du mont, l'Observatoire météorologique de Paris, une reproduction du Bardo de Tunis venu tout droit du protectorat, qui disparut dans un incendie. Les masses de verdure et les buissons fleuris abritent une faune d'oiseaux très riche au milieu d'arbres d'essences rares. Le restaurant élégant au bord du lac est très prisé, une cuisine variable y est servie en terrasse et à l'intérieur. Une redoutable forteresse occupe le bas-côté droit du parc. Ce sont les réservoirs d'eau pure de la Vanne, nommés « réservoirs de Montsouris ».

Des ruelles vertes jouxtent l'enclos ascendant du parc, sur la rue Nansouty. Elles abritent des maisons d'artistes, lovées au fond de ruelles feuillues. Rue du Douanier, devenue rue Georges-Braque, le peintre résida au numéro 6 dans une maison-atelier due à Auguste Perret : brique et béton, dernier étage en verrière. Non loin, rue de la Tombe-Issoire, existe encore un terrain convoité depuis longtemps par les promoteurs : ici fut la dernière ferme de Paris encore en activité dans les années de l'immédiat après-guerre, comprenant une vaste grange avec son étable, son cellier voûté et sa charpente, attenant à un ensemble de maisons de faubourg de l'ancien hameau de la Tombe-Issoire. Cette propriété du faubourg Saint-Jacques, édifiée vers 1850, est caractéristique des établissements agricoles de ville que l'on appelait fermes de nourrisseurs ou « vacheries ». Ne bénéficiant pas de pâturage, son fourrage venait de la banlieue, afin de nourrir les bêtes à l'étable et de proposer du lait frais aux Parisiens et aux Montrougiens. Le sous-sol, inscrit à l'Inventaire supplémentaire des monuments historiques, renferme la dernière carrière médiévale de pierre à bâtir intacte de Paris, ainsi que les vestiges d'un aqueduc gallo-romain de Lutèce, sous la cour de ferme.

Dans le quartier Croulebarbe, au pied de la manufacture des Gobelins, on perçoit à la brune le fantôme d'une rivière qui fut la Bièvre, appelée du temps de Villon la rivière aux castors. Souvenons-nous de ce Fantômas du paysage urbain qu'est la Bièvre, totalement occultée, de son entrée dans la ville à sa chute dans la Seine par un égout en amont de Notre-Dame. Souvenir d'une rivière qui hante tous les poètes et les ingénieurs de la voierie. L'on pourrait déterrer la Bièvre, on connaît son parcours. On peut l'imaginer à l'ombre de ces arbres de la rue Croulebarbe au square René-Le-Gall. Le chemin de terre bordé d'arbres magnifiques, peupliers, marronniers des Balkans, robiniers, sophoras, noyers et pins, dessine sa trace souterraine et immarcescible. Après la Poterne des Peupliers la rivière emprunte, en souterrain, la rue Brillat-Savarin. Elle traverse la Glacière, souvenir du temps où l'eau était prise en glace l'hiver et conservée dans les caves des manufactures et des hôtels particuliers. Une bonne table, *L'Auberge du 15*, s'est installée à proximité de la Bièvre, rue de la Santé. Son jeune chef, le Lozérien Nicolas Castelet, y propose une cuisine gourmande et généreuse qui n'est pas sans rappeler, mais adaptée à notre époque, celle des *Marronniers* du boulevard Arago.

La Bièvre, qui coulait au pied de la Butte-aux-Cailles, peu élevée, faisait une sévère entaille dans le tuf calcaire. La Butte appartenait aux meuniers – pas moins de neuf minoteries entre le moulin des Prés et le moulin de Croulebarbe. Elle fut un fort Chabrol orné de canons durant la Commune. Pauvres gens, chiffonniers, cordonniers, blanchisseuses donnaient déjà un franc caractère libertaire à la Butte. Elle est de nouveau à la mode, préservée tout contre la forêt de tours des années 1960. Petites maisons, petits cafés, petits restaurants pour artistes et classes moyennes. C'est le nouveau Paris anarcho-syndicaliste. D'ailleurs le site est classé. Une société coopérative ouvrière de production – Le Temps des cerises – a ouvert un restaurant, pour libertaires, anars et soixante-huitards. Deux bars dans la rue de la Butte-aux-Cailles s'appellent l'un *Le Merle Moqueur* et l'autre *La Folie en Tête*. Un bar-tabac domine la petite place comme celle de tous les villages de France.

La rue Tolbiac, interminable coureuse, dans le XIIIᵉ arrondissement, nous rappelle que le numéro 16 abritait un membre du réseau Manouchian, goupe composé de vingt-trois résistants, dont vingt étrangers, condamnés à mort et fusillés au mont Valérien le 22 février 1944. La rue du Dessous-des-Berges, bordée d'ateliers d'artistes, d'artisans fournisseurs des industries et des entrepôts situés sur les ex-voies ferrées, n'a rien à voir avec les *Mystères de Paris*. Elle doit son nom à la grande crue de la Seine en 1910. *Chez Jacky*, tenu par trois frères, fut longtemps l'exemple de ce qu'était un confortable restaurant de quartier, voué à la petite bourgeoisie saint-simonienne et aussi au compagnonnage. Une fraternité balzacienne de goûts, conjointe à une cuisine familiale de tradition, avec une cave de choix.

Sous le pont Mirabeau…

Sous le pont Mirabeau coule la Seine et nos amours. Du moins le bel amour, celui de Guillaume Apollinaire et de Marie Laurencin. C'est aussi du pont Mirabeau que le grand poète Paul Celan se jeta dans la Seine, un jour gris d'avril 1970. Le pont Mirabeau fut une invention technique remarquable, construite en 1893 avec caissons à air comprimé dans les piles de fondation. La Seine autour faisait spectacle, un panorama sans cesse renouvelé, différent selon les saisons. Offrant de multiples taches de lumière, de reflets d'eau les premiers jours d'été, ou la blancheur étrange des jours d'hiver entre brume, neige et grisaille : d'un Dufy à un Marquet. Non loin, le splendide viaduc d'Auteuil enjambe le fleuve à la romaine et soutient le petit train de ceinture. De ce train les Goncourt voient les combats dans la plaine en 1870.

Tout est mémoire dans ce paysage complexe disparu vers 1958, et auquel la voie sur berge, dite «Pompidou», donna le coup de grâce. Arrondissement singulier, le XVe a vu deux des meilleurs restaurants asiatiques prospérer en deux décennies, l'un vietnamien, l'autre chinois.

On se baigne dans le XVe

Le XVe arrondissement est un quartier dense, populaire et enclavé, égayé par endroits, telles la petite gare de Javel délicieusement *modern style* et la ligne Versailles-Rive gauche, véritable échappée, la seule vers les plaisirs des bois de Meudon et son muguet. Entre Balard et la porte de la Plaine, le Salon de l'agriculture et la Foire de Paris sont des rendez-vous fort prisés des gastronomes. Avant la construction du périphérique, le quartier était contenu par le train de Petite Ceinture, dont il demeure encore un paradis vert, intact et caché aux creux de son parcours, et l'enceinte de Thiers construite sous Louis-Philippe. Ces deux équipements interrompaient la continuité des plaines fluviales de Grenelle et de Vaugirard, vouées jusque-là au maraîchage. En avant du mur, le fossé et la contrescarpe constituaient une zone non constructible de 250 mètres de large qui fut occupée par des bidonvilles à la fin du XIXe siècle, lorsque cessa l'utilisation militaire. On appelait ce territoire « la zone », ses occupants les zonards.

Alphonse Allais, en 1905, avait proposé de remplacer les fortifs par une étendue de sable qu'il avait baptisée Paris-Plage ! Sous le Front populaire on se baignait encore, près du viaduc d'Auteuil, au port de Javel. Bien avant la construction de la manufacture où fut créée l'eau de Javel, à la veille de la Révolution, le village de Javel avait un moulin, où, un siècle plus tôt, Étienne Bréant, pêcheur à Auteuil, régalait ses hôtes d'une matelote d'écrevisses. Le moulin de Javel, hors les murs, était aussi une « manufacture à la honte des familles bourgeoises », c'est-à-dire une maison de rendez-vous pour cochers de fiacres, gigolettes et bourgeois désireux de s'encanailler. Ainsi commença la ruche ouvrière que fut pendant deux siècles ce bord de Seine, qui joignait l'hygiène utile à l'agrément de Cythère. À proximité, le *Bal de la Marine* ferma le ban des amourettes clandestines au début des années 1960. Les infrastructures nouvelles aménagées dans la seconde moitié du XXe siècle – le boulevard, l'échangeur et le pont du Garigliano – ont totalement bouleversé la morphologie initiale de ce secteur au profit d'une hypertrophie routière et circulatoire dont toute mémoire est absente.

À l'est, dans le quartier Saint-Lambert, le square Georges-Brassens a fait oublier les abattoirs Vaugirard. Dans celui de Javel, un grand parc paysager considérable et original est établi sur le site industriel qu'occupaient les usines Citröen sur deux dixièmes de l'arrondissement. La perspective de la tour Eiffel donnait l'échelle du quartier. C'était le temps des tractions avant, des gangsters et des petites pépées ; le temps de la très populaire « deuche », prisée des jeunes bourgeois et des bonnes sœurs, et encore de la DS officielle, au temps du Général.

Un restaurant, aujourd'hui disparu, a témoigné de ce monde changeant jusqu'aux années 1990. C'était le *Napoléon Chaix*, niché dans une petite rue donnant sur la rue Balard, créé par André Pousse, dit « Dédé », ancien pistard lauréat des Six Jours du Vel' d'Hiv', devenu acteur de cinéma – spécialisé dans les rôles de truand – puis taulier. On lui prêta même une liaison avec Édith Piaf. Ce fut pendant une grosse décennie l'une des tables courues par le Tout-Paris du cinéma et de la nuit.

Autre figure célèbre, dans ces années-là, installée d'abord du côté des abattoirs de Vaugirard puis dans le quartier Saint-Lambert, le Sétois Pierre Vedel, ami de Georges Brassens également né à Sète. Il a initié toute une génération aux plaisirs conjoints d'une solide cuisine bourgeoise – rognons et tête de veau, bourride sétoise – et des cigares de Cuba. Il sera même, dans les années 1990, conseiller d'un restaurant de La Havane et, dit-on, fournisseur du Líder Máximo.

La ville... Que nous a-t-elle donc fait pour pénétrer nos esprits de sa magie ? Au point de vibrer devant la beauté ordinaire d'une courbe de rue ou la silhouette banale d'un square urbain, comme le square Saint-Lambert. C'est une petite merveille de verdure perdue près de la mairie du XVᵉ, non loin du *Bal Nègre*, rue Blomet, fastueux d'érotisme pour les surréalistes, et que fréquentaient Foujita, Joséphine Baker, Robert Desnos et Kiki de Montparnasse. Aimer la ville, c'est un virus, tout compte fait, au point de considérer que ce quartier de Paris, avec ses bistrots anonymes, ses restaurants modestes, ses boutiques sans beauté particulière, sont source d'émotion. Ce fut le mérite d'un auteur récemment disparu, Jean-Paul Clébert, de l'avoir discerné. Nous habitons le fantôme d'une ville qui ne cesse de nous hanter par une mystérieuse osmose, écrit-il en substance. Alors ne boudons pas notre plaisir, aussi bien au *Café du Commerce*, ancienne cantine des usines Citroën dans les années 1920, dernier-né de la série des « bouillons », qu'au *Jules Verne*, restaurant du deuxième étage de la tour Eiffel.

Foin de la vache folle

Dans les années 1920, le quartier était une ruche ouvrière lorsque s'y développa la construction automobile. L'immeuble sur trois niveaux, construit en 1920 au 51 de la rue du Commerce, qui devait être un magasin de tissus au coupon, devint l'année suivante, sous le nom *Aux Mille Couverts*, la cantine des ouvriers des usines Citroën. Après la Seconde Guerre mondiale, son propriétaire, lié à la famille des bouillons Chartier, baptisa l'établissement *Le Commerce*, puis, en 1988, le *Café du Commerce*. L'établissement, marqué sans doute par son origine modeste malgré son surprenant agencement et son toit ouvrant sur un splendide patio intérieur, ne connut jamais une grande célébrité.

Le pari d'Étienne et de Marie Guerraud, qui en ont fait l'acquisition en 2003, est d'en lier le destin à la réhabilitation du bœuf de race limousine. Un pari courageux lorsqu'on sait que bien avant la crise de la vache folle, le consommateur se détournait déjà de la viande de bœuf qui n'était souvent qu'une viande de vache de réforme. En effet, l'usage de la boucherie est d'appeler du nom du bovin mâle castré destiné à la consommation la viande de tous les gros bovins, génisse, vache, bœuf et bouvillon, taureau et taurillon.

Le 20 mars 1996, lorsque les scientifiques annoncent avoir décelé douze cas de lésions spécifiques des tissus cérébraux communes à l'animal et à l'homme, le scandale est énorme. L'embargo immédiat sur la viande britannique est décidé. En France, les tranchées défensives sont immédiatement creusées, les casemates garnies : les prions ne passeront pas ! D'ailleurs, le panonceau est hissé : « Viande bovine française ». Mais plus d'abats ! Adieu, tripes, gras-double, tablier de sapeur, tripous, petite cervelle pour les enfants ! Tout est suspect, tout peut être incriminé. L'on revient au XIVe siècle, à la peste noire et aux puits contaminés.

De fait le consommateur voit rouge et broie du noir. Tout est trafiqué ! « Une poubelle sur votre table », titre un grand magazine. Une seule issue : « Mangez français ! » Facile à dire, plus difficile à faire lorsqu'il faut traduire le néologisme « traçabilité » dans le verlan des loucherbems. Les grandes tables se rabattent sur le haut de gamme, le charolais, le limousin. Et les vaches sur les linéaires des grandes surfaces, les incriminées du bas de gamme, regardent passer les acheteurs qui se précipitent sur la volaille et le rayon poisson. Le bon petit boucher de quartier triomphe, avec sa viande labellisée et la confiance qu'il apporte. Le veau sous la mère devient le parangon de toutes les vertus ménagères. Les années ont passé depuis ce séisme alimentaire. Le danger a été circonscrit, sinon définitivement écarté. Depuis, l'influenza aviaire en Asie du Sud-Est est venue faire diversion. Les crises alimentaires ponctuent et jalonnent l'histoire occidentale, depuis la nuit des temps. Le véritable risque alimentaire aujourd'hui est ailleurs. Le déséquilibre pathologique commence par la rupture des repas classiques et le grignotage permanent d'aliments divers. Cela produit l'obésité, apanage des États-Unis qui gagne aujourd'hui l'Europe. Aucun aliment n'est suffisant en soi, viande ou céréales, seul un équilibre contrasté est générateur de santé. L'équilibre alimentaire est fragile. Il est hérité. C'est un fait de civilisation. Il a été bâti par des générations et transmis dans le protocole coûteux de la gastronomie, ou bien dans le modeste cahier des recettes de Tante Marie, dont hérite toute ménagère. Le désastre commence dès lors que l'homme change ou abolit ses rythmes de repas, ou cède à la tentation de régimes de carence.

Pour le *Café du Commerce*, chaque semaine, le boucher Pascal Pétard sélectionne quatre ou cinq arrières de bœuf de race limousine qu'il fait mûrir pendant trois semaines afin de s'assurer de leur goût et de leur tendreté. L'arrière de bœuf sera ensuite «démonté» et livré entier. L'éplucheur, puis le «piéçard» interviendront alors dans l'ordre et selon les règles de l'art pour offrir aux amateurs les pièces nobles, au grain lisse et satiné, le train de côtes, l'entrecôte, l'aiguillette de romsteck, le filet, la poire ou l'araignée, l'aiguillette baronne ou le merlan. Les frites, préparées sur place, cuites selon l'usage en deux bains successifs, puis égouttées, accompagnent ces merveilles. Le *Café du Commerce* est une adresse incontournable pour les amateurs de viande rouge qui peuvent désormais sans risque assumer leur passion carnivore. Scandale des années 1990, l'histoire de la vache folle s'est profilée sur fond de libéralisme anglais, de remise en question des pouvoirs régaliens de l'État, du discrédit du contrôle administratif, qui, du moins en France, permet de coincer les vampires des farines animales, des hormones, des antibiotiques infligés aux bovidés, et les champions du transport frauduleux et des fausses estampilles.

Voyage en Orient

Deux restaurants du XVe arrondissement, un vietnamien et un chinois, parmi les meilleurs de leur catégorie, nous entraînent dans un passionnant voyage extrême-oriental. Tous deux ont fait leurs preuves depuis 1985 pour le premier et 1992 pour le second qui, fait exceptionnel pour une table chinoise, a été étoilé par le *Guide Michelin* en 1999.

Kim Anh et Ba-Hung ont fait le voyage Saigon-Paris en 1975. Un voyage sans retour car ils ont tout laissé, sauf l'amour du pays et le goût de sa cuisine. En 1985, ils ouvrent un minuscule restaurant, rue de l'Église, où jusque-là les Asiatiques ne s'aventuraient guère. Nguyen Ba-Hung, l'ancien homme d'affaires qui exportait vins, alcools et denrées de France au Vietnam, joue les amphitryons et Kim Anh, sa femme, apprend à reproduire les plats saigonais de sa mère et ceux, plus puissants, de la cuisine du Nord, pays natal de son mari. Kim Anh, un nom qui qualifie l'éclat de l'argent, peut se traduire par «vif-argent» au sens figuré. Vingt ans plus tard, ses yeux pétillent encore et son visage est toujours souriant. La tradition, au Vietnam, veut que les femmes s'activent à la cuisine pendant que les hommes s'intéressent à la poésie, au jeu et même... à la table !

Car les Vietnamiens sont gourmands. Il n'est que de constater la richesse éclatante des fruits et des fleurs sur les marchés, la profusion des crevettes et des poissons et les innombrables roulantes qui, dès le matin, distribuent le *phô* – le potage national –, un bouillon de bœuf assaisonné de nuoc-mâm, de gingembre, d'oignons ou d'échalotes, d'épices, et agrémenté d'un peu de viande de bœuf ou de volaille émincée. Depuis vingt ans, Kim Anh est au fourneau, car elle ne sait pas faire autrement qu'assembler elle-même la chair de huit tourteaux cuits à la minute, vérifier qu'elle ne contient ni branchies molles ni partie non comestible, avant d'ajouter un peu de chair de jambonneau hachée, les parties crémeuses et le corail des crabes ainsi que les jaunes d'œufs battus, les champignons parfumés, les échalotes et la mie de pain émiettée.

Comme la mère Brazier préparant son appareil à quenelle, personne d'autre que Kim Anh ne saurait aussi bien mélanger le tout pour obtenir une farce homogène, et surtout, assaisonner de sucre, de sel, de poivre et de nuoc-mâm. C'est ainsi, à force de patience et de gestes répétés, de produits d'excellence désormais importés à Paris, que s'est constitué peu à peu le couple le plus original de la cuisine du Sud-Est asiatique à Paris. Michel Polac, un voisin, a été témoin de leurs débuts ; Isabelle Adjani était déjà une habituée. Ils eurent la visite d'Anthony Quinn et de Joël Robuchon en voisins. Quand la rotation des chefs dans la plupart des restaurants asiatiques se fait après quelques mois, la pérennité de Kim Anh à son poste lui donne aujourd'hui droit au titre de « mère cuisinière ».

La cuisine vietnamienne est établie depuis plus d'un siècle à Paris où elle maintient ses usages et ses traditions face à la multiplication des restaurants aux « spécialités » sans distinction de la cuisine thaï, chinoise, vietnamienne et même japonaise, mêlant sur une même carte nems à la feuille de menthe, canard à l'ananas, poulet au curry vert, sushi et sashimi. À fuir. La barrière des goûts de la cuisine vietnamienne, sa véritable frontière avec la Chine et les autres pays du sous-continent, est le nuoc-mâm, une sauce de poisson sapide et fermentée, quand le Céleste Empire s'abandonne aux délices de la sauce soja, voire au goût neutre et à l'insipide de la cinquième saveur, la moins identifiable et naturellement la plus recherchée. Aujourd'hui, le Vietnam, qui s'est peu à peu ouvert au tourisme, est à moins d'une journée de vol de la France. Et l'on assiste à un regain d'intérêt pour ses traditions culinaires – fraîcheur et emploi des herbes – alors que la cuisine chinoise dans laquelle tout, même les légumes, est sauté au wok, a été mise en cause en 2004 par des émissions de télévision après une enquête des services de l'hygiène. Elle connaît depuis une sérieuse crise de confiance.

Kim Anh, entre-temps, s'est installée avenue Émile-Zola, et cultive un mur de verdure en terrasse, car elle a la main verte. Le service est assuré avec précision par la famille, proche et lointaine. Elle a fait de nouveaux adeptes de sa cuisine de légumes et d'herbes. Les menthes ont leur place et surtout la coriandre (*can tan*) à la délicieuse saveur poivrée, l'aneth et le fenouil frais, ou le basilic thaï, qui apportent des notes de fraîcheur. L'anis étoilé et la coriandre sont aussi connus de la cuisine chinoise. Les Japonais en raffolent. La cuisine du Sud, issue des produits de la terre très riche du delta du Mékong, est abondante et sucrée. Celle du Nord, plus proche de la Chine, est plus salée, « parce que le pays est moins riche », relève notre hôte. La cuisine du Centre, inspirée de la table impériale de Huê, est à la fois salée et relevée, grâce au piment rouge frais, au poivre blanc, qu'accompagnent l'ail, le gingembre et la citronnelle. Repli stratégique pour une monarchie souvent assiégée, la région de Huê est l'une des plus pauvres du pays.

Kim Anh est devenue l'invisible magicienne, qui envoie à la minute des plats d'une extraordinaire fraîcheur comme le sampan d'ananas frais en salade, le rouleau impérial au crabe et aux crevettes que l'on déguste enroulé d'une feuille de laitue avec un peu de menthe et un assaisonnement de nuoc-mâm. Le même sort est réservé au suprême de mer, aux crevettes sur canapé ou bien aux gros escargots de mer. Les plats qui ont fait la réputation de Kim Anh au fil des ans sont nombreux et variés, à commencer par la salade de bœuf émincé au citron vert, le potage au tamarin. Notons pour les amateurs les tripes grillées, badigeonnées d'une sauce de soja améliorée par le piment, l'ail, le sucre et le jus de citron (*nuoc-cham*), et aussi les langoustines caramélisées, les raviolis à la vapeur d'une incomparable finesse. Notre vin de prédilection avec ces plats est un savagnin du Jura. Avec la fondue du delta, on imagine les longues barques, les gestes des bateliers avec leurs perches, revêtus du chapeau conique de l'ancien Royaume de Huê. Selon la légende, les quatre vertus de la bonne épouse vietnamienne sont : *cong, dung, ngôn* et *kanh*, c'est-à-dire en premier lieu le savoir-faire culinaire, puis la beauté naturelle, ensuite le langage châtié et la fidélité. Cette hiérarchie extrême-orientale explique peut-être pourquoi la cuisine du Vietnam a perduré malgré les guerres et les troubles civils. Si la cuisine est bien un langage de civilisation, celle du Vietnam paraît assurée à Paris par Kim Anh, même depuis la mort de son mari pendant l'été 2010.

La cinquième saveur

«Des goûts et des couleurs il ne faut pas discuter», estimaient les scolastiques du Moyen Âge. On hésite encore, il est vrai, entre le bleu et le vert pour désigner la couleur turquoise, et le goût – sucré, salé, amer, acide – reste une affaire intime. Faut-il alors se ranger à l'avis d'Aristote qui opposait le doux à l'amer et situait la continuité des saveurs sur un axe unique ? La prudence serait d'admettre, avec Voltaire, que le goût est le «sentiment d'une beauté parmi les défauts et d'un défaut parmi les beautés». Aux quatre saveurs qui constituent, en Occident, une convention partagée, les Chinois en ajoutent une cinquième – sensation plus que saveur : l'insipide, le neutre, le fade. Il peut paraître paradoxal qu'une telle notion ait pu prospérer au sein de la si brillante culture chinoise, au point d'inspirer non seulement l'art culinaire, mais aussi la pensée, le monde des arts, la poésie. Soumis à l'ordre du tao, le sage «savoure la non-saveur». La fadeur, le goût neutre – dans l'Empire du Milieu – est la référence originelle, l'intuition, et, parmi les saveurs extrêmes, le «centre qui transcende toutes les différences», écrit le sinologue François Jullien.

C'est au cuisinier Fung-Ching Chen que nous devons d'avoir approché ces mystères au cours de l'été 1994, dans son petit palais chinois rue du Théâtre. Il avait préparé pour un dîner de *La Table des Mandarins* quelques «mets savoureux»: noix de saint-jacques séchées, saint-pierre aux deux saveurs, délices des mers d'Asie, canard au palais des Dragons et chevreau en marmite. Tous ces plats, abondants et savoureux, sollicitaient nos papilles de façon très classique, quand apparurent les ailerons de requin mijotés, puis les nids d'hirondelle. Dépouillées de tout cartilage, les nageoires caudales étaient réduites à l'état de filaments imprégnés des sucs d'un bouillon de viande sans assaisonnement, et, comme les nids d'hirondelle – issus d'une sécrétion «comestible» de la salangane –, ils avaient cette particularité de n'avoir aucun goût. Ces produits rares sont importés de Chine, et n'ont rien à voir avec ce que les restaurants chinois proposent habituellement sous ce nom.

Faut-il comprendre que celui qui a eu accès au monde des saveurs et de la non-saveur est ensuite capable de passer d'un domaine à l'autre avec un égal bonheur? On l'a deviné, nous mangions du symbole! Les conceptions métaphysiques de la cuisine chinoise ne sont guère partagées par l'agroalimentaire dont les responsables marketing ont pris l'habitude, ici, de nous faire manger plutôt du concept. Certains industriels sont convertis à la «cinquième saveur», mais il s'agit d'un additif, le glutamate de sodium, qu'ils ajoutent dans de nombreux plats cuisinés, surgelés, mélanges d'épices, soupes en boîte et en sachet, sauce vinaigrette, voire saucisse et jambon ! Une notice éditée par Fleury-Michon ose même la métaphore musicale : « Si les composantes du goût étaient comparées aux sons d'un orchestre, *umami* serait la contrebasse » ! Le glutamate est connu des cuisines asiatiques, chinoise et japonaise, et des services de santé. Il n'est qu'un exhausteur de goût et ne fait pas l'unanimité. Le *Dictionnaire de l'alimentation* de Yudkin souligne, ô paradoxe, qu'il est à l'origine du « syndrome du restaurant chinois… caractérisé par des douleurs au cou, des maux de tête et parfois des palpitations » ! Le cuisinier Chen, lui, n'employait aucun additif, ni avec la langouste (du vivier) au gingembre, éclatante de fraîcheur, ni avec les grosses crevettes au piment rouge ou les *dim sum* maison. Son extraordinaire canard pékinois en trois services, à la peau croustillante et aux saveurs miellées, permet un accord intense avec le vin jaune d'André et Mireille Tissot, choisi par un maître d'hôtel avisé. La chair du canard, puis le fameux bouillon léger au goût neutre, seront servis ensuite. Le cuisinier Chen retiendra le commentaire de Lao-tseu : « Celui qui excelle ne discute pas, il maîtrise sa science et se tait. » Ces méditations rejoignent l'aphorisme des scolastiques : le goût est un lent apprentissage. En 1999, une étoile Michelin est venue récompenser le travail de Chen. Sa disparition en 2003 n'a pas interrompu le patient labeur d'une équipe soudée autour de sa mémoire. C'est aujourd'hui Véronique Chen qui manie le wok avec la même passion.

Des tables de haute voltige
d'Auteuil à Batignolles

C'est un quartier vaste, presque immense, une impression accentuée par le retrait de ses larges avenues bordées encore d'hôtels particuliers, de maisons de maître et de grands immeubles bourgeois qui cachent sans doute une succession de jardins. La légère déclivité du sol qui va de l'Étoile à l'ancienne place Pereire – à laquelle on a donné le nom du maréchal Juin depuis 1973 – est sensible ; disparus, en revanche, le charme du petit train de ceinture qui allait à Auteuil, les talus resplendissants d'iris et la floraison du robinier faux acacia. Peu de monde dans ces avenues. La discrétion des habitants est à proportion de la vastitude de leurs appartements. Quelques rares rues commerçantes : Belles-Feuilles, Bayen, Poncelet, de Lévis.

Puis, à rebours autour de la place, et dans les rues et les avenues voisines, un grand nombre de restaurants et de brasseries, plus peut-être que dans les autres quartiers, se sont installés depuis longtemps et prospèrent aujourd'hui jusqu'à la place des Ternes.

La forme urbaine tient aux origines mêmes de ce quartier, à la suite du bouleversement qu'entraîna la destruction du mur des Fermiers généraux, sous le second Empire. Ce mur, érigé juste avant la Révolution, fut l'une des nombreuses enceintes successives de Paris, mais, contrairement aux précédentes, il n'était pas destiné à assurer sa défense. Il servait à imposer le paiement à la Ferme générale de l'octroi prélevé sur les marchandises entrant dans Paris. Cette fonction purement fiscale l'avait rendu fort impopulaire dès le début de sa construction : « Le mur murant Paris rend Paris murmurant / Pour augmenter son numéraire / Et raccourcir notre horizon / La Ferme a jugé nécessaire / De mettre Paris en prison. »

Du 11 au 13 juillet 1789, des émeutes où se retrouvent nombre de cabaretiers attaquent les barrières (octrois), en commençant par celle de Monceau. Dans le même temps, les marchands de vin scellent l'« acte d'union » par lequel ils s'engagent à maintenir les franchises en vigueur dans les faubourgs. Le vin n'est pas compté pendant ces journées d'émeutes et la nuit suivante ne porte guère conseil. C'est un groupe probablement bien arrosé qui fait le siège de la Bastille, le lendemain du 14 juillet, avec le succès que l'on sait. Les auteurs de destructions seront poursuivis et, à l'automne 1789, reprend l'érection des barrières. Il faudra attendre le 19 février 1791 pour que l'Assemblée du peuple prenne le décret tant espéré de la suppression de tous les octrois, dont la prise d'effet est toutefois repoussée au 1er mai. Camille Desmoulins écrit dans son journal :

« La nuit du 30 avril au 1er mai à minuit, un coup de canon annonça la chute de toutes les barrières. » L'année suivante, la feuille du matin pouvait publier la *Marseillaise* du buveur : « Allons enfants de la Courtille, le jour de boire est arrivé… »

À l'ouest, le mur empruntait les tracés futurs de l'avenue de Wagram, des boulevards de Courcelles, des Batignolles, de Clichy, et se prolongeait au nord par les boulevards de Rochechouart, de la Chapelle et de la Villette. Il ne fut détruit que lors de l'annexion des communes autour des Batignolles, en 1860, qui vit Paris s'étendre jusqu'à l'enceinte de Thiers, construite entre 1841 et 1844 sur le tracé actuel des boulevards des Maréchaux. Entre Passy et les Batignolles, un nouveau quartier, celui de la plaine Monceau, est créé sur ses emprises. Les terrains furent cédés gratuitement par des propriétaires, notamment le banquier Émile Pereire, assez avisés pour comprendre l'énorme plus-value que ces opérations de voirie allaient donner à leurs biens. La liaison avec les Batignolles est alors faite par la rue Ampère et la rue Jouffroy ainsi que par le boulevard Pereire qui longe la tranchée du chemin de fer de ceinture. De larges avenues – Villiers, Wagram, Malesherbes – sillonnent le nouveau quartier vers l'extérieur et vers le centre, et desservent les nouveaux immeubles dont la construction se poursuivra jusqu'à la Belle Époque. La haute bourgeoisie associée dès l'origine à la création du quartier entend bien y prospérer et en exploite toujours l'usufruit de nos jours.

Des perles au long des avenues

Les résidents aisés du XVIe arrondissement, qui assurèrent un temps le succès de Joël Robuchon puis d'Alain Ducasse au 59, avenue Raymond-Poincaré, ont hérité d'une perle laissée par le premier avenue Bugeaud, où il avait un temps installé ses pénates. *La Table*, au 16 de cette avenue, qui a vu officier successivement Ghislaine Arabian puis Joël Robuchon, assistés l'un et l'autre pendant un moment de Frédéric Simonin, a été reprise fin 2010 par Jean-Louis Nomicos, qui était depuis dix ans le chef de *Lasserre*.

Natif des environs de Marseille, ce Méridional a fait ses débuts au *Juana* aux côtés d'Alain Ducasse, en 1985. Il fut le chef de *La Grande Cascade*, de 1995 jusqu'en 2001. Il vole désormais de ses propres ailes à l'enseigne des *Tablettes*, clin d'œil à l'ancienne table robuchonienne dont il a entièrement modernisé le décor. Ouverture sept jours sur sept et menu-carte à prix fixe au déjeuner, comprenant entrée, plat, fromage, dessert, vin et café. Une sacrée aubaine dans ce quartier huppé, d'autant que le choix est offert entre quatre entrées, autant de plats et trois desserts. Entrée de tourteau et pomme verte au citron vert et avocat, de noix de saint-jacques aux huîtres et poireaux – une composition à la minute – absolument parfaite, et mont-blanc «à notre façon». Convivialité et gaieté sont à l'honneur à la carte, dans plusieurs plats aux couleurs et aux saveurs vives, telles la délicate royale de fenouil aux oursins, la courge muscade, œuf poché et truffe noire ou bien les noix de ris de veau au citron-caviar, et les cailles et poivrons doux à la fleur de thym – plat idéal avec un pinot d'Alsace de Marcel Deiss. Le détail est soigné sans affèterie, les goûts justes, les cuissons précises. Le tout est servi avec efficacité et discrétion, avec le concours d'un jeune et brillant sommelier. C'est actuellement l'une des meilleures adresses de l'arrondissement.

Encore un mal-aimé du *Michelin*, souvent oublié par les guides, Paul Chêne est le gardien d'un temple où la cuisine bourgeoise brille encore de tous ses feux dans cet établissement éponyme créé en 1959, qui fut un temps étoilé. Jean Gabin y déjeunait tous les jours à la fin de sa vie, sur la table située dans un renfoncement à gauche de l'entrée. Reprise en 2007 par Harold Audouin, qui a conservé le décor d'époque, et le chef Philippe Mercier, excellent saucier, ancien collaborateur de Bernard Loiseau, cette maison traditionnelle revendique une cuisine «d'avant la nouvelle cuisine».

C'est surtout une cuisine de produits : au printemps les asperges de M. Fouillard, de Saint-Geniès en Périgord, à la sauce mousseline, et le merlan frit en colère. En octobre, on y trouve une excellente terrine de faisan au foie gras, les perdreaux, le chausson aux truffes, les saint-jacques d'Erquy à la coque et le râble de lièvre sauce poivrade. Et pour faire bonne mesure, la daube de bœuf, la poule au pot et, inévitablement, les traditionnelles crêpes Suzette arrosées avec une liqueur de la famille.

Le choix d'une jeune femme, nommée en 2012 chef de cuisine du *Raphaël*, n'est pas passé inaperçu dans l'univers masculin de la gastronomie. Cet hôtel prestigieux n'avait jusque-là qu'une ambition modeste dans ce domaine; relever le défi est précisément l'objectif assigné à Amandine Chaignot, qui abandonna des études de pharmacie pour s'engager dans le parcours des grandes tables (le *Crillon*, le *Meurice*). Son apport original est de ne rien abandonner sur le fond – la qualité et la saveur des produits – tout en laissant son imagination guider, dans l'assiette, l'ordonnance de fines quenelles de volaille et girolles sautées au jus et pousses d'oxalis, ou bien d'une sole en viennoise, petits pois à la française et crème d'oignons nouveaux au lard. Sa cuisine est en phase avec Raphaël, le peintre d'Urbino, qui visait la mesure, la grâce et l'harmonie.

Le jeune cuisinier Akrame Benallal a le sens de la formule : «Nourrir les plus grandes ambitions, mais ne jamais oublier d'où l'on vient.» C'est sa ligne de conduite, depuis son installation à Paris en 2011 dans un ancien bistrot de Guy Savoy. Succès de curiosité d'abord, finalement confirmé par une étoile Michelin en mars 2012. Désormais, il faut réserver un mois à l'avance l'une des vingt places du restaurant, qui porte son prénom, *Akrame*, rue Lauriston. Seconde étoile, inattendue, en 2014.

Né en France en 1981, aîné d'une famille de trois enfants, il a passé les treize premières années de sa vie en Algérie, dans l'Oranais. Des goûts de l'enfance, il conserve le souvenir des tomates de sa mère : «Préparées avec amour, elles avaient une saveur spéciale.» De là sa conviction, aujourd'hui, que la cuisine est affaire de sentiment. Et de volonté aussi. Car il a eu, très jeune, une expérience sans lendemain à Tours, frais émoulu d'un stage chez Ferran Adrià, le magicien catalan d'*El Bulli*.

«J'y ai beaucoup appris, mais pas la cuisine; c'était la Nasa!» juge-t-il avec le recul. Un jour où il attendait un groupe d'habitués – «des fans», précise-t-il –, il ramasse dans un jardin quelques belles tomates noires de Crimée qu'il s'avise de servir parmi quinze plats d'avant-garde: sphérification, azote liquide, le grand jeu. Les tomates tranchées au couteau, fleur de sel, poivre, sont simplement arrosées d'un trait d'huile d'olive. À la fin du service, au lieu du concert de louanges habituel, ses hôtes s'exclament: «Tes tomates, c'était génial!» Rude leçon, le jeune chef décide de revoir entièrement sa cuisine et d'aller vers le plus simple, le spontané. D'où l'idée, aujourd'hui par exemple, de cuire les pointes de grosses asperges blanches au four dans une papillote et de les servir avec une crème de cajou, rehaussée d'une julienne d'asperges crues et ciboulette et de quelques noix de cajou concassées.

Talentueux, imaginatif, ce jeune cuisinier est promis à un brillant avenir. Il pilote déjà, en face de son restaurant, une annexe à l'enseigne de l'*Atelier Vivanda*, consacrée à la viande quasi exclusivement.

Le *Restaurant Jamin*, rue de Longchamp, qui assura la gloire de Joël Robuchon dans les années 1980 avant de sombrer dans la cuisine créole, a été relancé en 2009 par le chaleureux Alain Pras, ancien associé de Guy Savoy à *La Butte Chaillot*, avec une équipe aguerrie, où le merlan façon Colbert et le suprême de pintade au chou évoquent le souvenir de ces deux établissements, à des prix très raisonnables.

C'est l'une des très vivantes adresses d'un quartier – autour du Trocadéro – où les tables ne manquent pas mais sont souvent compassées, le service arrogant ou inefficace. Mention spéciale pour *Hiramatsu*, du nom d'un chef japonais francophile qui a créé une dizaine de restaurants de cuisine française au Japon. L'ambiance zen fait contraste avec la cuisine, moderne sans excès et savoureuse. Mais pourquoi donc gâcher une entrée par une aromatisation à l'huile de truffe, dont on sait que c'est obligatoirement un produit chimique, un arôme de synthèse, envahissant et vulgaire ?

Pascal Barbot, à l'*Astrance*, rue Beethoven, en raison sans doute du succès confirmé de son établissement, a osé dès 2004 une formule audacieuse que son complice en salle Christophe Rohat expose avec bonhomie : « Le menu, ce soir, c'est la surprise du chef. » Depuis, la formule, détournée ailleurs en menu unique imposé, a fait florès.

En fait, à l'*Astrance*, c'est un menu à la tête du client, celui qui est connu comme celui qui ne l'est pas. Il faut un sacré doigté au maître d'hôtel pour viser juste, car le paradoxe de cette formule est qu'un choix est possible, mais seulement en cuisine. Si une table se prononce pour le gibier, les convives verront arriver non pas une seule préparation pour toute la table comme un menu imposé, mais par exemple trois gibiers en deux cuissons : un lièvre – le râble grillé, les cuisses compotées –, un colvert et un perdreau rôtis, le premier avec un accompagnement de raisins et de coings, le second avec un confit d'aubergines au chocolat. Étonnement des clients devant la performance, car personne ne mange la même chose, et satisfaction en cuisine car le stratagème évite la routine et, chaque soir, vide les frigos, ce qui n'est pas le moindre intérêt de l'opération.

Il reste que Pascal Barbot, depuis dix ans, est l'un des plus talentueux chefs de sa génération. L'enseigne rappelle son Auvergne natale : l'astrance est une plante de montagne qui présente en son centre une couleur pourpre profond. Elle est aussi connue pour ses vertus purgatives. Le goût de la nature et la nostalgie des grands espaces inspirent la cuisine de ce jeune homme qui fut quelque temps second d'Alain Passard, à l'*Arpège*. Son étrange et délicieux bouillon au pain grillé, servi en amuse-bouche, qu'il proposa dès son installation, est toujours une profession de foi. Le produit est respecté, d'où qu'il vienne et quel qu'il soit, mais le cuisinier s'autorise la magie de la transformation. Le crabe en fines ravioles d'avocat est transposé par l'huile d'amande douce, la terrine de lièvre doit composer avec la délicatesse d'une salade d'oignons doux aux arômes de sapin et, si le maquereau est laqué au soja comme le recommande le cuisinier chinois, il est maintenu dans notre univers de goûts par quelques pousses d'épinards à la moelle de bœuf. Cette cuisine vagabonde ne court après aucun des poncifs de l'époque et reste très personnelle. Le lapin est confit, relevé de saveurs de curry et accompagné de tomates et de feuilles d'oseille. L'intention est claire, la réalisation impeccable.

Le décor de ce restaurant avec mezzanine, qui connut d'autres aventures, pas toujours des plus brillantes, a été rafraîchi. Il reste daté, mais sa relative modernité convient avec le style sans emphase de la cuisine et du service diligenté par Christophe Rohat, autre ancien de la maison Passard. D'une cave aux intentions bien visibles, il extraira le corbières de la voulte-gasparets, idéal accompagnement de l'épaule d'agneau à la cuillère, rognons en brochette, côte grillée et mousseline du Moyen-Orient. Dessert à l'unisson : pomme rôtie au four, écume de cannelle et liqueur de caramel.

On ne saurait quitter le XVIe arrondissement sans évoquer une de ses figures attachantes. Patrick Pignol, natif d'Argenteuil, village autrefois réputé pour ses asperges, s'enrôle chez *Ledoyen* avant de partir pour Londres au *Gavroche*, où il fêtera ses vingt ans. Ce cuisinier précoce n'aura guère connu que des paysages urbains et, l'adolescence venue, la grande cité londonienne où il séjournera trois ans. Cette enfance et cette adolescence citadines seront peut-être sa meilleure chance, plus tard, de donner du rêve à tous ceux qui, le temps d'un repas, s'abandonnent aux bienfaits de la nature.

De retour à Paris il ouvre en avril 1984 *Le Relais d'Auteuil* où, à 25 ans, il sera son propre patron. Dès cette époque, il s'intéresse au complément indispensable de la table, le vin, qu'il aborde avec méthode et détermination. Trop de chefs, à ses yeux, sont étrangers au monde vivant et sensible du vin, uniquement rivés à leur piano. Il déguste, visite les vignerons, dialogue avec les courtiers, dirige ses sommeliers et peu à peu constitue une cave brillante. Et lorsque les prix des grands crus classés de Bordeaux s'envolent, il ose proposer un choix avisé de vins du Languedoc. Cet effort va de pair avec une recherche culinaire qui lui vaut, cinq ans après son installation, un premier macaron au *Michelin* et bientôt un second. Dès cette époque, sa fine tarte de rougets à l'anchoïade et son pigeon fumé aux baies de genièvre et jus à la sauge lui assurent une clientèle fidèle. Sa consécration n'a pas entamé son enthousiasme, et sa bonne humeur communicative. Cuisine simple, toujours directe. Le produit – rouget, sole, omble chevalier, côte de veau – est souvent présenté dans le plus simple appareil aromatique. Mais si le jeu du cuisinier se fait invisible, l'esprit de la grande cuisine demeure. Les liaisons sont ténues, discrètes, toujours présentes. Styliste des saveurs, Patrick Pignol sait aussi jouer avec les textures de son indémodable amandine de foie de canard et son lobe poêlé. Il préfère la cuisine de l'instant, mais sait aussi ménager l'opulence d'un croustillant de fraise et pied de veau braisés, la délicatesse d'un canard sauvage aux radis noirs et cuisses laquées ou d'un gibier de noble origine. La modestie et le professionnalisme de Patrick Pignol témoignent de la passion qu'il éprouve pour son métier, comme ses petites madeleines au miel de bruyère, glace miel et noix, qui renvoient aux matrices des goûts de l'enfance.

Cuisines de l'Est

En 1925, l'Alsacien Adrien Rech ouvre une épicerie au 62, avenue des Ternes, qui deviendra un comptoir Art déco rutilant et bâtira sa réputation sur les huîtres, les escargots, la choucroute et un excellent vouvray. C'est aujourd'hui encore un restaurant de poisson réputé, repris par Alain Ducasse en 1999, entièrement rénové, auquel le chef Jacques Maximin délivre ses conseils. C'est au cours de la même année que Simone Prunier créa

Prunier Traktir, avenue Victor-Hugo. Ne pas confondre avec le restaurant *Prunier* de la rue Duphot, aujourd'hui *Goumard-Prunier*, ouvert par Alfred Prunier, son grand-père. Ce restaurant, dû à l'architecte Hippolyte Boileau, connut un engouement considérable. Mauriac évoque ses soupers avec dévotion dans ses carnets. Cocteau y aiguisait ses paradoxes, Maurice Sachs et Jean Auric suivaient. Les Hugo se faisaient remarquer : Jean par un ramage choisi et Valentine par un plumage de faisane ; les Noailles, les La Rochefoucault y tenaient commerce d'esprit en se régalant de pieds de mouton sauce poulette, un classique de la maison, un classique de la cuisine bourgeoise. En 1989, Prunier a failli sombrer. Sa réouverture en 1995 sous la houlette de Jean-Claude Vrinat permit une remise à flot du vieux paquebot dont la rénovation complète est due à Pierre Bergé. Éric Coisel, ancien chef du *Chiberta*, a repris en main la cuisine et la maintient à un haut niveau de brasserie confortable.

La rue de l'Arc-de-Triomphe, dans le XVIIe arrondissement, mérite d'être connue des gastronomes en raison de la présence d'une modeste table japonaise – *Wada* – où le chef, alerte sexagénaire, exécute à la minute de délicieuses préparations de poisson pour une addition modérée.

Mais aussi pour l'existence de *Graindorge*, restaurant belge où l'on peut découvrir quelques plats d'outre-Quiévrain. En particulier le *potjevleesch*. Qu'est-ce que le *potjevleesch* ? Un nom flamand qui signifie « viande en pot ». À Bergues, dans le Nord, où fut tourné *Bienvenue chez les Ch'tis*, on dit simplement « potch' ». C'est un de ces plats de la cuisine nordiste dont le polémiste Alphonse

Karr (1808-1890) avait coutume de dire : « Ce serait très mauvais si l'on pouvait en manger.» Simple mot d'esprit car le potch', au contraire, est une délicieuse terrine de quatre viandes blanches (lapin, veau, poulet, porc) tenues par une gelée naturelle goûteuse et parfumée. C'est une recette du Westhoek, petite région transfrontalière entre la France et la Belgique fixée par le traité d'Utrecht (1763). Le potch' est servi recouvert de frites de façon à faire fondre la gelée, ou, mieux, de pommes dunkerquoises, épluchées, mi-cuites à l'eau et passées dans la *frituur*. La cuisson se fait au bain-marie, à four moyen pendant trois heures et plus, dans un grand pot de terre couvert et luté, muni d'une minuscule cheminée. Le fond du pot est tapissé de fines tranches de lard, tandis qu'une couenne recouvre les viandes alternées en couches régulières. Échalotes, persil plat, thym et laurier complètent la garniture aromatique. Une nuit au frais est nécessaire, ensuite, pour faire prendre la gelée. Taillevent, alias Guillaume Tirel (1310-1395), pour une recette semblable de *ketelvleesch* (viande en marmite) suggérait d'ajouter un pied de veau. Dans l'Avesnois, on remplace le vin blanc par la bière. Hérésie disent les puristes, car le succès de cette terrine réside dans le dosage de l'acidité (vin blanc et vinaigre) qui doit respecter la saveur de chaque viande.

Sandwich à la truffe et bouillabaisse

Avenue de Villiers, *À la Sole Dugléré*, restaurant voué à la célébration des recettes du grand cuisinier bordelais, n'a pas résisté longtemps à la proximité de *Dessirier*, grande institution poissonnière ouverte en 1978, reprise par Michel Rostang en 1996. Michel Rostang est une figure centrale de ce quartier parisien. Comme la plupart des chefs de sa génération, c'est un provincial monté à Paris. Il a passé sa prime enfance à Sassenage, porte du Vercors, auprès de Jo Rostang, son père, grand cuisinier dont il honore toujours la mémoire. Son apprentissage chez *Lasserre*, à *La Marée* et chez *Lucas Carton* le met en situation bientôt de diriger une brigade pour «faire la cuisine [qu'il] adore».

Au gré de ses rencontres, son goût s'étoffe, son expérience s'approfondit. Alain Chapel le présente à André Ramonet. Ce grand Bourguignon lui apprendra que rien n'est meilleur qu'un montrachet – vin blanc bourguignon – avec le puissant fumet d'une bécasse, et lui ouvrira les portes des vignerons les plus célèbres. Dès lors, sa cuisine prend de l'ampleur à raison de sa connaissance du monde des vins. C'est solidement armé de convictions désormais personnelles, sans jamais pourtant renier l'héritage – «la cuisine est un art de la transmission», répète-t-il –, qu'il gagne Paris et s'installe, en 1978, rue Rennequin, dans l'ancien restaurant d'une étoile filante de la haute restauration parisienne, Denis, réputé pour l'extravagance de ses additions et la richesse de sa cave. La transaction se fait grâce à Jacques Manière, autre grande figure parisienne de la rive gauche, qui compatit aux déboires de Denis.

Michel et Marie-Claude Rostang ont une âme de collectionneurs. Ils décident de rassembler, après avoir dégusté un latour 1928, une série unique de magnums de ce château célèbre entre tous. Ils entreprennent aussi une collection de statuettes de porcelaine de Robj, présentées dans une grande bibliothèque en poirier, et classées par thème. Une autre salle du restaurant est entièrement dédiée à Lalique. Michel Rostang est aussi grand amateur de la liqueur dont les moines de la Grande Chartreuse conservent jalousement le secret depuis le XVIIIe siècle. Elle peut être verte, selon la formule de 1764, ou bien jaune, depuis 1838 ! Il y eut même la blanche, comme la robe de drap blanc des moines. Cet élixir de longue vie ou liqueur de santé, appelé chartreuse, est élaboré d'après un mystérieux manuscrit du début du XVIIe siècle. Son énigme, c'est d'abord sa couleur, or pâle aux reflets verdâtres. Sa palette aromatique suggère des nuances épicées de citronnelle, d'anis, de curry et des notes délicates de rancio, fruits secs, tabac. En bouche, cette liqueur déploie une persistance impressionnante.

La cuisine de Michel Rostang s'affirme dès lors comme un enracinement et renvoie à un âge paysan dont nous sommes issus en majorité. La recherche des bons produits sert de prétexte à un salutaire retour à la terre, qui n'est pour lui qu'une vérification minutieuse de l'authenticité des matières qui serviront à ce qu'Escoffier appelait la « grande transformation ». Les leçons apprises auprès de Jo Rostang, son père, celles de *Lasserre* aussi, où il se forma, aux côtés de Guy Savoy, son complice et ami, portent leurs fruits. Avec André Chabert, le délicieux amphitryon du château de Rochegude, on le voit sur le marché aux truffes de Richerenches, dans le Vaucluse, nez au vent, humer, jauger la récolte de la rabasse et s'enivrer de ses arômes puissants. Aurait-il eu, sans ses visites répétées, l'inspiration de créer ce fameux sandwich, où la truffe en lames épaisses imprègne pendant toute une nuit deux tartines de pain au levain largement garnies de beurre salé qu'il suffira ensuite de passer à la salamandre pour obtenir le plus rustique et le plus sophistiqué des casse-croûte ? C'est une démarche dont Colette disait déjà : « Ni la science, ni la conscience ne modèlent un grand cuisinier. De quoi sert l'application où il faut l'inspiration ? »

Avec la même constance, l'agneau de Rémusat, les volailles de Bresse de Miéral figurent sur la table de Michel Rostang. Ses recettes les plus réussies sont celles qui, précisément, font moins appel à la science culinaire qu'à une intuition souvent originale. C'est ce goût du produit authentique qui l'amène à présenter l'omble chevalier, le lavaret, les perches des lacs savoyards et du Léman et aussi la lotte de rivière. Il faut avoir goûté l'admirable canette de Miéral au sang en deux services – rôtie à la commande, présentée en salle sur un guéridon, découpée finement, puis assemblée avec le jus de la carcasse en réduction de vin rouge, lié au sang avec un peu de foie gras, les cuisses réservées et grillées. « Mario, chez *Lucas Carton*, dit-il avec modestie, ne procédait pas autrement. » Il adore réveiller quelques recettes anciennes qu'il adapte à nos goûts, comme la volaille au vin jaune, la quenelle soufflée « Jo Rostang » à la carte depuis trente-cinq ans.

Michel Rostang maîtrise à ce point son art qu'il a entrepris depuis longtemps d'en diversifier l'expression, d'abord en tant qu'associé dans un restaurant à Santa Monica en Californie, puis dans un autre à Anguila, dont il est toujours le conseil. Ses autres établissements parisiens – *Le Bistrot d'à Côté* et ses pieds et paquets, le

Café des Abattoirs et son angus beef – sont appréciés d'une large clientèle. Un moment associé à Johnny Hallyday, il ouvre *Rue Balzac*, une table au décor new-yorkais mais vouée aux produits français ! Avec ses filles, Caroline et Sophie, il acquiert *L'Absinthe*, place du Marché-Saint-Honoré, *Jarasse* et *La Boutarde*, à Neuilly. Non content de cette activité à la tête d'une véritable PME, Michel Rostang ouvre une brasserie française à Dubai. Le secret de sa réussite n'est pas l'austérité, mais la rigueur. Elle n'exclut pas le pittoresque. Même élevé au-dessus des contingences – du moins en apparence –, Michel Rostang exige toujours de lui-même le meilleur et le plus difficile.

Chez *Dessirier*, il met un point d'honneur à présenter toute l'année une bouillabaisse fort honorable. La recette de ce plat n'a jamais été fixée. Si l'on se chamaille sur les mille et une manières de la préparer, c'est parce que « son génie n'en finit plus de nous régaler », disait l'écrivain marseillais Jean-Claude Izzo. Il s'agit, à l'origine, d'une recette de pêcheurs presque impossible à reproduire dans un restaurant. L'Antibois Jean-Claude Ferrero l'avait compris qui préconisait, pour huit couverts, l'emploi de trois kilos de poissons ultra-frais (rascasse, grondin, girelle, congre, baudroie...), oignons hachés, une tête d'ail, un bouquet garni, une branche de fenouil, cinq décilitres d'huile d'olive, des tomates concassées, du safran, du sel et du poivre. Faire macérer tous ces ingrédients dans une marmite quelques heures avec les poissons à chair ferme. Largement couvrir d'eau et faire cuire à couvert en forte ébullition huit minutes. Ajouter les poissons à chair tendre et continuer la cuisson pendant le même temps. Dresser les poissons dans un plat creux et verser le bouillon passé dans une soupière garnie de croûtons rassis. «L'on ne fait jamais griller, rôtir ou frire les tranches de pain pour la bouillabaisse marseillaise», affirmait déjà le chef Apollon Caillat (1857-1942), ami d'Escoffier. À cette préparation, il est d'usage d'ajouter la rouille qui est une pommade composée d'ail et de piment rouge d'Espagne pilés dans un mortier, avec de la mie de pain, deux cuillères d'huile d'olive et un peu de bouillon. «Bouillabaisse», en provençal, est un mot masculin, que certains auteurs font dériver de *bouï-abaisso*. Et d'expliquer doctement : quand la marmite «bout, baisse le feu». Cette étymologie est reprise en chœur par les restaurateurs contraints de faire une soupe et de pocher les poissons à part, car il est chimérique d'envoyer une bouillabaisse à la minute. Et Izzo, prudent, d'ajouter : «Je dirai, pour ne fâcher personne, que c'est mieux de la préparer soi-même.»

Le goût unique de la table parisienne

«La mémoire de Paris est notre seul bien», disait Stéphane Mallarmé traversant son boulevard des Batignolles. Paris est le trésor commun des poètes, des écrivains nécessairement pauvres, et du peuple qui ne possède rien. Batignolles, Clichy, Montmartre, Abbesses, tous lieux où se perpétue l'essence des choses, mais qui ont en partie disparu, comme minés par les flux et reflux de l'Histoire depuis deux siècles tumultueux, deux siècles qui sont aussi, comme par hasard, glorieux pour la cuisine. Mallarmé, auteur de *L'Après-midi d'un faune*, dirigea de septembre à décembre 1874 *La Dernière Mode*, revue dans laquelle il publia une recette de *moulongtani* (un mélange d'épices) pour un réveillon : «Faire revenir un oignon dans le beurre avec du cari et du safran jaune de l'île Bourbon, et y mettre un poulet découpé, après l'avoir fait revenir simplement...» La recette, établie par Mallarmé lui-même, unique rédacteur de cette revue éphémère, est signée d'un étonnant pseudonyme : *Olympe, négresse*. On peut être poète symboliste et facétieux. Et Mallarmé d'expliquer : «Toujours notre double préoccupation : répandre en Europe et au loin le goût unique qui préside à la table parisienne et française. Acclimater chez nous les produits et les préparations de tous lieux du monde.» Un siècle et demi plus tard, le propos est toujours pertinent et partagé par Guy Savoy, qui, de la rue Duret en 1980 à la rue Troyon, reste fidèle à l'Ouest parisien, au moins jusqu'à son installation prévue dans l'hôtel de la Monnaie en 2015.

Guy Savoy reprend volontiers à son compte l'observation de l'historien Theodore Zeldin : «La cuisine est l'art de transformer instantanément en joie des produits chargés d'histoire.» Il a même fait de cette formule un calicot sur la devanture de l'*Atelier Maître Albert*, un de ses restaurants de la rive gauche. Pour lui, la cuisine certes est bâtie sur ce qui subsiste, mais elle évolue, sans quoi il n'est pas de continuité de la substance culinaire, ni d'art. C'est un peu, en comparaison, le destin de la langue française, qui s'enrichit, s'amende, se modifie. Mesurer chez un chef sa capacité à faire preuve de créativité en s'appuyant sur la tradition, c'est considérer que l'art culinaire est affaire d'acquisition, puis de transmission.

C'est l'histoire même du jeune Guy, dont le père, d'origine helvétique, et la mère, dauphinoise et cuisinière, lui ont enseigné le goût des plats mitonnés qu'il restitue aujourd'hui dans un jarret de veau braisé, suave, onctueux, véritable nostalgie des goûts de l'enfance. C'est dans le bas Dauphiné, à Bourgoin-Jallieu, que Guy Savoy, né en 1953, passe ses seize premières années. Il reste, aujourd'hui encore, attaché à cette région que l'on appelle les Terres froides. Il inscrit son métier dans cette continuité, à la charnière d'un monde rural qu'il connaît et des fins palais qui se délectent de ses plats. Apprenti chez les frères Troisgros à Roanne, il y côtoiera l'ami Bernard Loiseau. Discipline, rigueur, courage sont les «bons ingrédients pour former les caractères». Ils sont aussi le meilleur terreau sur lequel, par la suite, fleuriront la créativité et la personnalité. Ses années de formation le conduisent ensuite chez *Lasserre*, puis à Genève au *Lion d'Or*. On le voit par la suite à *L'Oasis*, à Mandelieu-la-Napoule, où il cumule les fonctions de pâtissier pendant la mise en place et de cuisinier durant le service. En 1977, il est engagé par Claude Verger comme chef et responsable de la salle à *La Barrière de Clichy*, à la suite de Bernard Loiseau, parti à Saulieu en quête de son destin.

La Barrière de Clichy, célébrée par une peinture d'Horace Vernet (1820), a connu l'ultime épisode héroïque de la résistance parisienne aux armées des alliés contre Napoléon. S'y trouvait aussi, depuis 1765, une guinguette à l'enseigne du *Père Lathuile*, appréciée pour sa recette de poulet aux artichauts et pommes Anna, sa cave et ses tripes à la mode de Caen. Le maréchal Moncey y avait établi son poste de commandement pour résister au contingent russe, le 30 mars 1814. Patriote, le patron distribua aux soldats toutes ses provisions et sa cave afin de «ne rien laisser à l'ennemi». Cet épisode valut au père Lathuile, ainsi qu'à sa recette de poulet sauté, une gloire gravée dans les mémoires.

En 1980, Guy Savoy s'installe rue Duret. Le *Michelin* et *Gault et Millau* le repèrent. Sa notoriété dépasse vite celle du cercle des gourmets. Il est l'un des hussards de la génération qui succède aux pionniers de la nouvelle cuisine. Alors qu'il est courant, aujourd'hui, d'entendre les chefs ironiser sur ce qui fit leur gloire, Guy Savoy soutient que la «nouvelle cuisine a offert aux cuisiniers une nouvelle gamme de notes grâce auxquelles ils peuvent créer des partitions à l'infini, et donner ainsi une véritable personnalité à leur cuisine comme à leur maison». Pendant ces premières années, il forge sa signature. Mais son restaurant est petit. Et lorsque, en 1987, ses amis Gilbert et Marguerite Le Coze décident de tenter l'aventure outre-Atlantique, il s'installe au *Bernardin*, 18, rue Troyon.

Il transforme la cuisine et la salle et choisit peintures, lithographies et sculptures qui personnaliseront durablement son établissement. Un caractère dont Jean-Michel Wilmotte conserva l'esprit sinon la lettre quatorze ans après, lorsqu'il imagina un nouvel agencement. La clientèle s'élargit. Chefs d'entreprises, responsables politiques, grands noms de la finance, des arts, du spectacle, de la France et de l'étranger, prennent l'habitude de venir apprécier une cuisine d'où est bannie toute routine et toute extravagance, et qui reflète une passionnante personnalité. Pour le tournant du siècle, Guy Savoy s'offre le luxe de créer un nouveau cadre. Jean-Michel Wilmotte, son ami architecte, lui suggère un parti fonctionnel, un axe central perpendiculaire à l'entrée, délimitant une succession de salles à manger, certaines occultées par des matériaux verriers coulissants, et des revêtements de bois, de cuir et de pierre. La correction acoustique est assurée ; l'éclairage est réussi. Il met en valeur les œuvres de peintres et de plasticiens contemporains, des peintures sur toile ou sur papier de Daniel Humair, Georges Autard, des peintures sur assiette de Tony Soulié, Jacques Bosser, des tableaux de Bran van Velde, Alechinsky et Merri Jolivet. Des statues yoruba et bozo, une harpe de Bali, un bouclier du Cameroun, des oiseaux sénoufo de Côte d'Ivoire, toutes sculptures contemporaines dans leur forme comme dans leur esprit. Son musée imaginaire.

La cuisine de Guy Savoy, habituellement sensuelle, équilibrée, s'est enrichie, dans ce nouveau cadre, de plats d'une vigoureuse originalité que le *Michelin* consacrera en 2003, avec une troisième étoile. C'est la gelée de tomates au basilic, lisette et rouget marinés, granité aux algues, le saint-pierre en panure d'herbes ou encore l'aiguillette et foie gras de canard sautés accompagnés de pousses d'épinards, d'un croustillant poivré au chocolat et d'un jus au mélange de vinaigres. Un registre de saveurs où l'acidité bien tempérée permet de jouer avec des plats d'une inspiration tout aussi maîtrisée, mais dont l'origine est à rechercher dans cet univers de l'enfance, matrice des goûts affirmés, dont Guy Savoy n'a jamais oublié le sens.

La soupe, par exemple, entrée rustique par excellence, mais adaptée de longue date, sous le nom de potage, aux exigences de la haute cuisine. Le général de Gaulle aimait trouver à son menu un potage différent chaque jour. Il appréciait même d'en prendre une seconde fois. On lui prête ce mot, à l'un de ses familiers qui avait décliné l'invite : « Vous avez tort, Guichard, la soupe est un plat national ! » Chez Guy Savoy, la soupe d'artichaut à la truffe noire et brioche feuilletée aux champignons atteint un équilibre de saveurs quintessenciées, comme l'on disait au temps de Brillat-Savarin. Elle ajoute son nom prestigieux à la série des potages illustres – Crécy, Condé, du Barry, Germigny. Sa création est un coup de génie, inspiré peut-être par un potage d'artichaut aux truffes, servi à Grenoble en 1624 à l'occasion du ban des vendanges, dont on trouve mention dans les archives locales, mais sans recette précise.

La brigade de la rue Troyon est en mouvement perpétuel. L'une des nouveautés est un « filet de saumon figé sur glace, consommé brûlant, perles de citron », préparé sur un guéridon devant chaque convive. Le filet de saumon d'Écosse Label Rouge est disposé sur un bloc de glace carbonique (appelée aussi « glace sèche ») protégé par un film étanche. Une ou deux minutes suffisent à « saisir » le poisson, non par l'action de la chaleur mais par celle du froid (– 80 degrés). Sa texture, en surface, se trouve modifiée de telle sorte que l'on peut avancer qu'il s'agit d'une cuisson par le froid. Dans l'assiette creuse ont été placées deux tiges, douces, juteuses et croquantes d'un chou chinois qui ressemble au céleri ou à la bette à carde. Ses feuilles nervurées, d'un vert foncé, ont un goût plus fin que celui du chou pommé. Le filet de saumon est disposé sur l'assiette, le consommé brûlant est réparti assez largement, tandis qu'un ultime assaisonnement de perles de citron apporte la fine acidité de la citronnelle. Le chaud et

le froid appliqués quasi simultanément modifient sensible-
ment la texture de la chair du poisson et lui donnent une
dimension inconnue jusque-là des cuissons classiques, à la
plancha ou à l'unilatéral. Depuis la fameuse escalope de
saumon à l'oseille de Jean et Pierre Troisgros, aucune des
préparations de ce poisson ne m'ont convaincu de leur
supériorité. Et certainement pas la recette japonaise du
sashimi qui est un art de la découpe appliqué à un poisson
cru. La recette nouvelle de Guy Savoy mérite de faire date
et incite à la réflexion sur les avancées et aussi les limites
de la technologie. Le maniement d'un bloc de glace à ces
températures exige d'infinies précautions.

S'il devait brosser le cadre d'un nouveau chapitre de *La
Comédie humaine* et observer les mœurs de table de notre
temps, c'est chez Guy Savoy, aujourd'hui, que Balzac
prendrait pension. Et s'il entendait disserter sur l'art du
cuisinier, s'attacher à la description des usages nouveaux,
des produits d'origines diverses, il dresserait inévitablement le constat que la cuisine, certes, est bâtie sur ce
qui subsiste, mais qu'elle évolue, sans quoi il n'est pas de
continuité de la substance culinaire, ni d'art. Guy Savoy
vit intensément cette nostalgie, qui est peut-être le meilleur garant de sa créativité en ébullition permanente. Chez
lui, la gastronomie d'aujourd'hui est aussi convivialité,
sens de l'accueil. Sa cuisine est comme une chanson populaire, une sorte de «Il pleut bergère». Comme tous les
produits achevés des grandes civilisations, la cuisine est un
chœur, auquel tous participent – cuisiniers, fournisseurs,
vignerons, amateurs –, qui dit la singularité d'un peuple.
Mais il n'appartient qu'à quelques-uns d'avoir le talent

de la mettre en valeur. Il fut, en 2008, l'un des premiers soutiens des universitaires qui obtiendront deux ans plus tard l'inscription du «repas gastronomique des Français» au patrimoine immatériel de l'Unesco. L'année 2015 verra l'installation de Guy Savoy dans l'hôtel de la Monnaie, quai de Conti, face à la colonnade du Louvre.

Le XVIIe arrondissement attire aussi, dans ses marges, une nouvelle génération de cuisiniers, comme Christophe Pelé et quelques autres. Ils ont été les seconds de chefs connus avant de songer à s'installer. La génération des 30-40 ans a servi la gloire des grands maîtres d'aujourd'hui dans leurs établissements étoilés et prestigieux. Très jeunes, ils y ont fait leurs débuts comme commis, chefs de partie, puis seconds. Impossible de maintenir la cuisine au niveau d'un art de vivre sans leur passion, leur dévouement. Christophe Pelé a été chef de partie au *Royal Monceau*, sous la férule de Bruno Cirino, puis chef, jusqu'à la fermeture du restaurant gastronomique de ce palace en 2007.

Y a-t-il une vie après la direction des cuisines d'un palace? Oui, à *La Bigarrade*, rue Nollet, petite salle à manger de vingt couverts attenante à la cuisine, nichée en contrebas du marché des Batignolles. Là, Christophe Pelé, trentenaire longiligne, et ses jeunes adjoints envoient à la minute un menu imposé de cinq plats aux saveurs légèrement piquantes ou acides (huître perle blanche à l'oseille), ou bien suaves, pour souligner la fine amertume d'un foie gras bien saisi aux palourdes et au jus de chou rouge. Une poutargue d'œufs de bar maison assaisonne les saint-jacques crues tandis que les oignons rouges, les raisins confits et un jus parfumé au porto mettent en valeur un tronçon de bar sauvage cuit à la perfection. Pendant ce temps, le coucou de Rennes – pigeon dodu aux blettes et aux olives – cuit à la demande, repose quelques minutes avant d'être servi. Le chef exerce sur les produits une pression telle que le plat rayonne d'une sorte de magnétisme. L'effet est saisissant. Les desserts relèvent de la même précision : sabayon de saké aux pommes, caramel au beurre salé, chocolat à la gelée de rhum et filet de citron. Rien n'est solennel dans cette cuisine, tout est maîtrisé et sensible. Le service est courtois, appliqué, généreux, les vins soigneusement assortis aux différentes étapes : muscat d'Alsace avec le foie gras, et à la suite : montlouis, syrah, grenache et jurançon. Les prix traduisent le refus de cette génération d'enfermer la gastronomie dans ce qui est rare et cher. Le *Guide Michelin* viendra confirmer sans attendre le succès de *La Bigarrade* en lui accordant un premier puis un second macaron. Jugeant l'expérience concluante, Christophe Pelé laisse *La Bigarrade* à son second en avril 2012, pour partir en quête d'une nouvelle aventure culinaire. Mais la greffe ne prend pas et l'affaire s'étiole. *La Bigarrade*, malgré ses deux étoiles Michelin, ferme bientôt ses portes.

La sauce mystère de L'Entrecôte

Le palais des Congrès, depuis son inauguration en 1974, attire de nombreux visiteurs. Ils sont clients des multiples restaurants établis de part et d'autre de la porte Maillot. *Chez Georges*, boulevard Péreire, l'un des plus

anciens, a été créé en 1926. C'est aujourd'hui une brasserie confortable, propriété de la famille Menut – comme *Le
Ballon des Ternes* voisin –, où la tête de veau ravigote, le
tartare de bœuf coupé au couteau, la quenelle de brochet
sauce Nantua et le gigot découpé sur guéridon paraissent
immuables.

En face, de l'autre côté de la rue du Débarcadère, se
trouve *Le Relais de Venise – L'Entrecôte*, un phénomène
sans équivalent dans la restauration parisienne depuis
une cinquantaine d'années. Le succès est tel que chaque
jour, à 11 h 30 et à 19 heures et par tous les temps, une
queue se forme sur le trottoir devant la porte de l'établissement. Plat unique : l'entrecôte et sa fameuse sauce. C'est
en 1959 que Paul Gineste de Saurs créa, sur le modèle,
dit-on, d'un restaurant genevois, une formule immuable
composée d'une salade aux noix, d'une pièce de viande en
deux services accompagnée de frites à volonté, et surtout
d'une sauce miraculeuse. Outre un prix très attractif, c'est
la sauce, disent les habitués, qui est la principale raison de
cet engouement.

Qu'est-ce donc que cette sauce ? Inutile d'en solliciter
la recette, puisque toute la stratégie du fondateur et de
ses héritiers a consisté précisément à entretenir le mystère.
Son aspect lisse et brillant, au moins en début de service,
sa couleur et sa texture l'excluent de la série des sauces
brunes, sans pour autant la classer parmi les roux blonds.
Aucune carcasse ou mirepoix de légumes, aucune liaison
à l'œuf ou à la farine n'interviennent dans sa préparation,
plus proche, en revanche, des saveurs d'un gâteau de
foie blond que d'une sauce suprême. Cependant, nous
en avons percé le mystère. Ses ingrédients sont le foie de

volaille, le thym frais et la fleur de thym, la crème fleurette, la moutarde blanche, le beurre et l'eau, le sel, le poivre. Ustensiles : une casserole, un mixer, un chinois. En voici la progression : d'une part, faire blondir doucement les foies de volaille avec du thym frais et les laisser légèrement colorer. D'autre part, faire réduire à feu doux la crème fleurette avec la moutarde blanche de Dijon et parfumer à la fleur de thym fraîche. Mixer finement les foies de volaille, puis les passer au chinois dans la crème réduite. Attention à l'évolution de la sauce : lorsqu'elle épaissit, incorporer le beurre ferme et un peu d'eau. Rectifier, sel et poivre du moulin. Rien de plus simple, en apparence.

Cette recette exige cependant un certain tour de main, c'est-à-dire plus d'application que d'inspiration. Et elle doit moins au génie d'un grand cuisinier qu'à une préparation connue en Bourbonnais sous le nom de sauce Duchambais. On ne sait si Duchambais était le nom d'un curé fin gourmet d'Ancien Régime qui laissa cette seule trace de sa gourmandise, ou bien plutôt celui d'un notable de Droiturier, petite bourgade des environs de Lapalisse dans l'Allier. La chronique locale veut que la cuisinière d'un certain Duchambais, réquisitionnée par un officier de l'armée autrichienne qui occupa la région en 1815 après Waterloo, fut initiée au mariage de la crème fraîche et du vinaigre, et donna ensuite, par pudeur patriotique, le nom de son patron à une sauce « à l'autrichienne ». Quoi qu'il en soit, cette sauce nécessitait à l'origine un appareil quasi identique à celui de *L'Entrecôte* parisienne : foie (de veau ou de volaille, mariné dans un peu de marc) haché et pilé pour assurer la liaison, beurre, ail, oignon, moutarde, carotte, crème fraîche. Seule légère différence, le déglaçage se faisait au vinaigre. Jacky Morlon, maître cuisinier de France (*Le Grenier à Sel*, à Montluçon), prépare encore de cette façon la canette fermière à la Duchambais. Est-ce à dire qu'en cuisine, tout a été dit et ne change que la façon de le dire ?

Pendant une trentaine d'années, *Le Petit Colombier* de la rue des Acacias fut un repaire gourmand du quartier des Ternes. La retraite de son propriétaire, Bernard Fournier, pouvait laisser craindre l'ouverture d'un nouveau sushi-bar dont Paris, hélas, ne manque pas. Mais non, c'est un professionnel averti, Mark Singer, qui a repris le flambeau fin 2011. Un pedigree impressionnant : Robuchon, Prunier et aussi le *Dodin-Bouffant*, où le grand Jacques Manière brillait de ses derniers feux. Voici donc un nouvelle table à l'enseigne *Le Dodin*, qui est aussi un hommage à Marcel Rouff, né à Genève en 1887, mort à Paris en 1936, poète, romancier et gastronome d'origine helvétique. Une carte assez courte, mais quelques plats assurent déjà le succès de l'établissement : œuf de poule en deux cuissons et fricassée de champignons, confit de joue de cochon aux choux, et surtout tête de veau en tortue, un grand classique de la cuisine bourgeoise, bien oublié aujourd'hui. C'est une cuisine sans emphase mais savoureuse, qui promet un heureux moment de plaisir, grâce encore à une carte des vins établie avec discernement.

La clientèle huppée du XVII⁰ arrondissement fait aussi régulièrement son voyage en Italie à la table de Sormani et de Rocco Anfuso, accueillante et luxueuse, à l'enseigne de *Il Ristorante*, rue Fourcroy. Les petits artichauts poivrade au basilic, ou la salade tiède de haricots et chipirons, entrées de saison, ont cette fraîcheur caractéristique de la table italienne. Point d'emphase ici parmi les spécialités : jambon de Parme « à l'os », filets de rouget à l'éolienne, filet mignon à l'émilienne, calamars à la vénitienne. Délicieuses papardelles aux légumes de saison et bonne friture de langoustines, calamars, soles et courgettes. Service complice et enlevé. Une autre plaisante table d'Italie s'est ouverte rue Pierre-Demours, créée par Ivano Giordani, ancien du fameux *Cecconi's*, puis patron du *Beato*. Son enseigne, *Le Rital*, rappelle qu'avant de devenir péjoratif, ce diminutif était l'abrégé de « ressortissant italien » (R.ital) dans l'administration de l'immigration des années 1920. Italie encore au *Conti*, rue Lauriston, où Michel Ranvier, ancien chef sur l'Orient-Express, exprime son amour de la Péninsule à travers une carte saisonnière variée et alléchante dans un décor immuable et plaisant.

Au bois de Boulogne

Aménagé sous le second Empire par Alphand et Davioud, le bois de Boulogne (ancienne forêt de Rouvray) devait, dans le style anglais, dépasser par sa beauté Hyde Park, le grand jardin londonien qui avait enchanté l'Empereur. Chemins cavaliers, lacs, chalets, îles artificielles, tout fut mis en œuvre pour la richesse du décor. En particulier une grande cascade de 10 mètres de large et 14 mètres de haut, au pied de laquelle fut aménagé un pavillon pour limonadiers et brasseurs, à la veille de l'Exposition universelle de 1900. En 1988, André Menut, titulaire de la concession, auquel succède aujourd'hui son fils Georges, décida de restaurer la verrière, les lustres, les corniches et les écoinçons, créa un sol et un bar, pour faire de ce pavillon une des grandes tables du bois. Le somptueux volume a retrouvé son atmosphère Belle Époque, et les cuisiniers qui se sont succédé ont eu à cœur de proposer une cuisine contemporaine. Depuis une dizaine d'années Frédéric Robert, ancien chef d'Alain Senderens au pedigree impressionnant – *L'Ambroisie*, *Le Vivarois* –, excelle dans la préparation d'une cuisine de saison inspirée, axée sur le produit. Sa prédilection pour le gibier fait de *La Grande Cascade* une adresse incontournable à l'automne.

Le Pré Catelan, conçu au lendemain d'un siècle qui avait vu le triomphe de la cuisine française en Europe, et décoré par Caran d'Ache, éclaire le mot un peu cruel de Carême selon lequel la pâtisserie a pour branche principale l'architecture. La famille Lenôtre, en 1976, donna un nouvel essor au *Pré Catelan*, que le groupe Accor et désormais Sodexo se sont attachés à prolonger.

En 1997, après le départ de Roland Durand, il fallut donner un peu de temps au temps avec l'arrivée de Frédéric Anton, jeune et solide Lorrain, brillant second de Joël Robuchon, qui lui a appris «la rigueur, la méthode, l'autorité». Mais son mentor, celui qui guida ses premiers pas en cuisine, à Lille, est Robert Bardot (installé depuis à Vaison-la-Romaine), un perfectionniste. C'est à lui que Frédéric Anton a dédié son titre de Meilleur ouvrier de France. Sur sa carte d'hiver, aucun académisme, seulement des produits impeccables mis en valeur avec simplicité au prix d'un travail quasi invisible. Le grand art. C'est l'étrille préparée en coque sur une fine gelée au caviar et crème fondante d'asperges vertes, l'oursin étant cuit au préalable dans son test (coquille) au fumet léger de céleri. C'est aussi le lièvre à la royale, au nez d'ail et d'échalotes, dilacéré selon la recette du sénateur Couteaux, et surtout le perdreau cuit à la broche, servi sur une rôtie nappée d'une farce fine, compagnon idéal d'un volnay-pitures de Jean-Marc Boillot, à la texture soyeuse et aux arômes délicats de fruits rouges. Le service est à la hauteur du cadre qui, la patine aidant, est désormais à classer au nombre des meilleures tables parisiennes, dirigée par Jean-Jacques Chauveau, qui a reçu en 2013 le grand prix de l'Art de la salle, c'est-à-dire meilleur maître d'hôtel du monde.

Sur les hauteurs

Au pied de Montmartre, rue des Abbesses, voici l'histoire d'une renaissance, symbole d'un quartier qui s'est transformé mais qui tient à ses valeurs. La création de *La Mascotte* remonte à l'époque où son grand comptoir occupait tout le rez-de-chaussée d'un hôtel de deux étages, *Le Pompéa*, où Édith Piaf résida avec son pianiste dans les années 1930. Son propriétaire, le père Teissier, le fit surélever de trois niveaux qu'il baptisa *Hôtel Antinéa*, maison de rendez-vous comme son nom le suggère. Pendant ce temps, le rez-de-chaussée et ses quatre billards était tenu par M. Laurent, originaire de Fleurie, d'où il faisait venir le vin nouveau pour une clientèle de commerçants du quartier et d'artistes du pied de la butte, Toppa, Lecomte et Gen Paul. Puis la famille Conte lui succéda jusqu'en 1965, date à laquelle Irène et Maurice Campion, Aveyronnais de la région de Mur-de-Barrez, reprirent l'affaire. C'est aujourd'hui leur fils, Thierry Campion, qui perpétue la tradition montmarto-aveyronnaise, avec une cuisine honnête, des produits du pays et une bonhomie qui se traduit jusque dans l'addition. Un nouveau décor, en 2012, et voilà relancée une adresse incontournable au pied de la butte. C'est l'exemple type d'une transmission familiale plus fréquente qu'on ne le croit généralement dans ce quartier pittoresque.

« *Mont' là-dessus* » *chantait Colette Renard*

À Montmartre aujourd'hui, il faut distinguer la butte de ses alentours. Dans l'enclave touristique, rares sont les adresses recommandables, sinon *La Bonne Franquette*, de Patrick Fracheboud, qui entretient une légende selon laquelle ce nom serait dû à Francisque Poulbot, affichiste et illustrateur, créateur du fameux « poulbot » de Montmartre publié en 1895 dans la revue *Pêle-Mêle*. Peintres et poètes s'y retrouvaient après avoir grimpé la rue des Saules pour s'y désaltérer : Degas, Cézanne, Toulouse-Lautrec, Pissarro, Sisley, Renoir, Monet... Vincent Van Gogh a immortalisé le jardin sous les arbres en 1886 dans *La Guinguette*, exposé au musée d'Orsay. Au bar en étain se sont accoudés Aristide Bruant, Yvette Guilbert et Valentin le Désossé... Depuis trente ans, Patrick Fracheboud sillonne terroirs et vignobles de France à la recherche des bons produits, la viande du Charolais, le boudin basque de Christian Parra au piment d'Espelette, l'andouillette, le persillé. Escargots, bœuf bourguignon, confit de canard, et aussi tripous et pieds de porc sont au rendez-vous de la bonne humeur, avec – Montmartre oblige ! – une bouteille de vin bouché sur la table.

En contrebas de la station du funiculaire, *Le Grand 8*, ouvert le dimanche, délivre ses bienfaits à la façon d'un bouchon lyonnais avec quelques plats canailles, le boudin du Tarn au fenouil, la salade de poulpe ou l'espadon au gingembre et un choix très pointu de vins naturels, dépourvus de levures indigestes, pesticides et soufre. Son propriétaire, Kamel, a une vision très lucide de la cuisine de nombreux jeunes chefs à la mode, l'hérésie de la cuisson sous vide, qui «n'est qu'une technique de mise en place et du moindre effort» et de l'esbroufe qui trompe à la fois clients et critiques. Il goûte tous ses vins, choisit les meilleurs produits, oriente avec discernement la cuisine et maintient depuis l'ouverture l'une des meilleures qualités de prestation de Montmartre. C'est la raison de son succès, outre une vue épatante sur Paris.

Le dernier-né, rue Caulaincourt, c'est *Jour de Fête*, une vocation presque tardive pour Buch et Mimi, deux passionnés du monde des vins, Montmartrois de cœur. Pour une première, le râble de lapin roulé au romarin et le cochon de lait rôti aux blettes, navets, carottes et chou farci au foie gras ont fait belle impression.

Mais n'oublions pas ceux de la rue Lepic, *Le Coq Rico*, piloté par Antoine Westermann, *Antoine de Montmartre* et *Au Clocher de Montmartre*, quatrième adresse montmartroise d'Antoine Heerah qui veille aussi sur *Le Moulin de la Galette* et *Le Chamarré Montmartre*, en lieu et place du *Beauvilliers*.

Édouard Carlier était un esthète. Il rêvait d'un lieu de fête sur la «commune» de Montmartre. L'occasion se présente rue Lamarck, en 1974, de donner à une ancienne boulangerie du XIXe siècle le nom d'Antoine Beauvilliers, officier de bouche du comte de Provence, créateur de l'un des premiers grands restaurants de Paris, en 1782, rue de

Richelieu. Édouard Carlier fait de cette enseigne un reliquaire qui ne cède en rien à son illustre prédécesseur sur le terrain du raffinement et de l'art de vivre. Au milieu des fleurs, les collections de bouquets de mariée, de portraits d'enfants ou d'illustrations du Montmartre d'autrefois gardent le charme du souvenir, comme la cuisine, un brin désuète mais toujours savoureuse.

Dès l'ouverture, la fête est de rigueur et pas une des folles nuits de la butte n'échappe à son sacerdoce, auquel Mick, son compagnon, Michou et Yvan, les amis de toujours, sont associés au fil des années. Soirée «en blanc» pour fêter la nouvelle année, dîner tricolore le 14 Juillet, *Le Beauvilliers* ne désemplit pas. Édouard Carlier accueille les bourgeois et les gentilshommes avec le même raffinement, le monde du spectacle, de la mode, des arts et de la politique. Jacques Chirac y célèbre ses noces de rubis ! Des cent soixante-dix-huit plats sous l'Ancien Régime, la carte retient la quenelle de carpe et d'esturgeon au coulis de trois crustacés, le cul d'artichaut frais rempli de tourteau, les queues de langoustines sautées aux épices et encore la rognonnade de veau et les cervelles d'agneau. «La table est un théâtre», rappelait Édouard Carlier. Chez lui, la représentation a toujours été précieuse, sans être ridicule : les interprètes comme le public ont su longtemps garder l'enthousiasme de la première jusqu'à la mort de Doudou Carlier, en 2003.

Un jeune chef tente la reprise. Quelques années plus tard, Antoine Heerah y installe *Le Chamarré Montmartre*, après quelques travaux d'importance qui rompent avec la bonbonnière d'antan. Natif de l'île Maurice, il entend offrir aux Parisiens un très habile échange culinaire entre les produits des Mascareignes (fruits, légumes, poissons et crustacés) et les us et coutumes de la cuisine française qu'il a vus de près à l'*Arpège*, chez Alain Passard. Cuisine fusion ? Non, plutôt conjugaison de différentes gammes de saveurs, dans une nouvelle marmite créole où l'on déchiffre, toutes traditions respectées, la nostalgie africaine, les épices de l'Inde et la rigueur du savoir-faire culinaire français selon une vaste redistribution, qu'offre le monde moderne des voyages.

Étonnante Belleville

Le charme encore de Belleville, c'est son exotisme multicolore depuis le carrefour où scintille *La Bellevilloise*, café célèbre et associatif, tout au long de la rue piquetée de couleurs chinoises, vives et acides, se mouvant dans le spectre vers l'aigre-vert et le violet-pourpre, comme un coucher de soleil éternellement inversé.

Les rues Rebeval, Rampal, Lauzin, avec leurs petits restaurants, leurs charmants caboulots et leurs boutiques d'artisans, offrent une chaleur humaine et conviviale à toute une foule jeune et populaire qui a réinvesti ce reste des vieux villages des hauteurs de l'Est parisien, autrefois hors barrières, au-delà de la ceinture des Fermiers généraux. Le sommet se nommait la Haute-Courtille, plage de repos champêtre, de verdure, de vignes pour les familles bourgeoises et commerçantes. Le vin de Paris se consommait au bas de la rue de Belleville, à la Basse-Courtille. C'était un lieu de fête, sinon de débauche. Filles et malfrats, gisquettes et surineurs, l'écume de la ville s'ébaubissait sous les yeux attentifs des artistes et des bourgeois venus s'encanailler au *Bœuf Rouge*, au *Sauvage*, à *L'Épée de Bois*, à *La Carotte Filandreuse* et chez le *Bon Papa Desnoyers*, marchand de vin. Vendu au litre, il coulait à grands flots dans les bouteilles, dont une n'était pas plutôt remplie qu'elle était remplacée par une autre. Les mariages de la petite bourgeoisie se faisaient là aussi, comme, chaque mercredi des Cendres, la fameuse « Descente de la Courtille », sorte de Gay pride carnavalesque de l'irrégularité sociale. Garçons et filles déguisés descendaient en tumulte coloré, tel qu'on le voit dans *Les Enfants du Paradis* de Carné et Prévert, évocation magistrale d'une foule grillée, en délire, qui descendait jusqu'au boulevard du Crime. Gavarni et Daumier ont laissé des témoignages de ce charivari venu de la nuit des temps romains. Ce corso des Grotesques était mené dans les années 1830 par un héros fallacieux, Milord l'Arsouille, soit à l'état civil Charles de La Battut, qui a enrichi le parler populaire du verbe intransitif « s'arsouiller ».

Aujourd'hui, le parc de Belleville est le dernier témoin de la morphologie du quartier, une vigne, un jeu de cascades et de bassins, des grottes artificielles, des tonnelles et des buis taillés et, de surcroît, un panorama étincelant sur Paris. La place des Fêtes n'a pas eu cette chance. Elle a été martyrisée par une rénovation brutale, alors que non loin de là, les rues des Mares et des Cascades, pourtant très dégradées, ont évité un bouleversement fatal grâce à la vision humaniste de l'architecte Antoine Grumbach : le tracé des rues empruntant les anciens chemins maraîchers a été préservé, les parcelles étroites réhabilitées, la faible hauteur des immeubles conservée. C'est encore un quartier semblable à celui dans lequel se déroule le plus beau livre des Goncourt, *Germinie Lacerteux*, souvenir savoureux de la vie populaire au second Empire, avant la mise à feu de la butte ouvrière par les combats de la Commune. Peu de Parisiens connaissent ce coin de tragédie : la villa des Otages, rue Haxo, et ses cinquante-deux fusillés de la « semaine sanglante » en 1871, nous dit Ignacio Ramonet dans *Le Guide de Paris rebelle*. Cet auteur sensible ajoute : « Paris est si grand qu'une existence ne suffit pas pour l'explorer, et puis le Parisien est pris par ses occupations. »

Pour se réconcilier avec son temps, avec les hommes, il n'est que de monter au Père-Lachaise en fin d'après-midi l'hiver, lorsque la lumière rasante du couchant, qui est vive, empourpre le murs des Fédérés. Les roses rouges sont celles de la Commune. L'impressionnante vue sur Paris ici est profonde, exaltante. C'est sur cette image que se termine *Le Père Goriot* de Balzac, et par cette trop fameuse interjection : « À nous deux Paris ! » lancée par Rastignac. Mais les fervents amis de l'histoire, les poètes – de Nerval à Aragon –, les gastronomes traîne-savates et inventeurs de lieux et de tables – qui certes ne sont pas au *Michelin* ! – savent bien user du sirop de la rue parisien. Selon leurs tropismes, selon leur sensibilité réceptive. Baudelaire le premier, sinon plus nettement que Nerval, nomme et pointe ce phénomène, cette empathie avec le paysage parisien qui stimule l'imagination. Car chacun sait que la flânerie est inséparable du loisir gourmand, qui est aussi le signe de l'attention portée aux qualités sensibles et conviviales de la table.

Nos premiers souvenirs bellevillois datent des années 1960, de l'irruption des pieds-noirs, des premiers couscous, généreux, parfumés, rue Ramponneau. Face au meilleur, une boutique de thé à la menthe et de gâteaux du Maghreb était ouverte jour et nuit. Cinquante ans après, l'offre de nourriture issue de la diversité est aussi grande, épiceries aux vraies épices, légumes et fruits en abondance, et le marché très fréquenté sur le boulevard de Belleville. La tonalité asiatique aujourd'hui domine.

Certains ont trouvé ici ce point où la ville, comme somnambulique, se convertit en vie intérieure. C'est le monde de Brassaï et de Doisneau retrouvé. Il en est ainsi quelques dizaines à Paris, niches recomposées ou micro-climats recréés. La recherche d'un restaurant se change alors en plaisir d'habiter la ville, de converser, de faire front au mur d'argent des beaux quartiers, de le narguer pour certains. Comme des repaires secrets, les bistrots et les tables modestes ont attiré les rêveurs, les poètes et aussi les gourmands à la poursuite de la cuisine des fées ancillaires dans un Paris sans cesse parcouru, sans cesse réinventé à chaque génération. Cette cuisine, c'est celle qui calmera leur faim, apaisera le sentiment confus de déperdition qu'apporte en permanence la Babylone moderne, la métropole à la fois aimée et justement haïe et crainte.

Chili chic et vins vivants

Belleville et Ménilmontant étaient les viviers ouvriers de l'avant-guerre, chassés en banlieue par la spéculation.

Les petits-enfants reviennent sur ces lieux de mémoire. Chez Olivier Camus, au *Baratin*, la tradition se perpétue depuis 1987 dans un décor à la Carné. Raquel Carena, qui a quitté l'Argentine depuis peu, est aux fourneaux. Les débuts sont modestes. En 1991 arrive Philippe Pinoteau qui s'intéresse aux vins vivants, que d'aucuns appelleront «vins naturels». Bar à vin et restaurant, *Le Baratin* est bientôt un haut lieu de la résistance bellevilloise aux vins industriels. Il décolle vraiment en 1995 grâce au bouche-à-oreille. Sur le comptoir défilent les curiosités : chenin, savagnin, poulsard! L'accueil est direct, aimable, la conversation immortelle autour des vins, ceux de la vallée du Rhône, saint-joseph, cornas, côte-rôtie. Crus du Layon, de Vouvray pour accompagner un gâteau aux foies de volaille, un pavé de thon au piment d'Espelette ou bien une délicate cervelle d'agneau citronnée. La magie de ces vins de plaisir opère, et l'ambiance toujours reste conviviale.

En 2001, Philippe Pinoteau, alias Pinuche, et Raquel sont seuls à la tête de l'établissement, tandis qu'Olivier Camus ouvre *Le Chapeau Melon* non loin de là. La table de Raquel a fait d'énormes progrès au point de mériter l'appellation autrefois en vogue de «restaurant ouvrier, cuisine bourgeoise». Bourgeoise et méditerranéenne, avec quelques réminiscences d'Argentine ou de Catalogne. Les grands chefs montent jusqu'à Belleville, en fin de semaine. Pierre Hermé est assidu; on y croise Olivier Roellinger, Yves Camdeborde et bien d'autres. D'ailleurs, chez les blogueurs, on ne dit plus «allons au *Baratin*» mais «rendez-vous chez Raquel»! Son intuition culinaire exceptionnelle illustre le mot de Colette : «On ne fait bien que ce qu'on aime.» Sa recette du chili con carne, un poncif des tex-mex et autres tables estudiantines, est un modèle d'intelligence.

L'inévitable et envahissant chili con carne n'est pas mexicain. Il fut inventé à San Antonio au début du XIXe siècle par un Allemand natif de New Braunfel, au Texas. C'est un ragoût de bœuf haché auquel on ajoute des haricots rouges qu'un cow-boy malicieux osa appeler «fraises de la prairie». Il existe cependant une délicieuse matrice mexicaine de la mixture texane, que Raquel Carena propose au *Baratin*. C'est un ragoût de haricots rouges aux deux viandes et sauce *ranchera* ; un plat pour huit personnes minimum, «car il faut du volume, dit Raquel, et du temps : compter deux fois deux heures sur deux jours».

Rassembler d'abord les ingrédients : 500 g de haricots rouges mexicains ou californiens trempés la veille dans beaucoup d'eau ; 300 g de queue de bœuf ; 500 g de travers de porc ; 5 oignons ; 3 piments frais de type *jalapeño* ou piment marocain piquant ; 2 bottes de coriandre fraîche, cumin, huile d'arachide et 1 kg de tomates fraîches mûres.

La veille : faire cuire la queue de bœuf à l'eau avec une pointe de cumin, un oignon, sel et poivre, pendant deux heures. Sortir la viande, l'effilocher, filtrer le bouillon de cuisson et réserver au frais.

Le lendemain : dans une grande casserole, mettre les haricots égouttés à cuire dans l'eau avec 1 oignon, 1 piment coupé, 1 botte de coriandre et 1 cuillère à café de cumin. «Lorsque ça commence à bouillir, précise Raquel, j'ajoute un verre d'eau froide pour conserver le haricot entier et je laisse mijoter 1 h 30 à feu doux.» Pendant ce temps, émincer les travers de porc, les 3 oignons restants, les tomates mondées, les 2 bottes de coriandre et les 2 piments. Faire revenir ensuite tous ces ingrédients dans une grande cocotte, saler et poivrer. Sortir le bouillon de queue de bœuf, le dégraisser et mouiller la viande de travers de porc jusqu'à couvrir les morceaux. Cuisson à petit feu : 1 heure. Ensuite, filtrer les haricots rouges et garder l'eau de leur cuisson. Ajouter les haricots et la queue de bœuf dans la cocotte et mouiller avec cette eau de cuisson, puis laisser cuire à feu très doux pendant 1 heure minimum. Au moment de servir, ajouter la coriandre restante ciselée. Accompagner avec du riz pilaf et de la sauce. Sauce *ranchera* : 1 piment, 4 échalotes grises, 3 tomates mondées, jus de 2 citrons verts, 1 botte de coriandre, 1 cuillère d'huile d'arachide, 1 petite cuillère de vinaigre de vin. Couper finement tous ces ingrédients, mélanger dans un saladier, saler et poivrer. Servir avec le chili de Raquel. Un délice !

Sur le versant nord des Buttes-Chaumont, le jeune Éric Fréchon avait quitté le *Crillon* en même temps que le chef Constant. En 1995, la crise est là – suivie de bien d'autres ! –, il ne s'agit pas de faire du gastro mais un bon bistrot de chef. Le voici donc à *La Verrière*. Bientôt, les délais de réservation rivalisent avec ceux de Robuchon. Il faut dire que l'assiette y est somptueuse et l'ambiance bon enfant, rappelant celle des *Barrières* des années 1970. Le Tout-Paris se déplace à *La Verrière*. On y croise pêle-mêle le show-business et le secrétaire général du Parti communiste, Robert Hue, venu en voisin de la place du

Colonel-Fabien, les copains et le petit monde de la presse spécialisée. Un temps, Mark Singer a repris l'établissement à l'enseigne de *La Cave*, en 1999, mais le mangeur est versatile.

Aujourd'hui, c'est l'ancien patron de *Chez Ramulaud* qui tient le flambeau chez *Quedubon*, sur le flan sud du parc. L'enseigne est cocasse, le taulier jovial, la cuisine inattendue – cervelle de veau grenobloise, pintade de Dordogne aux pleurotes, feuilleté aux pommes – et généreuse. C'est ici l'empyrée des vins naturels, dont Gilles Bénard est un fin connaisseur. Les noms clés sont : Jules Chauvet et Pierre Overnoy, deux vignerons mythiques de ce petit monde attachant.

À la Villette, il ne reste guère, depuis la disparition du *Cochon d'Or*, qu'une bonne brasserie comme on les aime, soucieuse de sa clientèle et ouverte sept jours sur sept : *Au Bœuf Couronné*, relancé par le groupe Joulie. Classiques entrées charcutières et très belles viandes françaises, servies avec des pommes soufflées. Lieu de mémoire de ce que fut la Villette du temps des abattoirs. Banc d'huîtres, raie au beurre noisette, pavé de bœuf béarnais à la moelle. On y retourne pour le souvenir, puis on y revient bientôt après un concert à la Philharmonie de Paris.

Le lacis périphérique : tables hors barrières

Dîner en banlieue, au *Camélia* à Bougival du temps de Jean Delaveyne, chez Manière à Pantin ou chez Michel Guérard au *Pot-au-Feu* à Asnières, était, dans les années 1970, le dernier chic parisien. Les Trente Glorieuses avaient fait oublier les hallucinations céliniennes : « La lumière du ciel à Rancy, c'est la même qu'à Détroit, du jus de fumée qui trempe la plaine depuis Levallois. »

À Meudon, où Céline, précisément, passa ses dernières années, *L'Escarbille* renoue avec la tradition gourmande hors barrières, dans l'ancien buffet de la gare de Bellevue, réaménagé, avec salons et terrasse. Depuis 2005, le jeune Régis Douysset y exerce dans la discrétion son art acquis au *Bristol*. Il régale ses habitués d'une charlotte de foie gras de canard et asperges, rehaussée d'un crumble de fruits secs, ou bien d'une chair de tourteau et fine purée d'artichaut parfumée à l'ail des ours. Saint-pierre rôti au fenouil braisé, selle d'agneau de lait, cochon ibérique, voilà le grand ordinaire d'une cuisine généreuse et personnelle, servie dans la bonne humeur.

À Yerres, dans l'Essonne, villégiature fleurie de la bourgeoisie à la fin du XIXe siècle, la municipalité restaure et entretient le parc admirable et la maison de Gustave Caillebotte (1848-1894), peintre impressionniste et mécène, en particulier son potager et son chalet suisse, au décor insolite et chaleureux. C'est là, au *Châlet du Parc*, que Philippe Detourbe a fini par poser ses pénates en 2008, après plusieurs aventures parisiennes. Ce cuisinier de l'air du temps s'est imprégné du génie du lieu. Il note ses impressions fugitives au potager, cueille un brin de ciboulail, s'assure de la fine amertume du mesclun qu'il associe à des langoustines rôties et pommes *Maxim's*.

Cuisine impressionniste ? Oui, mais la vérité du produit n'est jamais perdue de vue, même dans une acrobatique poêlée de gambas, pommes de terre fondantes, banane et boudin noir au curry et lait de coco.

À Saint-Germain-en-Laye, le jeune Thomas Cagna, fils de Gérard Cagna, chef deux étoiles à Cormeilles-en-Vexin, ose aligner deux sauces d'exécution parfaite : un beurre blanc sur un risotto de homard et une sauce Albufera avec un de ris de veau aux pleurotes. L'enseigne *Wauthier by Cagna*, ne recèle aucun mystère. C'est le nom de la rue !

Le département de Seine-Saint-Denis est une entité en soi. Une image de la banlieue parisienne. Passé le carrefour Pleyel, il faut y être né pour se diriger aisément. Aujourd'hui, ce sont des friches industrielles transformées en bureaux jouxtant de grands ensembles HLM, à la population bigarrée. La Seine semble, à regret, quitter ces bords, entre Gennevilliers et l'Île-Saint-Denis, où fleurissait une industrie complexe et disparue pour tout un peuple en bourgeron bleu, hommes jeunes et ouvriers, déjà alourdis par la tâche. Les enfants rieurs et les apprentis jouaient au ballon, à la pause, sur les pavés des rues industrielles. La Seine-Saint-Denis, c'est un monde où cohabitent usines désaffectées et nouvelles industries, échangeurs routiers et parcs paysagers bordés de barres locatives. Un paysage qui a sa poésie âpre, et où vit plus d'un million d'habitants.

Céline raconte la banlieue : « L'avenue avant chez la tante, c'était plein de marrons... Plus loin que la route, c'est les arbres, les champs, le remblai, des mottes et puis la campagne... plus loin encore, c'est les paysages inconnus... la Chine... Et puis rien du tout.» Le hors-barrières gastronomique avait fasciné Curnonsky. Le mystère commence à la barrière de Clichy! «La bicoque de Mme Héronde dominait un terrain vague. Le clebs nous avait repérés... il gueulait tout ce qu'il pouvait.» Mme Héronde est une brodeuse aussi précise que le plus fin ouvrier cuisinier. En cuisine, l'ouvrier qui n'est pas motivé – à la différence de la dentellière – ne peut atteindre la perfection. Ce qui reliait le travail ouvrier des banlieues et le travail de cuisine, c'était la réalité de la tâche exécutée à la perfection. En Seine-Saint-Denis, à défaut de nouvelles industries, demeure la cuisine.

On s'arrêtera, d'abord, au *Coq de la Maison Blanche*, épatante brasserie – entièrement d'époque, sans que l'on puisse vraiment préciser laquelle – où Alain François, le patron, maintient la tradition du coq au vin, du lièvre à la royale, et, le mercredi, de la mythique tête de veau qui enchante Jack Lang, grand amateur d'abats. L'on y sert des plats «à l'ancienne». C'est ce que l'on dit lorsqu'on se moque de la diététique. La tête de veau est cuite entière dans un bouillon blanc, servie habituellement avec une ravigote ou une sauce gribiche, et parfois en sauce tortue. En garniture, petits champignons tournés, œufs de caille, quenelle de veau, crêtes de coq, langue, cervelle frite et écrevisses pattes rouges.

Alain François assure que sa recette du coq au vin à la campagnarde «n'a pas bougé depuis cinquante ans», dit-il en ouvrant un meursault de Coche-Dury, dont sa cave est largement pourvue. Son fournisseur est un volailler spécialisé de Rungis. « Je choisis des coqs entre quatre et six kilos », soit, une fois découpés, entre douze et quatorze portions, aussitôt mises à mariner pendant quarante-huit heures au moins, dans un vin rouge (corbières) avec carottes, oignons, clou de girofle, bouquet garni et un trait de vinaigre. Les carcasses vivement colorées, légèrement singées, auxquelles on ajoute une mirepoix de légumes, donnent, après réduction, un fond de volaille corsé. Une fois bien égouttés, les morceaux sont flambés, colorés à feu vif, puis mis à cuire dans le vin de la marinade et le fond, en parts égales. Au dernier moment intervient l'indispensable liaison au sang qui donne à la sauce son incomparable sapidité. Un peu de persil ciselé, des taglia-telles au beurre en garniture, le coq est servi brûlant. Un délice. Georges Marchais, qui fêta son départ de la vie politique au *Coq de la Maison Blanche*, écrivit dans le livre d'or : « Dommage que la maison ne se soit pas appelée *Le Coq de la Maison Rouge* ! »

Chez Henri, à Romainville, où il fallait arriver avant 21 h 15, fut autrefois une adresse d'excellence (vol-au-vent, suprême de poule faisane aux queues d'écrevisses, civet de garenne). De même, *La Campagne Lotoise*, à Bondy, de l'un des fils de la famille Asfaux, du temps où le patriarche tenait solidement la position de la rue Faidherbe à l'enseigne *À Sousceyrac*, en souvenir d'un roman de Pierre Benoit. Autres tables d'anthologie, l'*Auberge des Saints Pères*, de Michel Liret, et *Le Pouilly Reuilly*, de Jean Thibault, au Pré-Saint-Gervais, où les successeurs maintiennent la tradition d'une bonne cuisine de ménage. À Aulnay-sous-Bois, Jean-Claude Cahagnet, maître cuisinier de France, a succédé à Michel Liret. Son saint-pierre au boudin noir, réduction caramélisée de jus d'endive à la bière et mousseline de céleri, a reçu la bénédiction étoilée du *Michelin*.

Épilogue

Au terme de cette balade gourmande dans le temps et l'espace parisiens, une question se pose : la mondialisation menace-t-elle nos goûts ? Serait-elle responsable aujourd'hui de la compilation et du zapping auxquels se livrent de nombreux cuisiniers comme leur clientèle, soumis les uns et les autres aux oukases du marketing, aux diktats des images et de la mode, qui accélèrent la perte de sens symbolique de la table, au profit d'une stratégie inédite du divertissement, cause d'une profonde « déréliction alimentaire », selon l'hypothèse d'Anthony Rowley ? Phénomène induit, quelques dizaines de jeunes chefs aux avant-postes de la création récusent plus ou moins l'héritage et, comme les militants de la IIe Internationale ouvrière, chantent « Du passé faisons table rase ». L'historien Jean-Louis Flandrin l'avait-il pressenti en 1996, en conclusion de son *Histoire de l'alimentation*, qui posait la question : « Dans quelle mesure l'économie capitaliste a-t-elle, en matière d'alimentation, réalisé ce slogan ? »

Du modeste hôtel standard près de l'échangeur de Bagnolet au fastueux palace des beaux quartiers, le client anglo-saxon est assuré de trouver un petit déjeuner riche en protéines : œufs, bacon, saucisses. Le Français, dans le domaine étendu de la vie privée, reste majoritairement accroché à son café-tartine ou à ses croissants, persuadé, comme l'écrivain Manuel Vázquez Montalbán, que « manger ou ne pas manger est une question d'argent ; bien manger ou mal manger est affaire de culture ». La vérité capitaliste – appelée aujourd'hui mondialisation – se heurte à la difficulté de convaincre la majorité d'un pays pour qui le domaine de la table reste essentiel. La représentation qu'en donnent, depuis au moins deux siècles, la littérature, la peinture, voire le cinéma constitue une vue sans doute plus fidèle de nos manières de table que la surabondance d'études sociologiques où domine la querelle idéologique.

De nos jours, les racines humaines – telles des griffes originelles et culturelles – restent accrochées au désir alimentaire, dans un pays où le bien-manger est un mythe entretenu, sinon toujours une réalité. En témoignent les jardins urbains et aux portes des villes, le succès des marchés de plein air et des produits bio. L'avenir ne verra certainement pas s'éteindre cette civilisation matérielle, malgré l'emprise de la mondialisation. C'est la fameuse histoire du Larzac, que se racontent encore les papy-boomers. La culture *mainstream*, dont les exégètes ne cessent d'affirmer la prépondérance, n'est pour beaucoup que le lieu du partage des sons, des images en 3D, de la musique rock ou du heavy metal. Le partage des goûts est une autre affaire, comme le montrent le succès mitigé de la cuisine fusion, importée de la côte Ouest des États-Unis, et, finalement, l'échec de la cuisine moléculaire. Beaucoup de nos compatriotes pensent, avec Jules Renard : «Je ne réponds pas d'avoir du goût, mais j'ai le dégoût très sûr!» En France, cependant, chaque quartier de Paris comme chaque centre commercial de la périphérie offrent un fast-food, dont la prestation essentielle est un petit pain garni de viande hachée, accompagné de frites. Le Mac Do permet aux groupes pluriels de jeunes consommateurs, aux enfants et à leurs parents de cohabiter sans heurts lors d'un repas accompagné de boissons sans alcool. La fréquentation de ce lieu propre, attrayant, fait divertissement. Le rapport social qu'il instaure est sans doute démocratique.

À la maison, en revanche, les repas codifiés par l'usage et transmis par le groupe parental – niche ethnique autant qu'écologique – s'inscrivent avec leurs plats et ingrédients dans une continuité digne des «longues durées» définies par l'historien Fernand Braudel. C'est précisément le sens de l'inscription du «repas gastronomique des Français» au patrimoine immatériel de l'Unesco. L'unité fonctionnelle du repas rejoint ici sa valeur symbolique, dans une action biologiquement utile et anthropologiquement marquée par la nature collective du partage. Si la cuisine est un langage, c'est d'abord celui de l'échange. Car «l'homme est un carnivore qui se nourrit de viande, de végétaux et d'imaginaire», affirme Claude Fischler dans *L'Homnivore*. Se pose alors l'épineuse question : les rites constants des pratiques alimentaires, ceux des familles et ceux de la grande cuisine, vont-ils muter ? La valeur ajoutée du symbolique et de l'imaginaire doit-elle nécessairement disparaître ? Poser la question ainsi est déjà donner la réponse. En d'autres domaines, l'on qualifierait cette injonction de présupposé performatif.

Les grands cuisiniers français sont-ils rattrapés par la mondialisation ? La cuisine du marché, pour eux, c'est le marché mondial : l'Amérique, l'Asie, les Émirats... Au temps de l'automobile, version Michelin, un restaurant « méritait le voyage » s'il avait trois étoiles. Aujourd'hui, c'est sur les lieux mêmes où résident les clientèles à fort pouvoir d'achat que s'installent, d'un coup d'ailes, les chefs illustres associés à des groupes hôteliers : Las Vegas, Macao, Dubai, Singapour... Voici Joël Robuchon et Alain Ducasse à la tête d'une trentaine d'établissements. Guy Savoy cornaque une équipe à Las Vegas et à Doha, Pierre Gagnaire à Séoul, Yannick Alléno à Marrakech.

La table, depuis Carême ou Escoffier, reposait sur le principe du *natura artis magistra* (« la nature est maîtresse de l'art »), que les exigences du marché ont l'ambition d'abolir. « Mondialisation » est un mot clé de l'idéologie actuelle, sinon de la doxa dominante, comportant une série de connotations, bonnes ou mauvaises, mais nécessairement circonscrites. Elles concernent presque toutes une relation aux échanges économiques, au marché. Lequel bien sûr est dominateur. Il est vrai que le burger est envahissant, mais guère plus que la pizza et aujourd'hui le sushi. Christian Boudan, dans *Géopolitique du goût*, a mis en lumière de façon originale l'expansion des cultures culinaires dans l'espace et le temps. La première mondialisation alimentaire fut celle de la découverte des plantes de l'Amérique en 1492 : la tomate, le maïs, la pomme de terre, le chocolat. Que serait la cuisine italienne sans la tomate, le cassoulet sans le haricot ? « Le piment, un disjoncteur entre nature et culture ? » écrivait Claude Lévi-Strauss.

Découvert par Colomb au Mexique, il s'imposera dans les cuisines asiatiques, jusqu'en Chine. La mondialisation aujourd'hui favorise assurément l'apparition de nouveaux produits. Au lieu d'uniformiser les goûts, elle les multiplie. Dans le même temps, une soudaine prise de conscience de la biodiversité laisse entrevoir, par une sorte de pari pascalien humaniste de la table, que nos sociétés entendent épargner les ressources premières, ces dons de la nature préservée par ce qu'il faut bien appeler l'écologie. C'est dans le succès ou l'échec d'une telle démarche que se jouera l'avenir du goût.

Index des établissements cités

De la place Vendôme à la place des Vosges

Le Café des Abattoirs. 10, r. Gomboust 75001 Paris.
Tél.: 01 76 21 77 60
L'Absinthe. 24, place du Marché-Saint-Honoré 75001 Paris.
Tél.: 01 49 26 90 04
Ambassade d'Auvergne. 22, r. du Grenier-Saint-Lazare 75003 Paris.
Tél.: 01 42 72 31 22
L'Ambroisie. 9, place des Vosges 75004 Paris. Tél.: 01 42 78 51 45
Au Bascou. 38, r. Réaumur 75003 Paris. Tél.: 01 42 72 69 25
Benoît. 20, r. Saint-Martin 75004 Paris. Tél.: 01 58 00 22 15
Bizan. 56, r. Sainte-Anne 75002 Paris. Tél.: 01 42 96 67 76
Le Bœuf à la Mode. 6, r. de Valois 75001 Paris. Tél.: 01 42 60 38 81
Le Bougainville. 5, r. de la Banque 75002 Paris. Tél.: 01 42 60 05 19
Carré des Feuillants. 14, r. de Castiglione 75001 Paris.
Tél.: 01 42 86 82 82
Le Céladon – Duke's Bar. 13, r. de la Paix 75002 Paris.
Tél.: 01 47 03 40 42
Le Coq Saint-Honoré (volailles). 3, r. Gomboust 75001 Paris.
Tél.: 01 42 61 53 30
Hôtel Costes. 239-241, r. Saint-Honoré 75001 Paris.
Tél.: 01 42 44 50 00
Cru. 7, r. Charlemagne 75004 Paris. Tél.: 01 40 27 81 84
La Dame de Pic. 20, r. du Louvre 75001 Paris. Tél.: 01 42 60 40 40

Drouant. 16, r. Gaillon 75002 Paris. Tél.: 01 42 65 15 16
La Fontaine Gaillon. 1, r. de La Michodière 75002 Paris.
   Tél.: 01 42 65 87 04
Chez Georges. 1, r. du Mail 75002 Paris. Tél.: 01 42 60 07 11
Georges. 19, r. Beaubourg 75004 Paris.
   Tél.: 01 44 78 47 99
Le Grand Véfour. 17, r. de Beaujolais 75001 Paris.
   Tél. : 01 42 96 56 27
Harry's Bar. 5, r. Daunou 75002 Paris. Tél.: 01 42 61 71 14
Restaurant Kei. 5, r. du Coq-Héron 75001 Paris. Tél.: 01 42 33 14 74
Kioko (produits bio japonais). 46, r. des Petits-Champs 75002 Paris.
Caves Legrand. 1, r. de la Banque 75002 Paris. Tél.: 01 42 60 07 12
Louvre Bouteille. 150, r. Saint-Honoré 75001 Paris.
   Tél.: 01 73 54 44 44
Hôtel Meurice. 228, r. de Rivoli 75001 Paris. Tél.: 01 44 58 10 10
Mori Venice Bar. 2, r. du Quatre-Septembre 75002 Paris.
   Tél.: 01 44 55 51 55
Le Restaurant du Palais-Royal. 110, Galerie de Valois 75001 Paris.
   Tél.: 01 40 20 00 27
Park Hyatt Paris-Vendôme. 5, r. de la Paix 75002 Paris.
   Tél.: 01 58 71 12 34
Le Petit Vendôme. 8, r. des Capucines 75002 Paris.
   Tél.: 01 42 61 05 88
Pierre au Palais-Royal. 10, r. de Richelieu 75001 Paris.
   Tél.: 01 42 96 09 17
Sur Mesure (mandarin oriental). 251, r. Saint-Honoré 75001 Paris.
   Tél.: 01 70 98 78 88
Terroir Parisien. 28, place de la Bourse 75002 Paris.
   Tél.: 01 83 92 20 30
Le Rubis. 10, r. du Marché-Saint-Honoré 75001 Paris.
   Tél.: 01 42 61 03 34
Bistrot Valois. 1, place de Valois 75001 Paris. Tél.: 01 42 61 35 04
Maison Verlet (thés, cafés). 256, r. Saint-Honoré 75001 Paris.
   Tél.: 01 42 60 67 39
Mon Vieil Ami. 69, r. Saint-Louis-en-l'île 75004 Paris.
   Tél.: 01 40 46 01 35

À la Ville de Rodez (épicerie). 22, r. Vieille-du-Temple 75004 Paris.
Le Bistrot Vivienne. 4, r. des Petits-Champs 75002 Paris.
Tél. : 01 49 27 00 50
Chez Vong. 10, r. de la Grande-Truanderie 75001 Paris.
Tél. : 01 40 26 09 36
Willi's Wine Bar. 13, r. des Petits-Champs 75001 Paris.
Tél. : 01 42 61 05 09
Workshop Isse. 11, r. Sainte-Anne 75002 Paris. Tél. : 01 42 96 26 74

Rive gauche, de Saint-Germain-des-Prés aux Gobelins

L'Alcazar. 62, r. Mazarine 75006 Paris. Tél. : 01 53 10 19 99
Allard. 41, r. Saint-André-des-Arts 75006 Paris. Tél. : 01 43 26 48 23
Les Bouquinistes. 53, quai des Grands Augustins 75006 Paris.
Tél. : 01 43 25 45 94
Aux Charpentiers. 10, r. Mabillon 75006 Paris. Tél. : 01 43 26 30 05
Hélène Darroze. 4, r. d'Assas 75006 Paris. Tél. : 01 42 22 00 11
Délices d'Aphrodite. 4, r. de Candolle 75005 Paris.
Tél. : 01 43 31 40 39
Chez Dumonet – Joséphine. 117, r. du Cherche Midi 75005 Paris.
Tél. : 01 45 48 52 40
Emporio Armani Caffe. 149, bd Saint-Germain 75006 Paris.
Tél. : 01 45 48 62 15
Fogon. 45, quai des Grands Augustins 75006 Paris. Tél. : 01 43 54 31 33
La Forge. 14, r. Pascal 75005 Paris. Tél. : 01 47 07 77 78
KGB. 25, r. des Grands Augustins 75006 Paris.
Tél. : 01 46 33 00 85
Lapérouse. 51, quai des Grands Augustins 75006 Paris.
Tél. : 01 43 26 68 04
Brasserie Lipp. 151, bd Saint-Germain 75006 Paris.
Tél. : 01 45 48 53 91
Relais Louis XIII. 8, r. des Grands-Augustins 75006 Paris.
Tél. : 01 43 26 75 96
Atelier Maître Albert. 1, r. Maître-Albert 75005 Paris.
Tél. : 01 56 81 30 01

La Marlotte. 55, r. du Cherche-Midi 75005 Paris. Tél.: 01 45 48 86 79
Mavrommâtis. 42, r. Daubenton 75005 Paris. Tél.: 01 43 31 17 17
Moissonnier. 28, r. des Fossés-Saint-Bernard 75005 Paris.
   Tél.: 01 43 29 87 65
Le Petit Saint Benoît. 4, r. Saint-Benoît 75006 Paris.
   Tél.: 01 42 60 27 92
Petit Vatel. 5, r. Lobineau 75006 Paris. Tél.: 01 43 54 28 49
Philovino. 33, r. Claude-Bernard 75005 Paris. Tél.: 01 43 37 13 47
Polidor. 41, r. Monsieur-le-Prince 75006 Paris. Tél.: 01 43 26 95 34
Pouic Pouic. 9, r. Lobineau 75006 Paris. Tél.: 01 43 26 71 95
La Rhumerie. 166, bd Saint-Germain 75006 Paris.
   Tél.: 01 43 54 28 94
Roger la Grenouille. 28, r. des Grands-Augustins 75006 Paris.
   Tél.: 01 56 24 24 34
La Rotonde. 105, bd du Montparnasse 75006 Paris.
   Tél.: 01 43 26 48 26
Au Sauvignon. 80, r. des Saint-Pères 75007 Paris. Tél.: 01 45 48 49 02
Terroir Parisien. 20, r. Saint-Victor 75005 Paris. Tél.: 01 44 31 54 54
La Tour d'Argent. 15, quai de la Tournelle 75005 Paris.
   Tél.: 01 43 54 23 31
Vagenende. 142, bd Saint-Germain 75006 Paris. Tél.: 01 43 26 68 18
Gilles Vérot (charcutier de tradition). 3, r. Notre-Dame-des-Champs
   75006 Paris.
De Vinis Illustribus. 48, r. de la Montagne-Sainte-Geneviève
   75005 Paris. Tél.: 01 43 36 12 12

Les Invalides et alentour

L'Affriolé. 17, r. Malar 75007 Paris. Tél.: 01 44 18 31 33
Chez les Anges. 54, bd de La Tour-Maubourg 75007 Paris.
   Tél.: 01 47 05 89 86
Arpège. 84, r. de Varenne 75007 Paris. Tél.: 01 47 05 09 06
Auguste. 54, r. de Bourgogne 75007 Paris. Tél.: 01 45 51 61 09
Les Cocottes. 135, r. Saint-Dominique 75007 Paris.
   Tél.: 01 47 53 73 34

Café Constant. 139, r. Saint-Dominique 75007 Paris.
Tél.: 01 47 53 73 34
Chez Françoise. r. Robert-Esnault-Pelterie, 75007 Paris.
Tél.: 01 47 05 49 03
L'Ami Jean. 27, r. Malar 75007 Paris. Tél.: 01 47 05 86 89
Atelier de Joël Robuchon. 5, r. de Montalembert 75007 Paris.
Tél.: 01 45 50 11 10
(autre adresse: 133, av. des Champs-Élysées 75008 Paris.
Tél.: 01 47 23 75 75)
Restaurant David Toutain. 29, r. Surcouf 75007 Paris.
Tél.: 01 45 50 11 10
Le Violon d'Ingres. 135, r. Saint-Dominique 75007 Paris.
Tél.: 01 45 55 15 05

Champs-Élysées et Grands Boulevards

39 V. 39, av. Georges-V 75008 Paris. Tél.: 01 56 62 39 05
110 de Taillevent. 195, r. du Faubourg-Saint-Honoré 75008 Paris.
Tél.: 01 40 74 20 20
Apicius. 20, r. d'Artois 75008 Paris. Tél.: 01 43 80 19 66
Cave Beauvau. 4, r. des Saussaies 75008 Paris. Tél.: 01 42 65 24 90
Bourgogne Sud. 14, r. de Clichy 75009 Paris. Tél.: 01 48 74 51 27
Le Bristol. 112, r. du Faubourg-Saint-Honoré 75008 Paris.
Tél.: 01 53 43 43 00
Le Chiberta. 3, r. Arsène-Houssaye 75008 Paris. Tél.: 01 53 53 42 00
Citrus Étoile. 6, r. Arsène-Houssaye 75008 Paris. Tél.: 01 42 89 15 51
Le Cinq. 31, av. Georges-V 75008 Paris. Tél.: 01 49 52 70 00
La Ferme Saint-Hubert (fromager). 36, r. Rochechouart 75009 Paris.
Tél.: 01 45 53 15 77
Le Fouquet's. 99, av. des Champs-Élysées 75008 Paris.
Tél.: 01 40 69 60 50
Pierre Gagnaire. 6, r. Balzac 75008 Paris. Tél.: 01 58 36 12 50
Le Griffonnier. 8, r. des Saussaies 75008 Paris. Tél.: 01 42 65 17 17
La Grille. 80, r. du Faubourg-Poissonnière 75009 Paris.
Tél.: 01 47 70 89 73

Helen. 3, r. Berryer 75008 Paris. Tél.: 01 40 76 01 40
Lasserre. 17, av. Franklin-Roosevelt 75008 Paris. Tél.: 01 43 59 02 13
Laurent. 41, av. Gabriel 75008 Paris. Tél.: 01 42 25 00 39
Ledoyen. 1, av. Dutuit 75008 Paris. Tél.: 01 53 05 10 00
Aux Lyonnais. 32, r. Saint-Marc 75002 Paris. Tél.: 01 58 00 22 16
La Maison Blanche. 15, av. Montaigne 75008 Paris. Tél.: 01 47 23 55 99
Maxim's. 3, r. Royale 75008 Paris. Tél.: 01 42 65 27 94
Au Petit Riche. 25, r. Le Peletier 75009 Paris. Tél.: 01 47 70 68 68
Plaza Athénée – Alain Ducasse. 25, av. Montaigne 75008 Paris.
   Tél.: 01 53 67 66 65
Lucas Carton – Senderens. 9, place de la Madeleine 75008 Paris.
   Tél.: 01 42 65 22 90
Taillevent. 15, r. Lamennais 75008 Paris. Tél.: 01 44 95 15 01

République, Bastille, Nation

Le 6 Paul Bert. 6, r. Paul-Bert 75011 Paris. Tél.: 01 43 79 14 32
Bistrot Paul Bert. 18, r. Paul-Bert 75011 Paris. Tél.: 01 43 72 24 01
Le Chardenoux. 1, r. Jules-Vallès 75011 Paris. Tél.: 01 43 71 49 52
Le Chateaubriand. 129, av. Parmentier 75011 Paris.
   Tél.: 01 43 57 45 95
Clamato. 80, r. de Charonne 75011 Paris. Tél.: 01 43 72 74 53
Le Dauphin. 131, av. Parmentier 75011 Paris. Tél.: 01 55 28 78 88
L'Écailler du Bistrot. 22, r. Paul-Bert 75011 Paris. Tél.: 01 43 72 76 77
Auberge Flora. 44, bd Richard-Lenoir. 75011 Paris.
   Tél.: 01 47 00 52 77
Le Quincy. 28, av. Ledru-Rollin 75012 Paris. Tél.: 01 46 28 46 76
Septime. 80, r. de Charonne 75011 Paris. Tél.: 01 43 67 38 29
Le Temps au Temps. 13, r. Paul-Bert 75011 Paris. Tél.: 01 43 79 63 40
Le Train Bleu. Gare de Lyon, place Louis-Armand 75012 Paris.
   Tél.: 01 43 43 09 06
Le Trou Gascon. 40, r. Taine 75012 Paris. Tél.: 01 43 44 34 26
Le Yard. 6, r. de Mont-Louis 75011 Paris. Tél.: 01 40 09 70 30
Youpi et Voilà. 8, r. Vicq-d'Azir. 75010 Paris. Tél.: 01 83 89 12 63

Chez Z'Aline (sur le pouce). 85, r. de la Roquette 75011 Paris.
Tél.: 01 43 71 90 75

Montparnasse, Plaisance, Vaugirard

L'Assiette. 181, rue du Château 75014 Paris. Tél.: 01 43 22 64 86
L'Auberge du 15. 15, r. de la Santé 75013 Paris. Tél.: 01 47 07 07 45
La Cagouille. 10, place Constantin-Brancusi 75014 Paris.
Tél.: 01 43 22 09 01
La Closerie des Lilas. 171, bd du Montparnasse 75014 Paris.
Tél.: 01 40 51 34 50
Café du Commerce. 51, r. du Commerce 75015 Paris.
Tél.: 01 45 75 03 27
Soleil d'Est – Chen. 15, r. du Théâtre 75015 Paris. Tél.: 01 45 79 34 34
La Folie en Tête (bar). 33, r. de la Butte-aux-Cailles 75013 Paris.
Le Jules Verne. Tour Eiffel, av. Gustave-Eiffel 75007 Paris.
Tél: 01 45 55 61 44
Kim Anh. 51, av. Émile-Zola 75015 Paris. Tél.: 01 45 79 40 96
Le Merle Moqueur (bar). 11, r. de la Butte-aux-Cailles 75013 Paris.
Tél: 01 45 65 12 43
L'Ordonnance. 51, r. Hallé 75014 Paris. Tél.: 01 43 27 55 85
Aux Petits Chandeliers. 62, r. Daguerre 75014 Paris.
Tél.: 01 43 20 25 87
Les Petites Sorcières. 12, rue Liancourt 75014 Paris. Tél.: 01 43 21 95 68
La Régalade. 49, av. Jean-Moulin 75014 Paris. Tél.: 01 45 45 68 58
Le Sévero. 8, r. des Plantes 75014 Paris. Tél.: 01 45 40 40 91
Les Sourires de Dante. 37, r. du Couédic 75014 Paris.
Tél.: 01 43 21 51 07

Le Grand Ouest parisien

Akrame. 19, r. Lauriston 75016 Paris. Tél.: 01 40 67 11 16
Astrance. 4, r. Beethoven 75016 Paris. Tél.: 01 40 50 84 40
Le Ballon des Ternes. 103, av. des Ternes 75017 Paris.
Tél.: 01 45 74 17 98

Le Bistrot d'à Côté Flaubert. 10, r. Gustave-Flaubert 75017 Paris.
Tél.: 01 42 67 05 81

Paul Chêne. 123, r. Lauriston 75016 Paris. Tél.: 01 47 27 63 17

Conti. 72, r. Lauriston 75016 Paris. Tél.: 01 47 27 74 67

Dessirier. 9, place du Maréchal-Juin 75017 Paris.
Tél.: 01 42 27 82 14

Le Dodin de Mark Singer. 42, r. des Acacias 75017 Paris.
Tél.: 01 43 80 28 54

Chez Georges. 273, bd Pereire 75017 Paris. Tél.: 01 45 74 31 00

Graindorge. 15, r. de l'Arc-de-Triomphe 75017 Paris.
Tél.: 01 47 54 00 28

La Grande Cascade. Bois de Boulogne. Allée de Longchamp.
75016 Paris. Tél.: 01 45 27 33 51

Restaurant Jamin. 32, r. de Longchamp 75016 Paris. Tél.: 01 45 53
00 07

Le Pré Catelan. Bois de Boulogne. Route de Suresnes. 75016 Paris.
Tél.: 01 44 14 41 14

Restaurant Prunier. 16, av. Victor-Hugo 75016 Paris.
Tél.: 01 44 17 35 85

Raphaël. 17, av. Kleber 75016 Paris. Tél.: 01 53 64 32 00

Rech. 62, av. des Ternes 75017 Paris. Tél.: 01 58 00 22 13

Le Relais d'Auteuil. 31, bd Murat 75016 Paris. Tél.: 01 46 51 09 54

Le Relais de Venise – L'Entrecôte. 271, bd Pereire 75017 Paris.
Tél.: 01 45 74 27 97

Il Ristorante. 22, r. Fourcroy 75017 Paris. Tél.: 01 47 54 91 48

Le Rital. 25, r. Pierre-Demours 75017 Paris. Tél.: 01 46 22 02 33

Michel Rostang. 20, r. Rennequin 75017 Paris. Tél.: 01 47 63 40 77

Restaurant Guy Savoy. 18, r. Troyon 75017 Paris.
Tél.: 01 43 80 40 61

Sormani. 4, r. du Général-Lanrezac 75017 Paris. Tél.: 01 43 80 13 91

Les Tablettes de Jean-Louis Nomicos. 16, av. Bugeaud 75016 Paris.
Tél.: 01 56 28 16 16

Atelier Vivanda. 18, r. Lauriston 75016 Paris. Tél.: 01 40 67 10 00

Wada. 19, r. de l'Arc-de-Triomphe 75017 Paris. Tél.: 01 44 09 79 19

Jean-Claude Ribaut

De Montmartre à Ménilmontant

Antoine de Montmartre. 102, r. Lepic 75018 Paris.
Tél.: 01 53 09 23 93
Le Baratin. 3, r. Jouye-Rouve 75020 Paris. Tél.: 01 43 49 39 70
Boeuf Couronné. 188, av. Jean-Jaurès 75019 Paris.
Tél.: 01 42 39 44 44
La Bonne Franquette. 18, r. Saint-Rustique 75018 Paris.
Tél.: 01 42 52 02 42
Le Chamarré Montmartre. 52, r. Lamarck 75018 Paris.
Tél.: 01 42 55 05 42
Le Chapeau Melon. 92, r. Rebeval 75019 Paris. Tél.: 01 42 02 68 60
Le Coq Rico. 98, r. Lepic 75018 Paris. Tél.: 01 42 59 82 89
Le Grand 8. 8, r. Lamarck 75018 Paris. Tél.: 01 42 55 04 55
Jour de Fête. 41, r. Caulaincourt 75018 Paris. Tél.: 01 77 18 04 23
La Mascotte. 52, r. des Abbesses 75018 Paris. Tél.: 01 46 06 28 15
Le Moulin de la Galette. 83, r. Lepic 75018 Paris. Tél.: 01 46 06 84 77
Quedubon. 22, r. du Plateau 75019 Paris. Tél.: 01 42 38 18 65

Hors barrières

Le Châlet du Parc. 2, r. de Concy 91330 Yerres. Tél.: 01 69 06 86 29
Le Coq de la Maison Blanche. 37, bd Jean-Jaurès 93400 Saint-Ouen.
Tél.: 01 40 11 01 23
L'Escarbille. 8, r. de Vélizy 92190 Meudon. Tél.: 01 45 34 12 03
Le Pouilly Reuilly. 68, r. André-Joineau 93310 Le Pré-Saint-Gervais.
Tél.: 01 48 45 14 59
Auberge des Saint Pères. 212, av. de Nonneville 93600 Aulnay-sous-
Bois. Tél.: 01 48 66 62 11
Wauthier by Cagna. 31, r. Wauthier 78100 Saint-Germain-en-Laye.
Tél.: 01 39 73 10 84

Bibliographie

68, une histoire collective, La Découverte, 2008

Dictionnaire de Trévoux, 1704, 1ʳᵉ éd.

Le Mesnagier de Paris, Librairie générale française, 1994

Alain, *Propos sur l'éducation*, Rieder, 1932

ALI-BAB/ BABINSKI Henri, *La Gastronomie pratique*, Flammarion, 2013

ALLÉNO, Yannick, *Sauces, réflexions d'un cuisinier*, Hachette Pratique, 2014

AMAT, Jean-Marie et VINCENT, Jean-Didier, *Nouvelle Physiologie du goût*, Odile Jacob, 2000

ARON, Jean-Paul, *Les Modernes*, Gallimard, 1984

BALZAC, Honoré de, «La Comédie humaine» in *Œuvres complètes de Honoré de Balzac*, Calmann-Lévy, 1869-1879

BAUDELAIRE, Charles, *Le Peintre de la vie moderne*, Mille et Une Nuits, 2010

BAUDELAIRE, Charles, *Le Spleen de Paris*, Gallimard, 2013

BÉARN, Pierre, *Paris Gourmand*, Gallimard, 1929

BEAUVILLIERS, Antoine, *L'Art du cuisinier*, Pillet Aîné, 1824

BERCHOUX, Joseph, *La Gastronomie ou l'Homme des champs à table*, Giguet et Michaud, 1803

BIERCE, Ambrose, *Le Dictionnaire du diable*, Les Quatre Jeudis, 1955

BOUDAN, Christian, *Géopolitique du goût*, Presses universitaires de France, 2004

BRILLAT-SAVARIN, Jean-Anthelme, *Physiologie du goût*, Flammarion, 2009

BRULLER, Jean dit Vercors, *Je cuisine comme un chef sans y connaître rien*, Christian Bourgois, 1991

CALET, Henri, *Le Croquant indiscret*, Grasset, 1955

CHAPEL, Alain, *La cuisine, c'est beaucoup plus que des recettes*, Robert Laffont, 2009

COURTELINE, Georges, *Messieurs les ronds-de-cuir*, Flammarion, 1893

DALÍ, Salvador, *Les Cocus du vieil art moderne*, Fasquelle, 1956

DELEUZE, Gilles, *Le Pli: Leibniz et le baroque*, Éditions de Minuit, 1988

DELVAU, Alfred, *Les Plaisirs de Paris*, Seesam, 1991

DIDEROT, Denis, «Lettres à Sophie Volland» in *Œuvres de Denis Diderot, t. V, Correspondance*, Robert Laffont, 1997

DUCASSE, Alain, *Grand Livre de cuisine d'Alain Ducasse*, Alain Ducasse, 2005

DUMAS, Alexandre, *Le Grand Dictionnaire de cuisine*, Lemerre, 1873

ESCOFFIER, Auguste, *Le Guide culinaire*, Art culinaire, 1903

FEYDEAU, Georges, *La Dame de chez Maxim's*, Gallimard, 2011

FIELD, Michel, *L'Homme aux pâtes*, Barrault, 1989

FISCHLER, Claude, *L'Homnivore: le goût, la cuisine et le corps*, Odile Jacob, 1990

FLANDRIN, Jean-Louis et MONTANARI, Massimo, *Histoire de l'alimentation*, Fayard, 1996

GRACQ, Julien, *La Littérature à l'estomac*, José Corti, 1949

GRIMOD DE LA REYNIÈRE, Alexandre Balthasar Laurent, *L'Almanach des gourmands*, Menu Fretin, 2012

HILLAIRET, Jacques, *Connaissance du vieux Paris*, Club français du livre, 1956

HUIZINGA, Johan, *L'Automne du Moyen Âge*, Payot, 1989

HUYSMANS, Joris-Karl, *La Bièvre et Saint-Séverin*, P-V Stock, 1898

HUYSMANS, Joris-Karl, *La Cathédrale*, P-V Stock, 1898

KARAMZINE, Nikolaï, *Lettres d'un voyageur russe en France, en Allemagne et en Suisse, 1789-1790*, Quai Voltaire, 1991

LAMOTHE-LANGON, Étienne-Léon de, *La Province à Paris*, Bossange frères, 1825

LA SALE, Antoine de, *Jehan de Saintré*, Librairie générale française, 1995

LÉAUTAUD, Paul, *Journal littéraire*, Mercure de France, 1954-1964

LEBEY, Claude, *À Table!*, Albin Michel, 2012

LE DIVELLEC, Jacques, *Ma vie, une affaire de cuisine*, Grasset, 2002

MANIÈRE, Jacques, *Le Grand Livre de la cuisine à la vapeur*, Denoël, 1985

MAURIAC, François, *Le Baiser au lépreux*, Grasset, 1922

MILLAU, Christian, *Guide des restaurants fantômes*, Plon, 2007

MILLAU, Christian, *Dictionnaire amoureux de la gastronomie*, Plon, 2008

MONTAGNÉ, Prosper, *Larousse gastronomique*, Larousse, 1938

NORA, Pierre, *Les Lieux de mémoire III – Les France, volume 2 :* tome « Traditions : la gastronomie », par Pascal Ory, Gallimard, 1984

OLIEVENSTEIN, Claude, *Mes tables de fête : 91 restaurants parisiens*, Ramsay, 1979

OLIVER, Raymond, *Adieux fourneaux*, Robert Laffont, 1984

ONFRAY, Michel, *Le Ventre des philosophes*, Grasset, 1989

PEYREFITTE, Roger, *Manouche*, Flammarion, 1972

PITTE, Jean-Robert, *Gastronomie française. Histoire et géographie d'une passion*, Fayard, 1991

PROUST, Marcel, *Œuvres complètes de Marcel Proust*, NRF, 1930

QUELLIER, Florent, *La Table des Français*, Presses universitaires de Rennes, 2007

RAMORET, Ignacio et CHAO, Ramón, *Le Guide du Paris rebelle*, Plon, 2008

RENARD, Jules, *Journal*, Union générale d'éditions, 1984

RESTIF DE LA BRETONNE, Nicolas, *Le Palais-Royal*, 1790

REVEL, Jean-François, *Un Festin en paroles : histoire littéraire de la sensibilité gastronomique de l'Antiquité à nos jours*, Tallandier, 1985

RIGAUD, Lucien, *Dictionnaire d'argot moderne*, Paul Ollendorff, 1881

ROBERT-ROBERT, *Guide du gourmand à Paris*, Grasset, 1925

ROUFF, Marcel, *La Vie et la Passion de Dodin-Bouffant, gourmet*, Delamain et Boutelleau, 1924

ROWLEY, Anthony, *Une histoire mondiale de la table*, Odile Jacob, 2009

RUTKOWSKI, Krzysztof, *Les Passages parisiens*, Exils, 1998

MME E. SAINT-ANGE, *Le Livre de cuisine*, Larousse, 1927

SAINT-SIMON, Louis de Rouvroy, *Mémoires*, Contrepoint, 1983

SIMENON, Georges, *Le Voleur de Maigret*, Presses de la Cité, 1961

TERRAIL, Claude, *Ma Tour d'Argent*, Stock, 1974

TOKLAS, Alice, *Livre de cuisine*, Éditions de Minuit, 1981

TRÉMOLIÈRES, Jean, *Diététique et Art de vivre*, Seghers, 1975

VARILLE, Mathieu, *La Cuisine lyonnaise*, Masson, 1928

VENCE, Céline et LE DIVELLEC, Jacques, *La Cuisine de la mer*, Robert Laffont, 1982

VIGATO, Jean-Pierre, *Vigato : mon carnet de recettes*, La Martinière, 2011

VILLEFOSSE, Héron de, *Saison de Paris : septembre, décembre 1948*, Commissariat des fêtes, 1948

VOLTAIRE, *Dictionnaire philosophique*, Actes Sud, 2012

WESKER, Arnold, *La Cuisine*, Gallimard, 1967

WILLY ET MÉNALKAS, *Le Naufragé*, Edgar Malfère, 1924

ZIPPRICK, Jörg, *Les Dessous peu appétissants de la cuisine moléculaire*, Favre, 2009

Remerciements

Cette pérégrination au long cours pendant plusieurs décennies, assortie d'une pratique assidue de la table au nez et à la barbe de Desclozeaux, n'aurait pu se prolonger sans l'appui de Jacques Buob, Serge Bolloch, Françoise Chirot, Stéphane Mandard, et cet ouvrage se concrétiser sans les lumières de Daniel Tougard, les conseils et la longanimité de Mireille Paolini.

Table des matières

Photocomposition Maury

Achevé d'imprimer en octobre 2014
par CPI Bussière
pour le compte des éditions Calmann-Lévy
31, rue de Fleurus 75006 Paris

Nº d'éditeur : 5184999/01
Nº d'imprimeur : 2012153
Dépôt légal : octobre 2014
Imprimé en France.